「まち裏」文化めぐり

［東京下町編］

清水麻帆

彩流社

はしがき

下町に関する書籍は、これまでも歴史から街歩きまでを含めて多種多様なものが出されている。しかし、それは、下町の代表でもある日本橋などを中心としたものが多く、蔵前や北千住を取り上げたものは必ずしも多くない。特に、近年、注目されるようになった背景や変容、その再生過程については、必ずしもわかっているとはいえない。

近代化する過程において、文化や経済が東京西部へと移動し、経済はグローバル化する中で、下町はおいてけぼりの状態であったといえよう。そんな下町が近年注目され始め、若者が購読するような雑誌でも取り上げられるようになっている。以前の状態から、なにがきっかけとなり、活気を取り戻したのだろうか。そうした点について、いくらかでも明らかにしたいと思ったのである。

また、これら三都市を選んだ背景には、序章でも述べているが、共通点がある。それは、隅田川沿いに位置していることだ。その立地が街を形成し、発展させていた。一方で、三都市は、同じような形で発展したのではなく、それぞれの文化を基盤として、それぞれのあり方で発展していた。そこで、江戸期から今日までの盛衰を考察することで、どのように文化が基盤になっていたのかを考察しているのが本書である。そうした中で、それぞれの文化的魅力も伝えることができればと考えた。

したがって、本書は、都市や地域における社会経済の発展と文化との関係性や文化を基盤とした創造的なまちづくりの方向性やあり方を導き出すためのヒントとなるものであると同時に、その中で紹介していく歴史や文化的要素を知ることで、街歩きをより楽しめるものになるように努めた。なお、本書は歴史研究ではないため、歴史の部分に関しては区史などを中心に、その土地の人びとの気質を含む文化の形成とそれぞれの文化がどう都市の発展につながっているのかということを浮かび上がらせたいと思い、その点に重きを置きつつ、いささか簡単ではあるが整理している。

目次

序章

1　下町とは

本書では、東京東部の北千住、蔵前、浅草の裏側、すなわち街を形成する文化を巡る。この三つのエリアは隅田川沿いに位置し、北千住は足立区、蔵前と浅草は台東区に属している。これらのエリアは、互いがそう遠くない近隣に位置しており、下町といわれている地域である。

下町とは、現在でも山の手に対して使われている言葉であるが、なぜ下町と言われるようになったのか。『江戸学辞典』によると諸説あるという。その一つは、地形から由来しているという説である。江戸における山の手は、北西に広がる武蔵野台地の上の高地に位置している一方で、下町は東南に広がる湿地で低地に位置している。下に位置しているため、下町ということである。

もう一つは、立地から由来しているという説である。江戸城下の膝元に位置しており、御城下の町という意味で下町とされた訳である。元禄以前には、山の手は武家の町、下町は町人の町として、身分的な構造として認識されていたという。しかしながら、後述するが、18世紀（宝暦〜天明期）には町人文化が江戸文化を創生し、その背景には経済的に豊かな豪商も多く存在していた。そのため、それ以前までは、山の手と下町は、身分の上下で認識されていた一方で、18世紀に町人や町人文化が台頭してくると、身分での上下を表すものではなくなってきたという[1]。

この頃の下町は、神田、日本橋、京橋あたりのことを指していた。当時、「下町は江戸の経済センター」であると同時に、「江戸文化のセンター」でもあった。それが江戸特有の江戸っ子気質を生み出したといわれている。つまり、下町といわれる場所は経済的にも文化的にも繁栄していたところが多かった。その後、江戸後期から明治期にかけての下町は、下谷や浅草が含まれるようになり、大正期以降になると、その範囲が広がり、現在では、荒川、足立、江戸川の各地域も下町と捉えられるようになった[2]（地図参照）。

このような歴史的背景により、東京東部が下町と呼ばれているのである。そんな下町は、先述のように、下町と呼ばれるようになった江戸期から経済的にも文化的にも繁栄していたところが多かった。本書で取り上げる、北千住（足立区）、蔵前（台東区）、浅草（台東区）も同様である。北千住は物流や交通の要所、蔵前は金融センター、浅草は参拝・行楽地として繁栄していた。つまり、当時から、人・物・情報・資本が集まる場所であった。一方で、本書で取り上げる3都市は、バブル崩壊以後においては、停滞期を経験している都市部でもある。

このように、三者三様、共通点もありつつも、それぞれ特徴のある街の様相を持つ。そんな下町が注目され始めている。その背景の一つには、これまで歴史的に築いてきた文化を基盤にして、それぞれの文化を機微にアップデートし、街を形成している点が挙げられるだろう。

2 なぜ、イースト東京なのか

では、なぜ、今、イースト東京（東京東部）なのか。東京といえば、銀座や渋谷、六本木などを思い浮かべる人も多いだろう。こうした場所は、資本が集中投下され、駅前の商業オフィスビル再開発やマンション開発を繰り返してきた。実際に、現在も東京都心の西側では、どこかで大規模な駅前再開発が行われている光景を目にするだろう。つまり、東京都心部は、こうした再開発を繰り返すことで、煌びやかな世界都市・東京の景観を形成し、経済的にも成長してきた。

一方で、こうした高層ビルが林立する景観は、世界の大都市であれば、どこでも経験もしくは体験できる場所であるともいえる。コロナ渦中でリモートワークが恒常化、生活スタイルや価値観が変容し、オフィスさえも以前よりも不要になりつつある昨今、今まで通りの方法で街の発展を維持できるのだろうか。

そうした中で、東京にも、その場所に行かなければ触れられない魅力をもった場所があり、そうした地域は、地方だけではなく、東京にも存在しているのである。特に東京の東側に位置する、今回本書で取り上げる三つの下町は、先述のように、江戸期に経済も文化も隆盛していた地域であったが、近代化すると、国をあげた殖産興業（政策）が掲げられ、文化的拠点は東京西側に移り、隅田川沿いには、多くの軽工業の工場が立ち並ぶようになった。それまでの発展のあり方とは異なる道を歩み出し、それまでの歴史的な街並みや文化的な風景も変容してきた街でもある。その後、経済のグローバル化により日本の製造業は打撃を受け、低迷することになるが、これらの街も同様であった。

こうした背景を持つ下町が近年、再び活気を帯び、注目さえされるようになっている。こうした地域の特徴は、歴史や文化を継承・振興しつつ、それらを基盤とした都市（地域）の在り方を模索しているところが多いといえるのではないだろうか。そして、それらは、文化基盤を通じて人々が緩くつながることで、新たなものを生み出す、クリエイティブで新旧の文化が入り混じる街へと変容し、それが実は味わい深く、興味深い、情緒ある街の景色になっているのである。時代の変化や現状を受け入れつつ、それまでの文化を基盤とした街の小さな変革が、ある意味において、クリエイティブな空間へと少しずつ変容させているのである。

そこで、本書では、東京の下町として、隅田川沿いに位置している北千住・蔵前・浅草を取り上げる。北千住に関しては、犯罪数が多いというような悪いイメージを持たれることが多いが、実際に町を歩いていて、そう感じることはほとんどない。データからも、それを覆す結果がでており、足立区の新設法人数の増加率（２０１２年から２０１６年）に関しても23区内で品川区に次いで2番目に高く、ここ数十年で変貌してきたことが挙げられる。

次に、蔵前である。以前は、工場や倉庫が多い地域であったが、最近では、こだわりのコーヒーショップやカフェなどの飲食店や、プロダクトデザインやアトリエなどが多く立地するようになり、東京のブルックリンともいわれるような、専門店が立ち並ぶ洗練された空間へと激変している。

そして、浅草は、すでに観光地として有名であるが、歴史的に見ても、浅草寺や花街、演芸場などがあり、信仰文化や遊芸文化のメッカだった江戸期、関東大震災や戦争で街が破壊された近代、そして昭和期における暗く危険な街のイメージとなった衰退時期などの栄枯盛衰を経験しつつも、文化を基盤として復興し、今日の有名観光地として、少なくとも創造的なまちづくりを行ってきた背景を持つ街である。

こうした東京の下町が少しずつ活気づいてきた背景には、実はその土地の歴史を汲んだ文化が基盤となっているのである。文化活動はコミュニティの結束を強固にし、それが再生や復興にはかかせないものであることはすでに明らかであるが、それだけではない。今回取り上げた地域は、江戸時代に元々物流の拠点や歓楽街として多様な人びとを受け入れて繁栄してきた場所であり、それぞれの文化や風土、そしてローカルに受け継がれてきた暗黙知である文化的気質が街のコンテンツ（中身）を作り出している。そうした文化の一つが、他者を受け入れる文化であった。そうした文化がある下町は、新たなものや文化が作り出される機会が多くある。そのことは同時に、新旧の入り混じる文化は風景や人にも大きく影響を及ぼし、三者三様の街独自の顔を作り出しているのである。地域固有の文化がその地域に関わる人たちでアップデートされ、利活用、発揮される時、クリエイティブな空間へ変容するのであろう。

そこで、本書では、これら三つの都市における成り立ちや発展の歴史的な過程から、人びとや地域に根付いている文化基盤を紐解きつつ、現在の活気のある創造的なまちづくりの背景を街の魅力とともに、考察することを目的としている。イタリア建築史・都市史家の陣内秀信によると、私たちが生活し、築いてきた都市空間は、地形に規定され、一度形成された都市空間の基層は変わらないという。たとえば、ローカルな道は谷に造られているような都市空間のパターンである。

そうだとすれば、ローカルの気質などの地域固有の文化も、それぞれの都市空間の形成過程や都市の発展のあり方に依拠し、醸成されているといえよう。そして、そうした歴史的に蓄積された精神的な文化や風土及び文化ストックを基盤として、ローカルと新しい人やモノとが交差・交流することによって、地域の文化をアップデートし、固有の文化として継承されると同時に、新たな文化シーンを生み出し、街も活性するのではないだろうか。そこには、経済と文化が相互作用しつつ、都市や地域を形成してきた過程を見ることが出来るといえるだろう。

こうした問題意識の下、本書では、一見しただけではわからない街の裏側、つまり、それぞれの歴史やコミュニティ、人から生み出される気質やつながり（ネットワーク）を含む都市や地域の文化的な基盤に着目し、その盛衰や再生・発展の過程を考察することによって、創造的なまち

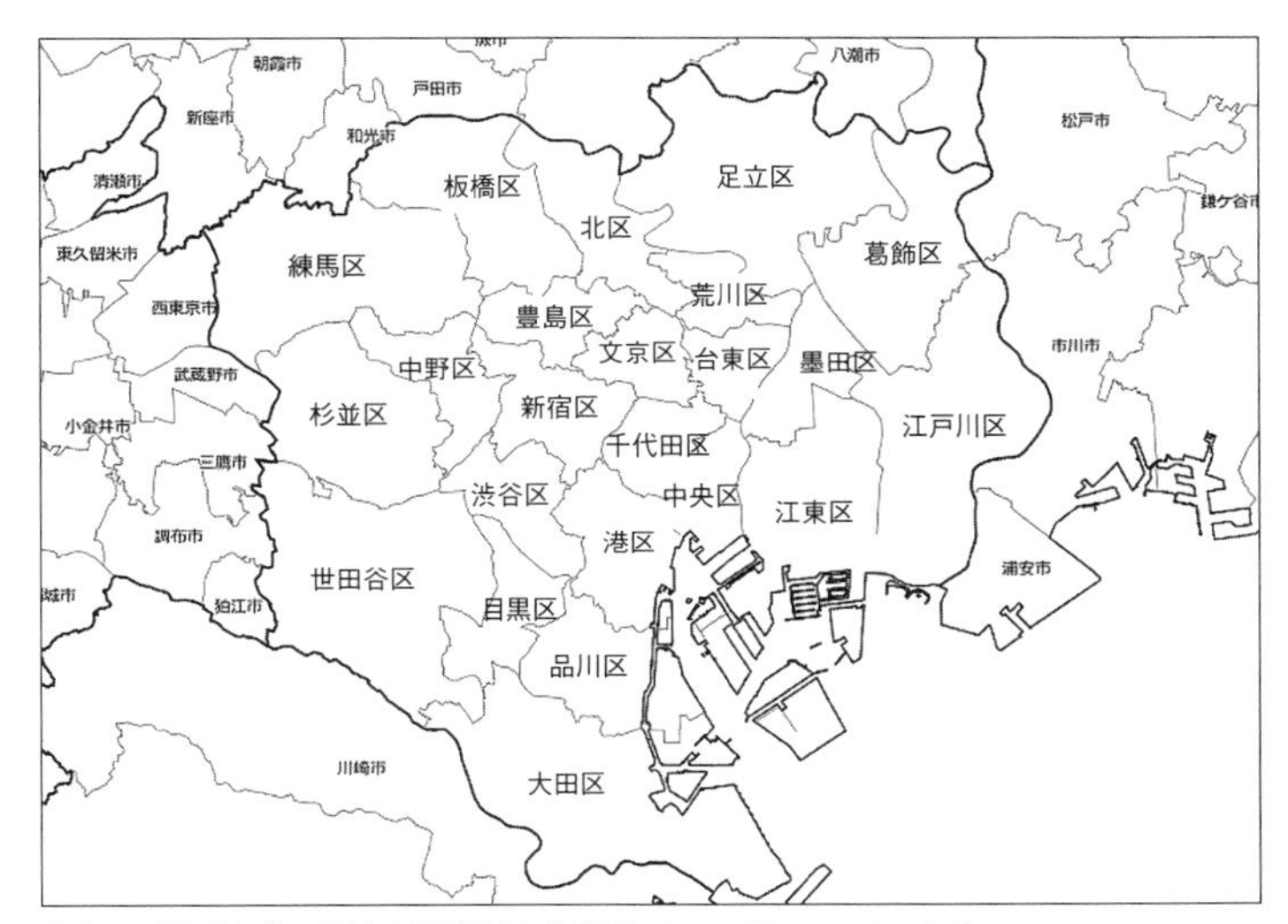

東京 23 区（出典：国土交通省国土地理院　https://maps.gsi.go.jp/）

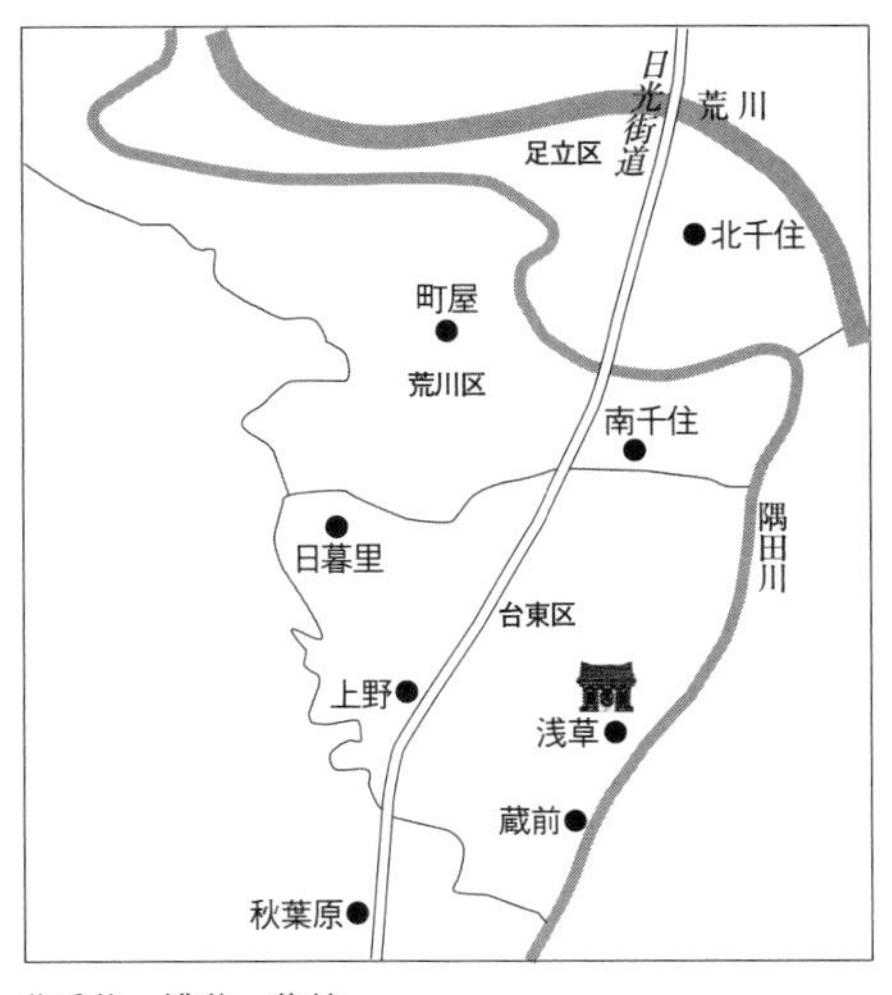

北千住・浅草・蔵前

づくりのあり方を探る。したがって、本書の「まち裏」文化は、一見するとわからない都市や地域の基層の重要な一部を構成する文化基盤という意味で使用している。

なお、本書での文化とは、芸術や生活文化、文化ストックだけではなく、歴史や開放性や寛容性といった土着の気質も含む広範なものとして捉えている。加えて、文化をアップデートしたり、新たなものを作り出したり、都市の文化を醸成させるのに重要な役割を果たすつながり（ネットワーク）や交流、そして文化活動や交流する空間や場所なども含めて「文化基盤」または「文化的な基盤」と表現する。

3　本書の構成など

本書は、序章、第一部、第二部、第三部、終章で構成されている。第一部は1章から4章、第二部は5章から8章、第三部は9章から12章、そして終章の全14章である。第一部は、北千住を取り上げ、イメージの悪さと現状を考察した上で、現在の賑わいがどのように創出され、その背景にはどのような文化基盤があるのかについて論じている。第二部は蔵前の盛衰について考察し、どのように現在のような文化的な雰囲気の街として再生してきたのかについて論じている。第三部では浅草を取り上げ、浅草の盛衰における文化と経済（賑わい創出）との関係性についても触れつつ、現在の奥浅草の可能性について論じている。終章では、本書を通じて、創造的な都市づくりや地域づくりにおける文化基盤の重要性について述べている。

なお、本書は、第一部、第二部、第三部のいずれからでも読めるようになっている。

註

（1）西山松之助・郡司正勝・南博・神保五彌・南和男・竹内誠・宮田登・吉原健一郎（1994）『江戸学辞典』弘文社 p. 15–16

（2）同書

第一部

北千住——他者を受け入れて発展してきた街

第1章　路地裏から始まった北千住の再生
——なぜ若者が来訪する街になったのか

1　足立区における北千住とは

(1) 足立区の概要

足立区は東京23区内の北東に位置しており、北は埼玉県、東に北区、東南に荒川区、南に墨田区や葛飾区に接するところに位置している。面積は53・25キロ㎡で、23区内で三番目の広さとなっている。足立区の人口も明治期から今日まで増加傾向にあり、後章で説明するが、江戸期には四宿で一番大きい人口を抱えた街でもあり、近代化以後も増加傾向は続き発展してきた街である。

2021（令和3）年1月時点での足立区における人口は約69万人で、23区内で五番目に多い。

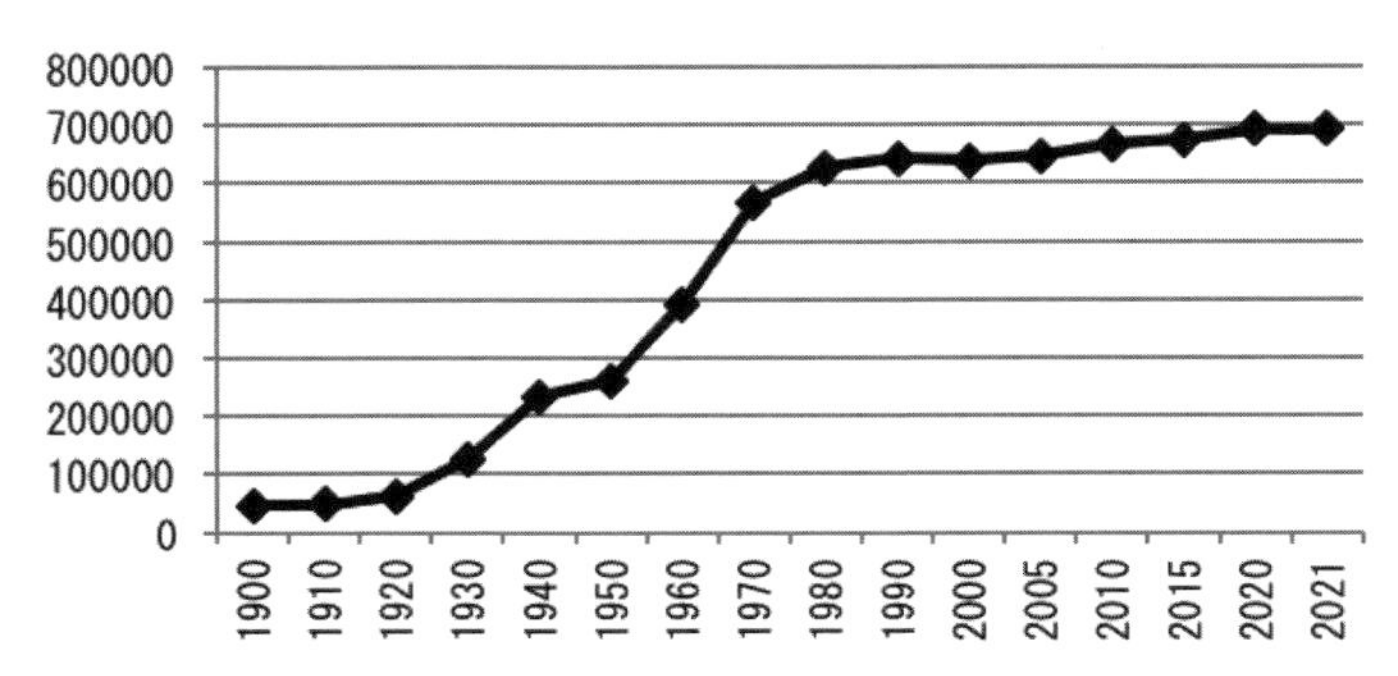

図 1-1　足立区の人口推移
（出典：『数字で見る足立』から著者作成）

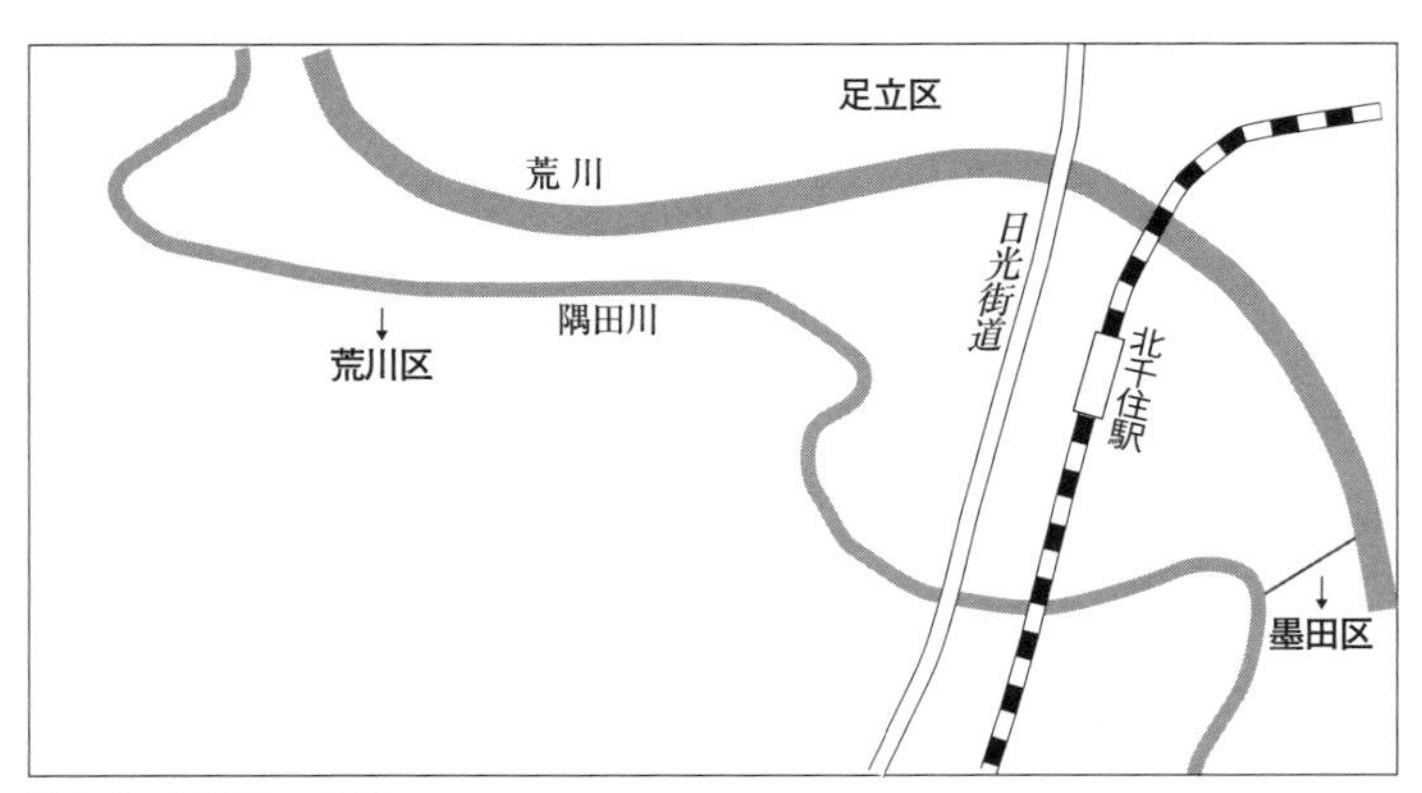

図 1-2　北千住エリア

特に大正から昭和にかけての近代化過程における足立区の人口は10倍以上増加しており、多くの地方の人たちも受け入れてきた。実際に、１９００（明治33）年の人口は、約４・５万人だったのが、15年後の１９１５（大正４）年には約５・５万人に増え、１９３０（昭和５）年には、約12・８万人、１９８０（昭和55）年には、約62・７万人に達している（図1-1参照）[1]。１９９０（平成２）年になると約64・２万人、２０２１年には約69・１万人に達している。平成から今日までは、それ以前までのような急激な増加はないが、減少することはなく、ゆるやかに増加傾向にある[2]。こうした足立区の顔が北千住であり、玄関口でもある。

本書での北千住の範囲は図1-2のように、北部は荒川、南部は隅田川にかこまれたエリアとする。このエリアは、千住、千住寿町、千住旭町、千住元町、千住緑町、千住橋戸町、千住河原町、千住曙町、千住大川、千住旭町、日出町、千住東、千住関屋、千住柳町、千住龍田町、千住中居町、千住本宮町、千住桜木に分かれている。本書では、北千住西口方面の千住１丁目から５丁目、千住龍田町、千住河原町を中心としたエリアを取り上げる。

(2) 現代の足立及び北千住のイメージと現実――「犯罪の多い」街から「誇れる」街へ

近年の足立区にどのようなイメージを持っているだろうか。犯罪や貧困など、あまり良くないイメージを持った人も多いのではないだろうか。それは、昭和後期から平成中頃まで、足立区は犯罪件数が多く、飲み屋街や猥雑な店が多く立ち並び、客引きなども横行するなど、区全体の環境も悪化し、イメージも悪かった。犯罪件数が減少した現在でも、そのイメージは払しょくできていないのが現状である。

一方で、当該区内の犯罪件数（刑法犯認知件数）は、この20年間、減少傾向が続いている（図1-3参照）。2001（平成13）年の犯罪件数は、約1万6800件を超えていたが、2020（令和2）年には約3700件まで減少している。2020年度の犯罪件数は、前年度よりも約1000件以上も減少しており、2年連続で戦後最小件数となった。また、足立区の犯罪件数は、23区内において19位で、人口比にすると9位である。つまり、実際は、23区内において、犯罪数が一番多い訳でもなく、むしろ以前の状況を勘案すると、健闘しているといえるだろう。

同様に、こうしたことは、区民の意識が変化していることにも表れている。足立区による区民の意識調査によると、足立区民の約二人に一人は足立区に対して誇りに思っており、実際の区民による評価も、以前に比べて格段に高くなっていることが示されているのである（図1-4参照）。その転換期は、2012（平成24）年である。この年に、「誇りに思う」が「誇りに思わない」を0・2ポイントであるが、初めて上回り、それ以後、2014（平成26）年を境に急激に「誇りに思う」と回答した区民の割合が増加し、それを維持し続けている。

そして、2020（令和2）年度には、その差が過去最高となり、誇りに思っている区民の割合は全体の53・4％、思っていない割合が26・7％であった。このデータより、誇りに思う人の割合が、思わない割合の約2倍、26・7ポイントも上回っていることが示されている。つまり、

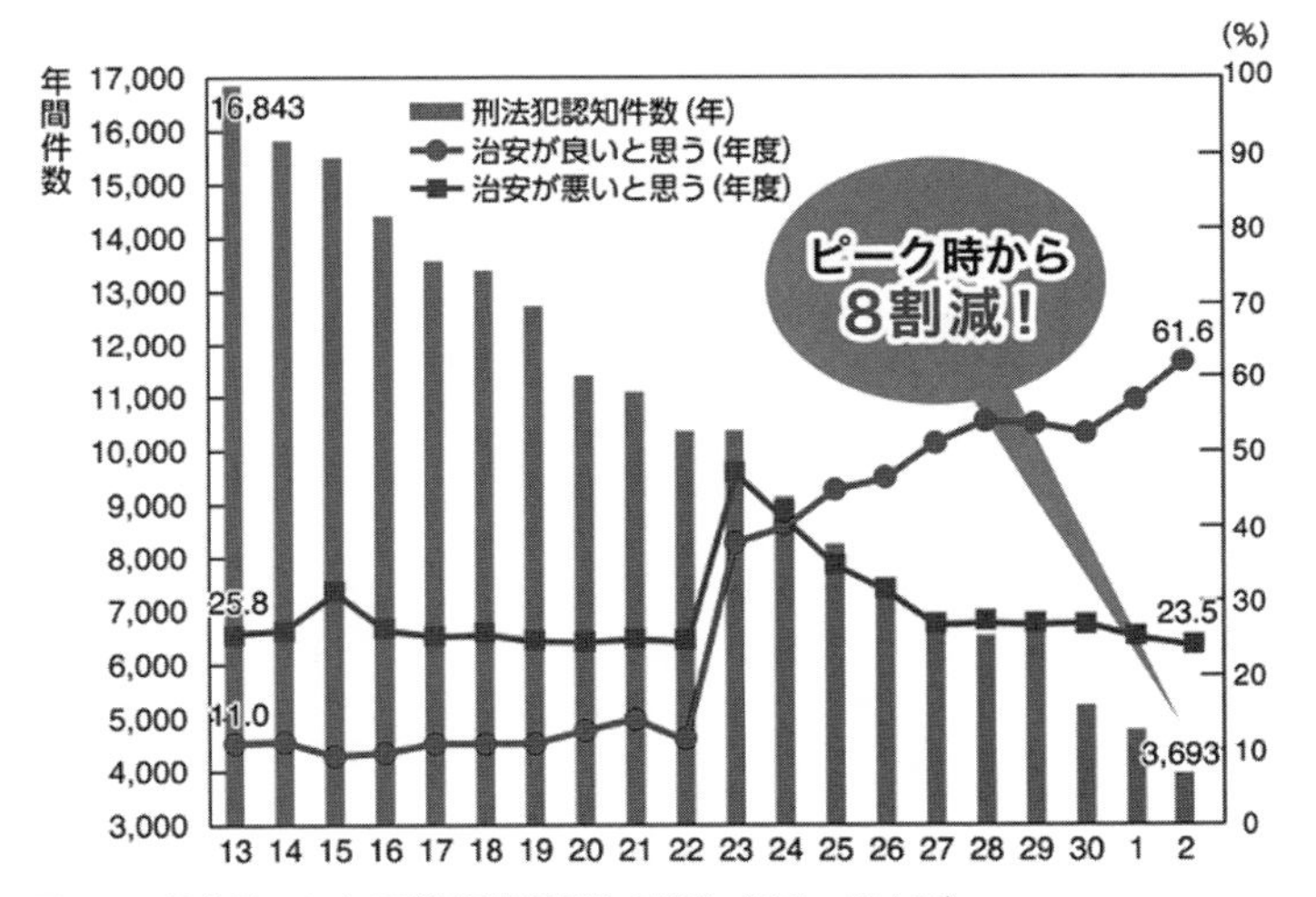

図 1-3　足立区における刑法犯認知件数の推移（出典：足立区）

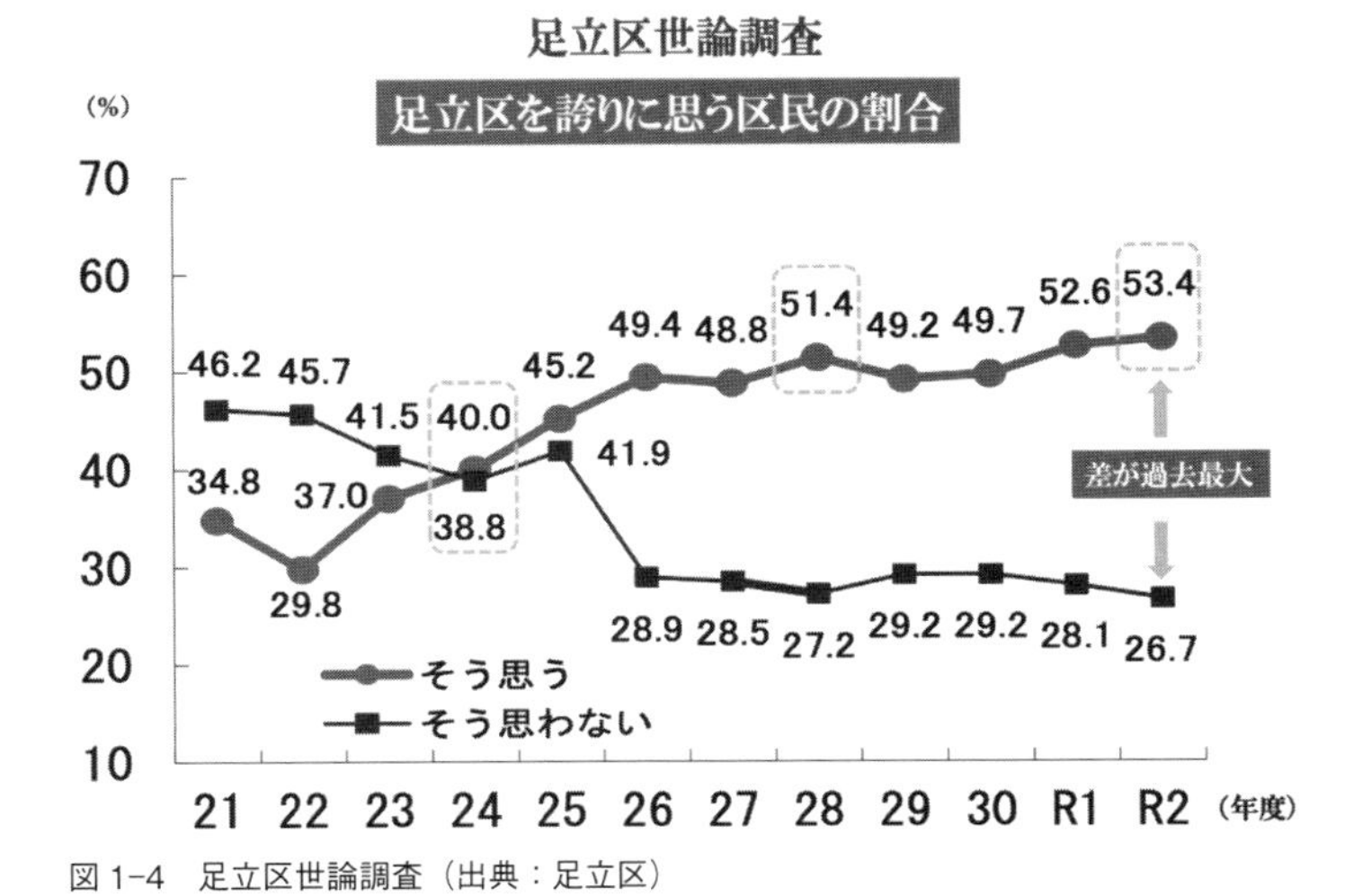

図 1-4　足立区世論調査（出典：足立区）

足立区北千住の商店街（著者撮影）

２０１２年頃を契機に、実際の犯罪件数などの低下だけではなく、住民の街に対する意識や体感・実感も変容してきたといえる。

また、近年では、若者が多く集う、老若男女が集っている活気のある街に生まれ変わりつつある。たとえば、今回取り上げる、荒川と隅田川に囲まれた北千住エリアである。２０１５（平成27）年から２０２１（令和３）年まで7年連続で「SUUMO」の「穴場の街（関東版）」ランキングの1位に選出されている[3]。穴場の街であるということは、まだ世間にその良さが知られていない街とも捉えられるだろう。

このように、実は足立区を知っている人や住んでいる人は良さを認識しているが、知らない人は以前からの良くないイメージが定着しているといえる。勿論、他の区と同様に、足立区もすべて課題を解決しているという訳ではないが、現在の足立区や北千住は、着実に改善されてきた地域の一つであるといえる。

2　新たな文化装置としての路地裏

(1)　昔の街の形が今も残る路地裏

そうした北千住は、新旧の文化が交差し、特徴のある歴史的な建物や場所が残っている街である。たとえば、北千住に広がる細い迷路のような路地は、江戸のかつてあった街の形を彷彿させる。

北千住といえば、江戸時代に日光街道の宿場町として栄えた街で、四宿の一つでもある歴史を持つ街である。それまで、農村であったこの地域が、賑やかな大都市であった江戸の周縁部に位置したことから、奥州への交通の要所となり、北千住は農業だけではなく、宿場町、観光地、物流の拠点として発展してきた。この頃、多くの裕福な商家が生まれ、こうした歴史が街を形作ってきたのである。

北千住の街には、これは道なのかと思えるほど、非常に狭い路地をいくつも見かける。京都と同様、ウナギの寝床といわれるような細長い建物が多く残っており、それに伴い、細く狭い路地が多く現存しているためである。京都の場合には、江戸期に「間口」の広さに対して税金が決められていたため、間口をできるだけ狭くして、後方を長くするという家の構造を取っていたという。北千住の場合は、税金が路地形成に関係しているのか確かではないが、宿場町で賑わっていたことから、路面には店、その後ろに住居、その奥に蔵があるような構造になっている所が多いようだ。蔵を持つような裕福な商家は、今でいう賃貸住宅をさらにその後ろに建て、貸していたという。そうしたことからも、路地が奥へと伸びたのである。北千住の名倉家（名倉医院）や横山家といった江戸期から現存する名家や商家もいくつかあり、現在も住居として当主が住んでいる。まさに北千住が継承する生きた文化といえる。

そうした路地には、さらに裏手に路地裏があり、それらの中でも、かなり細い路地が多く残っている。それが現在の北千住の魅力発信の基地になっている。こうした路地を色々探検すると、多様な専門店を見つけられ、さながら宝探しのような路地になっている。こんなところに、こんなお店が、という新たな発見に出会え、人によっては高揚感さえ感じられるところでもあるだろう。

たとえば、北千住西口をでたところに、通称「飲み屋横丁」というときわ通りがある。飲み屋横丁のさらに裏の路地やそこからさらに奥にいった路地には、比較的新しい飲食店が多く立地し、若者で賑わっている場所になっている。

このように、北千住の江戸にかつてあった路地の一つには、元々あった古い商店街の昭和が香るディープな飲み屋街とそれに混在して古民家をリノベーションした飲食店も多く立ち並ぶようになった。北千住でのこうした現象は、１９９０年代頃から始まっていたと考える。それ以前に

北千住の路地（筆者撮影）

は、客引きも多く、「怖い」や「危ない」というイメージや男性が多く集う街だったが、現在は、男女ともに若い世代が立ち呑み屋で楽しんでいる光景が通常になり、そうした悪いイメージは以前よりも減退し、賑わいを取り戻している。こうした北千住のダイナミズムが、新旧入り混じった興味深い街に変容させているのである。

そのダイナミズムが生まれたのは、新たな人や専門店を受け入れる北千住ローカルの寛容性が背景にあったからではないだろうか。それが、昔ながらの飲み屋やディープな雰囲気を残しつつも、洒落た場所が混在した空間を形成することに影響を及ぼしているのであろう。その結果、こうした気取らない、世代を超えた交流ができるような雰囲気が好きな人たちが惹きつけられ、老若男女が多く集っているのであろう。こうした北千住の空間には、年齢、性別、職業など関係なく、自由に気軽に入れる雰囲気がなぜかある。それが下町の良さであり、北千住の風景になっているのである。

そうした北千住の路地裏は北千住の文化装置といえる。そこから北千住固有の文化的な街の様相を発信している。実際に、北千住の路地裏にはこの10年程で個性のある専門店が次々と立地し続け、一つの路地裏から再生し、現在は他の路地裏にも多くの飲食店などが立地するようになり、面として広がりを見せている。こうした文化装置的な役割を果たしている店舗の多くは、まだ30代や40代の若手の人たちが創業した店が多い。本章では、その中のいくつかの店を巡り、なぜ北千住にそうした専門店が集まるのかを考察する。

(2) 一軒のカフェから始まる路地裏の再生

先述のような危険で猥雑なイメージのあった北千住は、どのようにして現在のような若者が訪れる街へと変容することができたのだろうか。現在の北千住にある飲み屋横丁は、若い女性も立ち飲み屋で楽しんでいる姿を目にすることは日常的な光景である。さらに奥に続く路地裏は、現在では、ジャズ好きが集まる場所から若者が行列を作る店舗まで、多様な人たちが行き交う賑やかな空間の路地に変容し、この路地一体は、北千住の文化装置となっているといえるだろう。2022（令和4）年1月時点で、この路地には、12軒ほどの飲食店が集積している（図1-5参照）。

一方で、かつて、その路地裏はひっそりとしており、飲食店は一軒もなかった。夜になると、真っ暗で、ラブホテルや台湾パブなどがあり、環境はいいとはいえない猥雑な場所であった。加えて、飲み屋横丁自体も、現在のように、多種多様な飲食店が点在していた訳ではなく、客引きや呼び込みなども横行し、若い女性がわざわざ来るような街の雰囲気ではなかった。そうした中で、この路地裏は若者の関心を集め、域外からも来訪する空間へと変容した場所である。

では、変容したきっかけは、なんだったのだろうか。それは、２００６（平成18）年に、１軒の店がオープンしたことから始まった[4]。なぜ、その当時、立地や周辺の環境の条件が良くないところに、その店は立地したのだろうか。それは、悪条件だったため家賃が安かったということに加えて、古民家が残っていたことと路地裏だったことが魅力的であったからだという。

こうしたことが魅力だと認識できた背景には、「第二部の蔵前」で述べているが、日本橋や馬喰町といった東京東部では、すでに２００３（平成15）年頃から古い建物をリノベーションし、アート空間や文化的なイベントに利活用されはじめ、地域自体が盛り上がっていたこともあり、そうした空間自体の利活用が注目されていた時期であった。加えて、当時はどこの地域も、全国規模のチェーン店が郊外に展開する時期でも

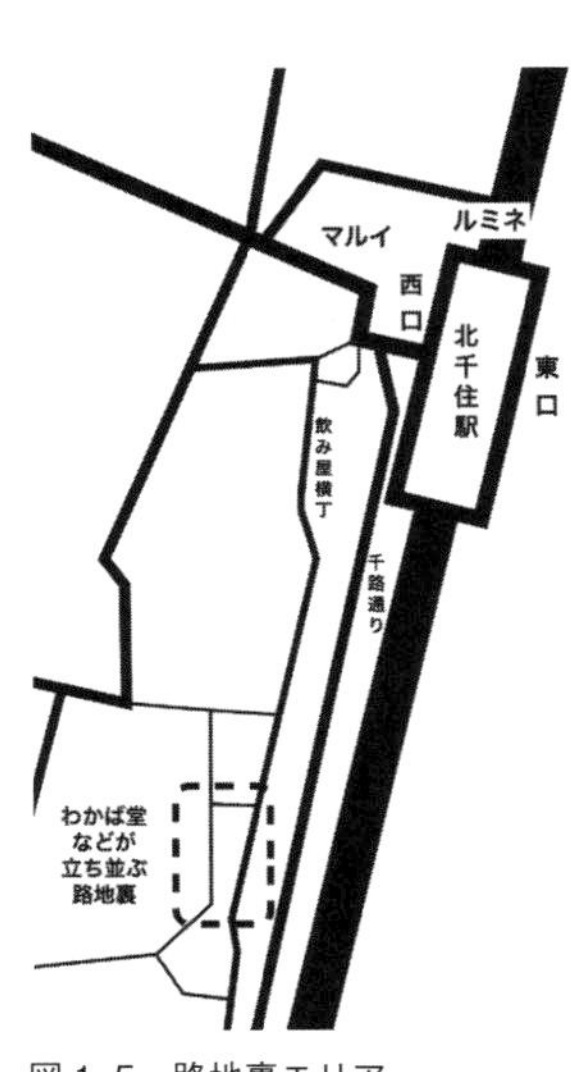

図 1-5　路地裏エリア
（著者作成）

あり、創造的なまちづくりの手法の一つとしても、古民家や古い建物のリノベーションが注目されていたことが挙げられる。

北千住も同様に、路地裏の蔵を利活用した一軒の飲食店から始まり、周辺に店舗が増え続け、現在では、この通りだけでも、狭いエリアに10軒以上が集積している（図1-6参照）。その始まりが、２００１（平成13）年にオープンした和食とお酒を提供している古民家酒場・萌蔵である。店舗の建物として利活用している蔵の再生には、別の蔵の扉や他から集めた瓦や建具を使用して、蔵の雰囲気を残しているそうだ。

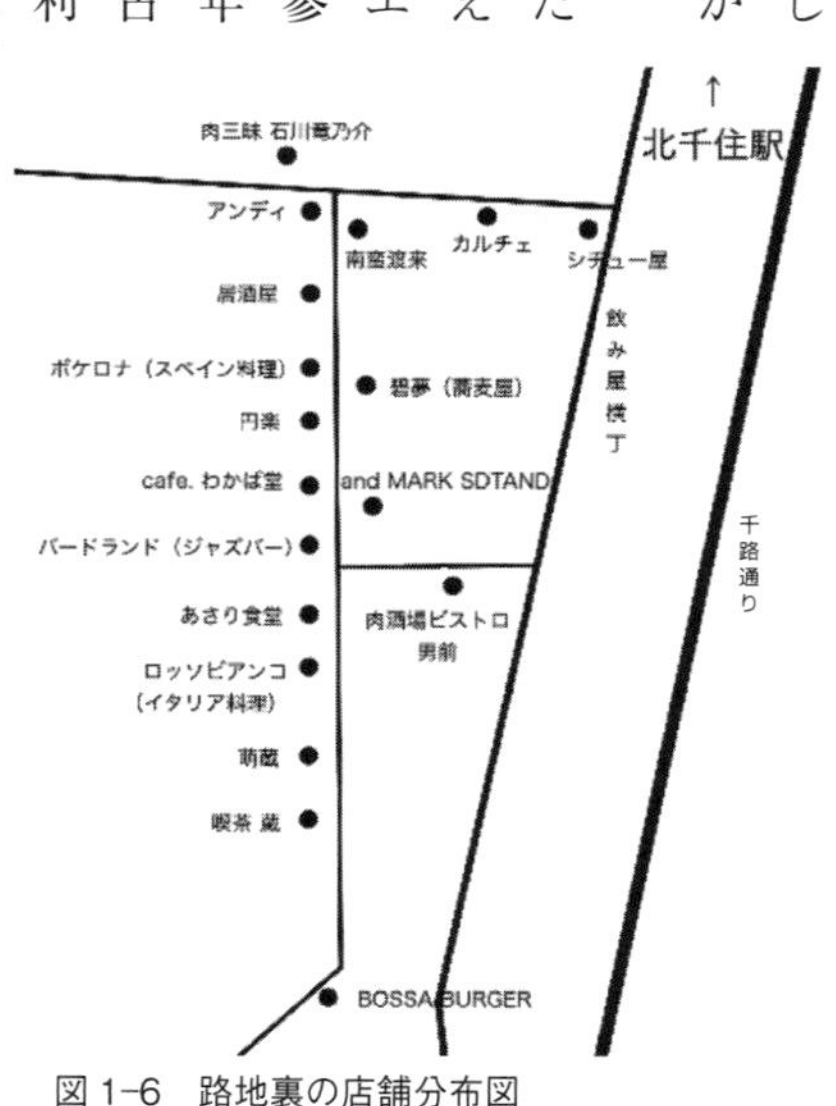

図 1-6　路地裏の店舗分布図
（著者作成）

そして、この路地裏に、少しずつ人が立ち寄るようになり、最初に立地した萌蔵のオーナーが、２００３（平成15）年にあさり食堂、２００５（平成17）年にわかば堂、２００６（平成18）年にスタンディング・バー南蛮渡来を出店した。数店舗が集積したことにより、この路地に人の回遊性が創出された。そして、２０１７（平成29）年には、ボッサ・バーガー（BOSSA BURGER）がその路地を進んだ、さらに奥に開業している。その他にも、ジャズバーや居酒屋、イタリアンなどの店が立ち並ぶようになった。

こうした飲食店の来訪客は、地元や近隣の人もいるが、特に、わかば堂やハンバーガー店はわざわざ域外から食べに来る層が多いという。わかば堂は、いつも若い女性を中心として、狭い路地裏に行列を作っている。実際に、月に約3500人、年間約5万人が訪れており、来訪者全体の8割を女性が占めているという（2022年1月時点）。

来訪者に若者が増加した背景の一つには、路地再生の時期と重なり、2003（平成15）年以降、北千住エリアに大学が立地するようになったことや2004年（平成16）に北千住マルイが開業したことが挙げられるだろう。こうした外部要因だけではなく、先述のように古民家をリノベーションし、古民家風にしていることも若者から人気が高く、彼ら曰く、なにかほっとするという。

こうして、何もなかった路地裏に賑わいを創出することはもとより、路地裏という北千住文化を発信しているといえる。それによって、波及効果も齎している。北千住に本社を置く皮革製造の企業であるニッピとのコラボカフェである「ニッピカフェ」をわかば堂が銀座の路地裏に2020年にオープンしている。

この経緯には、わかば堂のファンだったニッピの女性社員の提案により、ニッピがカフェを委託する先の一つとしてわかば堂が挙がったという。ニッピカフェは、ニッピの化粧品部門が担うコラーゲンが入ったメニューを提供しており、若者へのニッピ化粧品の周知のためのフラッグ

わかば堂などのある路地裏

カフェ・わかば堂（著者撮影）

シップカフェとなっている。

また、あさり堂やわかば堂などの北千住の人気店で経験を積み、同じ北千住エリアや浅草などで独立をした人たちが、これまで10名ほどいるという。若い世代が個性のある専門店を出店することで、北千住の多様な魅力が増し、多くの人を惹きつけることにつながっているのだろう。また、若い世代の出店を受け入れ、歓迎していることや、地域内企業同士での取引やローカルでの人材育成により、北千住の経済にも建設的な影響を及ぼすようになり始めているといえるのではないだろうか。

そして、こうした動きは、この小さなエリアにとどまらず、北千住駅周辺の他の路地裏にも多くの新規店が立地するようになり、面となり、賑わいを創出するようになったのである。むしろ現在では、隠れ家的な店に人気店が多いため、路地裏に出店したいという人が多く存在しているという。実際に、2022年1月時点において、この界隈で聞き取りをすると、飲み屋横丁もその路地裏も、空き店舗がなかなか見つけられない程の人気の高いエリアになっているそうだ。

近年は、先述のように北千住でも大手チェーン店も見られるようになってきたが、こうした個性のある店舗が多くひしめくことで、路地裏が街に賑わいを齎しているといえよう。換言すると、路地裏が北千住の文化装置になっているのである。今日まで、様々な個性ある店舗が路地裏に進出し、多くの人たちを惹きつけ、賑わいを創出するようになっている。次節では、そうした他の路地に立地する専門店のいくつかを考察していこう。

3　路地裏の個性ある専門店

(1) 路地裏にひっそりと佇むグライナリーズ・コーヒー・スタンド――自家焙煎珈琲の喫茶店

路地裏にある店の一つに、2010（平成22）年にオープンした、自家焙煎を行うこだわりのGranary's Coffee Stand（グライナリーズ・コーヒー・スタンド）という喫茶店（カフェ）がある。その場所は、千住本町商店街につながる短い細い路地で、当店舗の開業当時、この路地には店が一軒もなかったが、現在では、数軒の飲食店が立ち並ぶ通りに変容している路地の一つである。

建物は、130年程前の2階建ての穀物蔵であり、この2階には、その昔、奉公人が住んでいたという。現在は路地に立地しているが、元々は千住本町商店街に面した所に立地しており、60

グライナリーズ・コーヒー・スタンドのある路地（左）・外観（右）（著者撮影）

米蔵だった頃から残っている梁（著者撮影）

年前に現在の場所に移築された建物でもある。その外観はトタンの外壁に蔦（つた）のような植物が建物を覆っており、もしかしたら喫茶店とは気づかない人もいるかもしれない。その内部はしっかりした太い梁が見え、昔の建築が垣間見られる貴重な空間である。その趣は、他の店舗では味わえないような内装となっている。

こうした趣のある喫茶店は、読書や音楽、建築を楽しめる静かな空間になっており、本を読んだり、勉強をしたりする、外の喧騒から少し距離をおいた、落ち着いた空間、そして自分の時間を大切にできるような場所である。ここには、そうした空間を求める、地元や近隣地域の人々から東京大学や東京藝術大学、早稲田大学などの学生までの幅広い世代の人たちが集うようになっている。そうした常連たちは、一人で来訪する人が多く、勉強をしていたり、読書をしたり、コーヒーを飲んでくつろいでいる人が多いようだ[5]。地元の常連の中には、80代の人もいるという。こうした幅広い年代の地元や近隣地域の常連の人たちに支えられる店となっている[6]。

北千住に立地した理由は、家賃も現在の五分の一であり、安かったこと、また、その当時の北千住周辺は、古本屋や駄菓子屋などの昔の個人商店が多く立地し、地元の人で賑わう商店街であり、そうした北千住の街の雰囲気が気に入っていたことが挙げられた。こうして常連に愛される北千住の喫茶店の一つとして、ここにしかない固有の喫茶店になっているのであろう。

(2) さかづきブルーイング――女性醸造家が作るクラフトビール

さかづきブルーイングも千住本町商店街につながる路地裏に立地しているクラフトビール専門店である。ここでしか飲めないクラフトビールを製造しており、地域のフードカルチャーの一つともいえるだろう。北千住で作られているものが地元の人々に根付くからこそ、それが地域の食文化として醸成される。そのことが、地域を盛り上げることやまちづくりなどにも貢献していくことにつながるのである。

実際に、アメリカ・ニューヨークのブルックリンで創業したブルックリン・ブルワリーはそれを体現している。その創業者であるスティーブ・ヒンディによると、ブルックリン・ブルワリーは、地域のフードカルチャーとしてコミュニティに貢献しつつ、活気づけて再生させたと述べている。現在では、ニューヨークを飛び出し、ブルックリン・ブルワリーは世界的な企業にまで発展し、東京の日本橋兜町〈K5〉の地下に世界初のフラッグシップ店『B(ビー)』を開業するまでに成長した企業だ。

北千住でも、醸造所を店に併設し、クラフトビールを手作りしている「さかづきブルーイング」がある。ここには、常時約10種類のクラフトビールが提供されており、季節によって、苺や桃、梨のビールなども並び、それぞれユニークな名前が付けられている。醸造のレシピは300種類以上もあるそうだ。こうしたクラフトビールを求めてやって来る人たちは、北千住で醸造されたクラフトビールや料理を目当てに集まった地元や近隣沿線の人たちで、ここでしか飲めない味を楽しみにしている。路地に立地しているにもかかわらず、平日は約100名、土日になると200名ほど来訪し、北千住で賑わっている場所の一つである。

その客層も、地元や近隣の常連の人たちが半数を占め、年代も20代から年配の人まで多様で幅広い。たとえば、店舗で見られる光景には、目当てのクラフトビールは決まっており、注文をすぐしている常連の人や、次はどんなビールを造るのかと聞く人、初めて立ち寄り、店員の方にお勧めを聞く人、お目当てのクラフトビールがソールドアウトで飲めなかった人、和やかに料理を楽しんでいる家族やカップルがなど様々な人たちが来訪している。

加えて、クラフトビールというソロではなく、カルテットや四重奏、またはジャズのセッションのように、料理も空間も楽しめる場所になっている。例えば、1階のスタンディングの方であれば、醸造工場がガラス張りで見えるようになっており、それを見ながら飲める武骨な感じの空間に仕上っている。そこはカウンターのみのため、飲み屋のような喧騒的な空間ではなく、一人で静かにクラフトビールの味比べをする人もいれば、店の方とある程度の距離感のあるゆっくりとしたコミュニケーションを取る人もいる。いわば、アメリカの社会学者であるオルデンバーグがいう「サード・プレイス」といえる空間になっている。

さかづきが開業しようとしていた当時は、すでに北千住界隈は人気が高く、家賃も高かったが、それ以上の魅力が北千住にはあったという。それは、生活基盤のある街の商店街があり、北千住の街のエネルギーや力強さがある街であることだ。加えて、そこに住む人々は、人情味があり、

正面入り口（左）・２階のオープンキッチンがあるレストラン（右）（著者撮影）

醸造所（左）（著者撮影）・右）（出典：さかづき）

ビールサーバー（出典：さかづき）

新しいものに興味を示し、話しかけてきたり、良い意味でのおせっかいを焼いてくれたり、よそ者を阻まない気質があることが、北千住に根付く最大の魅力となっているのである。

そういった北千住ローカルの開放性や寛容性が、さかづきだけではなく、新たな専門店を惹きつけている。同時に、新規出店者などの新規参入者は、こうした文化的基盤を持つ地元や近隣の人たちに支えられているともいえるだろう。

(3) 酒呑倶楽部アタル――北千住で3店舗を出店

酒呑倶楽部アタルは、2018(平成30)年に、飲み屋横丁に立地した創作居酒屋である。その後、2020(令和2)年に「立ち飲み當」と2021(令和3)年に鉄板焼き屋でビーフンが売りの「雀荘・當」[7]を出店している。北千住の路地裏に3店舗も出店し、北千住に根付いている企業といえる。客層は、特に、20代後半から30代の若い層が多く、北千住ローカルの人というより、北千住駅も近いことから駅を利用する近隣の人たちが多い傾向にある。また、女性客の方が若干多く、全体の約6割を占めているという。

アタルが開業する当時も、すでに家賃は以前と比べて高くなっていたと想定できる。そうした条件の中でも、3店舗を北千住に立地した魅力は、次の4点が挙げられた。まず、多様な店がひしめきあい、雑多な雰囲気があること。次に、北千住は「力まなくてもいい雰囲気」があること。そして、商店街やコミュニティなどの縛りなどがなく、自由な空気感があるため、ビジネスがし

タチアタル（左）・雀荘當（右）（著者撮影）

易い環境であること。加えて、北千住駅前はコンパクトで人流があり、駅周辺の回遊性が高いという点である。
実際に、北千住での出店に関しては、本書で取り上げている蔵前も候補地として考えたそうだが、作りたい店は洗練された店ではなく、気軽にお酒と食事が楽しめる空間だったため、北千住を選んだということだった。

（4）天神ワークス——若手が担う皮革製品

北千住は、先述のように、飲食店が多く立地しているが、皮革製品のアトリエや小売店舗も点在している。その一つである「TENJIN WORKS（天神ワークス）」を取り上げよう。天神ワークスは、２００６（平成18）年に北千住に創業して以来、2店舗を構え、この地域に根付いてきた企業の一つである。北千住駅西口を出たメイン・ストリートから横に入った路地に立地している。この路地には、珈琲物語という北千住で人気の喫茶店や行列ができるラーメン屋などが立ち並んでいるが、天神ワークスだけアメリカの街にあるかのような特徴的な外観である。そうした外観からも、こだわりの店ということもわかる店だ。

その外観は、壁に番地が大きく書かれてあり、牛の頭蓋骨の彫刻が入り口に置かれ、大きな鉄製のようなドアと大きな窓がある。窓からは製品を作っている様子が見えるが、商品はドア側であまり見えないため、一見すると、アトリエだけにみえる。中には、オーナーと若手4名が革製品を作りながら、接客を行っている。商品は、相対的に男性向けの商品が多く並んでいる。

遊びゴゴロも忘れておらず、毎年、A-1グランプリを開催している。Aとはエイジングのことで、革の経年変化を競う大会である。投票が行われ、入選した4つの革のジャケットが店に飾られている。このジャケットは革愛好家たちの私物である。優勝者は、革のチャンピオンベルトに氏名と優勝年数が刻印される。

そうした革製品を制作する魅力は、若者にも伝わっており、20代から30代の若者たちがここで革製品作りを学んでいる。その内の一人は、インドネシア出身の若者で、台湾留学中にここの革製品に魅了され、弟子入りした一人である。また、ここから巣立ち、北千住で起業した北千住が地元の若者もいる。

こうした天神ワークスが北千住に店を構えたのは、元々、北千住企業との関係性があったことや店舗を構える際の賃料の安さであった。加えて、北千住の魅力は、北千住で起業した直後から地元の人たちからも受け入れられ、違和感なく地域に馴染むことができる点であるという。購入

天神ワークス外観（著者撮影）

A-1グランプリの皮のベルト（著者撮影）

者として地元の人は少ないが、後述するブイという芸術センターでイベントを行うなど、地域や地域企業との横の連携が少なからずあるようだ。

（5）地域密着型のたまコーヒーロースター

Tama Coffee Roaster（たまコーヒーロースター）は、2020（令和2）年6月末にオープンした自家焙煎コーヒーのテイクアウトと珈琲豆の販売の店で、これまで本章で紹介してきた店とは異なり、北千住駅周辺の繁華街から離れた、国道4号線を越えたところにある商店街に立地している。

では、なぜ、北千住だったのか、それも繁華街ではない住宅地の商店街を選んだのか。北千住の商店街やコミュニティは、近隣の人たちが立ち寄ったり、話しにきたり、近所の人の分も買っていくような、人情味のある、温かいコミュニティである点が挙げられた。

たとえば、ここに店を構える際に、自家焙煎をするため、匂いがするかもしれないことを近隣住民に伝えると、「コーヒーの匂いは良い匂いだから、どんどんだしてよ、実は、元々お茶葉の販売店がこの場所にはあり、ほうじ茶を焙煎していた」という話をしてくれたという。また、常連客には、商店街にある八百屋に買物に行く際に、そこで働いている人の分のコーヒーを購入し、持っていく人、ママ友の口コミを聞いて来た人、ドリップバックコーヒーを何個も購入して他の人に配ってくれる人などもいるという。この店舗の建築を依頼した北千住のイトウケンチクも宣伝してくれたそうだ。このように、ここの顧客やリピーターの人たちは近隣住民や荒川区などの近隣に住む30代から80代の人たちがほとんどであるという。

他にも、北千住界隈の他店舗とのコラボレーションした商品なども生まれている。北千住のパン屋 ichika Barkery（いちかベーカリー）の Tama（たま）カフェオレあんパンにここの焙煎コーヒー豆の粉が使用されている。他にも、北千住でパン教室やエコバックを制作している所と共同でお菓子販売やグッツ販売なども試みている。

こうしたことからも、商店街や北千住のコミュニティの人たちが新たな参入者を気にかけ、温かく迎え入れていることや、コミュニティの中での繋がりが自然に構築されていることが示されている。北千住の人びとの受け入れる寛容性が、新たな参入者を商店街や北千住のコミュニティの一員として根付かせ、店同士の連携などにより、規模は小さいかもしれないがコミュニティ内での経済循環も生まれているといえよう。

本節では、すべての北千住の店を取り上げることはできないが、北千住には、他にも多種多様な個性的な店が多く立地し、人びとを惹きつけ、賑わいを創出している。また、一部の店舗の

タマコーヒーロースターの外観（左）と内観（右）（著者撮影）

客層は若い世代の女性の方が男性よりも多かったことからも、以前には近寄りがたい場所であったところが、こうした若者世代の人たちが立ち寄る場所となり、賑わいを創出していることが示されているといえる。

　これらの事例を通じて、北千住で起業した若い世代の新規参入者が自分達の活動や夢を実現できる場を提供しており、それを受け入れる寛容性のある北千住ローカルの文化基盤があるといえるだろう。それが、新規参入者を北千住に根付かせ、そうした人や店が集積することで、さらに北千住の魅力の厚みを増しているのである。実際に、北千住では、歴史のある店、高級な店、安い店など、多様性に富んでいる。路地裏にある自分に合う店を見つける楽しみもあるだろう。そしてなにより、気軽に立ち寄れる、ほっと一息できる「気取らない街」が人々を惹きつけているのである。

4　自由な創作活動とローカルの寛容性——なぜ若者が来訪する街になったのか

北千住が危ない・怖いイメージから若者が来訪する街になった背景の一つには、路地裏での自由な活動の場が存在していたことが挙げられよう。わざわざ足を運ばないであろう路地または路地裏が、逆に魅力となり、人びとを惹きつけ、活気を齎していた。それは、魅力ある個人商店が多いことが一つ挙げられる。一見、雑多な景色にも見えるかもしれないが、個性があり、魅力のある店舗が多く集積することで、人を惹きつける街になっていた。

そして、そこには、北千住にしかない多様な個性のある店舗が集積し、北千住でしか出会えない人や物、それらが街の様相における一つの個性となっているのである。なぜそうした魅力ある店舗が路地に集積するだろうか。その背景の一つには、経済的要因も大きく影響を及ぼしていることは間違いない。北千住自体は、ターミナル駅であり、多くの路線が乗り入れ、人が降り立つ地でもあるというビジネス上において北千住駅周辺に店舗を構える上での経済的（経営的）な利点である。それにもかかわらず、地価が都心中心部や西部よりも相対的に低いため、特に路地などの条件不利なエリアはより賃料が安いということが挙げられる。

しかし、北千住の路地の魅力は、すでに家賃が相対的に高くなっている昨今でも出店が続いていることからも、それだけでないことが示されている。路地は、ビジネスにおいては、目立つ場所でもなく、むしろ隠れている場所であり、条件不利なエリアであるが、逆にリノベーションなど、自由に空間づくりが可能である場所であることが多い。

そうした場所が、北千住には多く残っており、それが路地裏であった。そこで、自分の好きなものを実験的に創作し、提供している店舗が多かったことからも、大通り（メイン・ストリート）ではない路地特有の利点が生じているといえよう。換言すると、北千住の路地は、個々の創造性やアイデアを活かして、自分なりに自由に挑戦できる経済活動の場になっているのである。

そして、そこには、仕事ではあるが、「好き」なことを職業とすることの誇りや、遊びゴゴロが加わった商品やサービスを提供するという個性をそれぞれが持っていた。そうした「遊びゴゴロ」というスパイスが加わり、新しい文化的商品やサービスが生まれ、そこでしか、体験もしくは消費出来ないものになっているのである。たとえば、北千住の古民家や古くなった建物を利活用した店舗がほとんどであったが、ぼろぼろともいえる外観の建物もさえも利活用し、リノベーションされていた。それが個性や趣のある店へと生まれ変わっていた。

店の顔ともいえる外観や内装は、それぞれの専門店の個性であるとも捉えられる。つまり、空き家は真っ白なキャンバス、そこに絵を描いていくように、自分の世界観のある店舗を創ることが可能である場所が点在している地域の一つが北千住である。そして、それが重層的に蓄積し、歴史的な建造物や店舗とともに、新しいものが混在することで、北千住という街の活気や風景を作り出しているのである。そして、それが北千住の魅力になっているといえよう。メイン・ストリートではない、路地から生まれる千住文化ともいえるだろう。

加えて、北千住ローカルは、新規参入者に対して寛容性や開放性があり、暗黙のうちに、そうした新たな若い人たちを受け入れていた。これは、他者を受け入れる開放性や寛容性のある文化が、自由な北千住の雰囲気を醸成させ、新たな人びとや来訪者を惹きつけ、さらに彼らが北千住に根付いていたといえるだろう。実際に、若いオーナーたちは北千住に2、3軒の店舗を持っている人が何人もいる。

その結果、歴史のある路地、古くからある居酒屋や街中華の店、食堂、昭和香るスナックなど様々な時代の店と共に織りなす多様性のある街の様相が形成され、それが北千住の魅力になっているのである。そして、路地裏から発信される北千住の文化的様相は、点となっている他の個性的な店とともに面となり、賑わいを創出してきた。実際に、そうした動向は、じわじわと他の路地裏へも広がっている。それは、寛容性のある文化が「気取らない」または「気取らなくていい」街の文化や雰囲気を醸成しているのだろう。それが固有性となっているのである。

したがって、北千住地域も様々な課題は残されているが、そうした北千住の歴史や蓄積された文化を現在や未来へと繋げ、結び付けていくことが北千住の発展に繋げることができる一つの方法であろう。そこで、次章では、なぜ寛容性があるのかについて歴史的に考察していこう。

註

（1）1945（昭和20）年は東京大空襲のため一端は減少するが、足立の人口はその前後以外は増加傾向にある。

（2）2021（令和3）年度はコロナの影響もあるのか若干であるが減少した。また、高齢人口は、足立区総人口の約23・5%を占めており、23区内では2番目に高い水準にあり、課題の一つともいえる。
（3）2018（平成30）年から調査方法を一部変更。
（4）北千住の千住本町商店街でコズミックソウルバーというバーを1997年から経営していた島川一樹氏が創業。
（5）筆者が訪問した際もほぼ満席に近かったが、一つテーブルを除き、残りの訪問客は皆一人で来ている人であり、その内の一人の若い女性は学生と思われ、ずっと勉強をしていた。
（6）コロナ渦中で顕著にそれが表れたという。
（7）雀荘というのは、元々雀荘だったことから、そのままそれを名前に付けており、実際は雀荘ではなく、飲食店である。

第2章　多様な人びとを受け入れて発展してきた街
――なぜ寛容性のある地域なのか

1　千古不易の人流ターミナル

北千住は、江戸期から今日まで交通の要所として、多くの人が行き交う街である。その利便性の良さが現在においても利点の一つになっている。実際に、現在の北千住駅は、北関東や東京中心部から各路線が乗り入れている。駅としての発展過程は、1896（明治29年）に現在のJR常磐線（日本鉄道土浦線）、1899（明治31）年に東武鉄道の北千住駅が開業し、北千住駅から埼玉県の久喜駅、1924（大正13）年には東武鉄道の浅草駅から西新井駅までの路線が開通した。

その後も、1928（昭和3）年に市電（現在の都電）[1]の千住四丁目駅、1931（昭和6）

年には京成電鉄の千住大橋駅が開業した。１９６２（昭和37）年には都営地下鉄・日比谷線、続いて１９６９（昭和44）年に千代田線、２００３（平成15）年に半蔵門線、２００５（平成17）年につくばエクスプレスが運行されるようになり、鉄道交通の拠点としても発展してきた。

実際に、２０２０年（令和２）度の駅の乗降者数は、１日当たり約１００万人に上る。茨城や栃木などの北関東や東京周辺地域、そして都内から様々な人びとが往来する主要なターミナルの一つとして、商業中心の街として賑わいをみせている空間である。こうした北千住駅は、他駅と同様に、駅ビルといわれる商業ビルが駅に併設されており、ルミネとマルイが駅に隣接している。

加えて、近年では、足立区によって大学誘致が積極的に行われ、現時点では、同区内には７つの大学関連施設が立地し、そのうち６校[2]が北千住にあり、大学集積地区になっている。それによる学生人口の増加も交通利用量の増加や街の賑わいを創出していることに繋がっているだろう。

２００３（平成15）年に放送大学が最初に開校し、次いで、２００６（平成18）年には、東京藝術大学の音楽学部音楽環境創造科や大学院の音楽研究科の一部が北千住に移転し、２００７年に東京未来大学、２０１０（平成22）年に帝京科学大学、次いで、２０１２（平成24）年に東京電機大学が開校した。２０２１（令和３）年の4月からは、北千住ではないが花畑地区に6つ目の大学として、文教大学の国際学部と経営学の2学部が湘南から移転してきた。さらに、同年7月末には、東京女子医科大学付属足立医療センターが完成し、同年度中に移転・開院している。これらの学生数は、放送大学と東京女子医大付属の医療センターを除くと、東京電機大学が

9864人、帝京科学大学が4939人、東京未来大学が1533人、東京藝術大学が1009人、文教大学が1846人で、おおよそ19,200人（2020年度）に上る。

こうした大学誘致の成果もあり、現在の北千住駅周辺では若い世代の人たちをよく見かけるようになり、街の様相も変化している。多くの学生たちが大学の近隣地区で飲食や買い物をし、居住することは、街の経済循環に大きく影響を及ぼしているだろう。現在も多様な人びとを受け入れれて発展している寛容性のある街といえる。そこで、本章では、そうした街の発展過程とともに、北千住の風土や人びとの気質を以下で考察する。なお、江戸期は現在の北千住を千住と総称していることから、本書では、江戸期に関する記述は千住と表記する。

2 江戸期における千住の形成と発展

北千住は、これまでも時代や社会経済の変化に応じて、他地域からの多くの人びとを受け入れ、地元住民と共に発展してきた街である。そうした視点から、江戸期と近代化する明治・大正・昭和までの社会経済的な発展過程から見ていこう。

千住は、1597（慶長2）年に奥州街道及び日光街道の宿駅となり、千住宿、板橋宿、内藤新宿、品川宿の江戸四宿といわれた宿場町の一つで、人口も四宿最大であった。江戸期の千住は宿場町として発展してきたことは確かであるが、千住が発展してきたのはそれだけではない。多様な産業が関連づき、域外の人びとを受け入れて発展してきたといえよう。

宿	世帯数	人口(人)	男性(人)	女性(人)	旅籠屋数	本陣数	脇本陣数
千住	2,370	9,956	5,005	4,551	55	1	1
品川	1,561	6,890	3,272	3,618	93	1	(2)
内藤新宿	698	2,377	1,172	1,205	24	1	
板橋	537	2,448	1,053	1,395	54	1	1

表 2-1　1844 年の四宿
出典：『ブックレット足立風土記①千住地区　足立の交通史』

実際に、江戸期の千住が発展していたことは、他の宿場町に比べても人口が多いことから示されている。1844（弘化元）年の千住宿の人口は約1万人、[3]世帯数は約2300世帯に達していた（表2-1参照）。千住宿の当時の人口は、2番目に人口が多い品川宿と比べても1・5倍、内藤新宿や板橋宿とであれば、4倍以上も多い。一方で、旅籠数では、品川宿の方が千住宿よりも約1・7倍も多く、板橋宿と同等である。[4]

こうした数値から、千住が宿場町としてはもとより、他の産業でも社会経済的に発展していたと推測できよう。以下では、江戸期の千住の発展とその形成について観察する。

(1) 宿場町としての発展

千住が江戸期に発展した一つには、宿場町としての機能が大きく影響している。千住は1625（寛永2）年、三代将軍家光の時に日光道中の初宿駅として千住宿とされ、最古の橋である千住大橋が1653（承応2）年にはすでに架橋されていたことにより、江戸との主要な中継地点の宿場町として、多くの人びとを受け入れて発展してきた。先述の通り、千住宿は、江戸四宿の一つであり、最大の宿場町でもあった。江戸幕府では、地方大名の江戸への参勤交代制度があったため、宿場町はそうした人たちや一般の旅人の江戸から地方へ、地方から江戸への重要な中継地点の一つになっていたのである。

こうした宿場町は、宿泊する街というイメージがあるかもしれないが、公的な役割も担っており、次の三つが重要であった。一つは、宿場まで人と荷物を運ぶための人足や馬を用意する人馬の継立、二つ目は、宿泊施設の提供、三つ目は、現在の郵便局までの役割まではいかなくとも、書状や手紙などの輸送の拠点としての役割を担っていた。

人馬の継立は、宿場町が調達をしなければならなかったが、往来する人びとが増加し、宿場町としての需要が大きくなり、人手や馬が足りず、千住宿だけでは対応しきれなくなった。そのため、千住宿を本宿とし、１６５８（万治元）年に千住エリアに新たな宿場町が形成された。それが新たに三つの町（掃部宿・千住河原町・千住橋戸町）を加えた掃部宿（かもんしゅく）である。[5] こうして千住宿を本陣として宿場町として発展したのである。

こうした宿場町では、公家や大名が宿泊する本陣とよばれるものと、一般旅行客が利用する旅籠屋とに別れていた。旅籠屋は、さらに、平旅籠と飯盛旅籠の二つにわかれており、前者は普通の宿で、後者は、飯盛女（めしもり）と呼ばれていた女性が給仕する遊女を抱えた旅館である。四宿ではこうした飯盛旅籠が遊廓として発展し、17世紀後半には、旅籠1軒につき2名の飯盛女が幕府によって許可され、品川宿では５００人、千住宿や板橋宿は１５０人まで認められていたという。

実際に、千住宿の日光道中の東側に立地していた青物問屋（青果を取り扱う問屋）と並び一番数が多かったのが、飯盛旅籠であった。1824年当時、千住の遊女は、15から19歳が45名、20から22歳が57名、最高齢の28歳を含めて、合計150人ほどいた。そのうちの約49％を占めていたのが江戸出身者で73名、次いで、多かったのが、越後国の31名で全体の21％、日光道中が14名で約10％を占めており、後の残りは地方出身者で、東北出身者が多かった。[6]

このように、千住の街は、宿泊や周辺産業である飲食産業を中心として大きく発展していた。それだけではなく、人馬の継立や郵便など準公共的な重要な役割を担っていた街の一つといえる。

(2) 行楽地・歓送迎の地としての発展

千住は地方から江戸、江戸から地方への休憩所や立継の要所を担っていただけではなく、江戸近郊の風光明媚な行楽地としても、歓送迎の場所としても発展していた。江戸期の人気行楽地は、先述の千住大橋や西新井大師、関谷の里、鐘ヶ淵などが挙げられる。これら名所が千住やその周辺に位置しており、江戸町民や旅人の巡礼や行楽の地として賑わっていた。特に、現在のように電車などの交通機関が発達していない江戸期には、江戸から千住までの距離がそう遠くなかったことが、庶民にも人気の行楽地となった理由の一つだろう。

実際に、日本橋からの距離は約9キロ、徒歩または舟で日帰りができる距離にあった。そのため、著名な浮世絵師である葛飾北斎[7]や歌川広重も千住の行楽地を描いている（図2-2・2-3参照）。葛飾北斎の「富嶽三十六景観」の中にも、『武州千住』や『隅田川関屋の里』など千住に関連する作品がいくつかある。[8]

また、当時から富士山信仰のための巡礼は人気が高かったが、実際に富士山に行くのは、今よりもはるかに遠く、時間のかかることであったため、近くで富士山信仰できるように、神社の一部には富士塚があり、そこで多くの人びとは参拝し、ご利益を祈願していた。千住の富士塚は、1823（文政7）年に千住大川氷川神社に築造されて現存しており、都内で9番目に古い富士塚である。[9] ここにも当時多くの人が訪れていたのであろう。

そして、宿場町という街の特性からも、旅人の歓送迎の地でもあった。例えば、現代の日本地図の礎となる地図を作製した伊能忠敬も、地図測量へ出発する際に千住宿で送迎の宴会が開かれていたという。測量を終えて帰路に着く1800年10月21日にも、親戚や高橋至時といった仕えの者など出発時に見送った7名が千住宿で出迎え、その夜は宴会を催して、次の日、朝食を取ってから江戸に帰ったとされている。[10] また、松尾芭蕉も1689（元禄2）年に江戸の深川から舟で千住に降り立ち、この5年後に発行される『奥の細道』を生み出す陸奥の旅の出発地点が千住である。千住では多くの門人が見送ったそうだ。[11]

江戸期の千住は、宿場町としてだけではなく、葛飾北斎や歌川広重などが絵を描くために訪れていたように、当時は風光明媚な所であった。観光客や参拝客、歓送迎の人々など、観光や行楽などを楽しむための目的として千住が機能しており、江戸や地方からの人たちを受け入れて行楽地や歓送迎地としても賑わっていたのである。

図2-2 「葛飾北斎《冨嶽三十六景 武州千住》」(出典:足立区立郷土博物館所蔵)

図2-3 「歌川広重《名所江戸百景 千住の大橋》」(出典:足立区立郷土博物館所蔵)

（3）商業・物流拠点の街としての発展

千住は、宿場町や行楽地や送迎の地として人流の拠点を担っていただけではなく、物流の拠点としても発展していた。その背景には、立地的に、荒川や隅田川、綾瀬川など川が近くを流れているため、材木から米・野菜・魚などの物資を江戸へ舟で運び込むための中継地点になっていたことはもとより、1593（文禄2）年当時すでに千住大橋が架橋されており、利便性がよかったことが挙げられる。

実際に、千住が物流の拠点となり得たのは、1660（万治3）年に両国橋が架けられるまで、幕府が江戸に入域する橋を架けなかったため、隅田川を越える唯一の橋が千住大橋であったことが大きく影響を及ぼしているだろう[12]。それに加え、立地的に江戸からも近距離であったことや舟運が利用できたことで、千住が物流の拠点となったといえる。そのため、多くの物資が集まった千住では、宿場町として栄える以前から問屋が多く立地し、早くから市場が形成され、活気を帯びていた街だったのである。

1827（文政10）年の『日光道中千住宿差出明細帳』によると、千住宿の職人で一番多かったのが車力職で、荷車で物資や荷物を運ぶ業種であり、62名で、四番目に多かったのも舟を操業する船頭職で18名であったことからも[13]、宿場町としてだけではなく、物流の拠点としても繁栄していたことが示されている。

また、先述の通り、千住宿の日光道中の東側に立地する商店で一番多かったのが、青物問屋（青果を取り扱う問屋）と先述の飯盛旅籠でそれぞれ15軒ずつ、次いで髪結が14軒、居酒屋が10軒、荒物屋が８軒となっていた。道の反対側である北側の商店数は不明ではあるが、この資料からは、先述の宿場町業だけではなく、問屋が多いことからも商業の街であったことが示されている[14]。当時は、やっちゃ場と呼ばれる青物市場が存在しており、賑わっていた場所であった。

その後も、明治から昭和初期まで、その活気は衰えず、最盛期には30数軒の問屋が並び、１日当たり数千人もの買い物客がここを訪れていた。実際に、青物問屋をはじめ、米穀問屋や川魚問屋[15]、飲食店などが立ち並び[16]、大正期における北千住の問屋数は32軒で、１９４１（昭和16）年時点でも30軒はあったという[17]。それらの北千住の問屋では、主に米穀や野菜、川魚を主に取り扱っていた[18]。当時の千住市場には米穀問屋が多く、足立やその周辺地域の米だけではなく、全国からの米を江戸へ流通させていた[19]。加えて、江戸期の頃から１９５０年代まで、足立区では農業が盛んに行われていたことから野菜も多く取引されていたのである[20]。

１５７６（天正４）年頃には、千住青物市場が形成されたといわれている。これは、千住宿が建設される30年以上も前のことである。１５９４（文禄３）年には、隅田川に架かる最初の橋である千住大橋が完成したことによって、物流機能が飛躍的に向上し、取引が増えたことで、市場が大きくなったのである。そして、１７３５（享保20）年には、幕府の御用市場に指定され、神田・駒込とともに千住は江戸期の三大青物市場と呼ばれるようになっていた[21]。『南足立郡誌』によると、当時、江戸城には、くわい、蓮根、芋などが納められていたという[22]。

また、千住青物市場のシステムが他の市場とは異なる点があり、それが千住市場の規模の大きさを示している。それは、通常であれば、市場内の問屋から小売に商品は卸されるが、それに加えて、千住市場から神田、京橋、浜町、日本橋さかな市場へと商品が転売されていたことである[23]。他市場への転売の割合は、千住市場の商品全体の7割を占めていた[24]。こうした転売をする人たちを「投師（なげし）」と呼び、1923（大正12）年の『青果市場調査資料』によると、120人も存在していたという[25]。

そうしたかつての問屋街には、当時の問屋が位置していた場所に屋号の看板が掲げられており、「柏屋」や「佐野屋」、「清水屋」、「坂川屋」などの屋号が現在の北千住でも見ることが出来る[26]。ここを実際に歩いて観察すると、同じ屋号が多いことがわかるが、その理由は、親戚が営んでいたり、のれん分けなどをしていたりするためである。問屋のコミュニティ内では、人と人との繋がりが強固で、他の問屋の二、三番手の優秀な番頭を婿にもらうことが通常となっていたほどである。

こうして発展していた青物市場と問屋周辺には、それらに関連づいた異業種も商売も生まれていった。たとえば、車茶屋という大八車の預かり所兼茶屋を営む商店である。元々は大八車の預かり所であったが、宣伝のために、そこでお茶をだすようになり、次にお新香、煎餅、おにぎり、お団子になり、やがて茶屋としての機能を持つようになった。

特筆すべきは、こうした市場は単なる流通の拠点だけではなく、様々な人たちの交流の場でもあり、人・情報・物が集まり、交換・交流できる場であった。江戸期の問屋も、水平的なネットワークや繋がりによって、コミュニティが形成され、産業自体も発展していったといえる。市場でも、農作物の種を提供したり、技術的な知識を得たりする場所であった。こうした気質や文化はその後も継承されていた。昭和の終りごろ、千住市場で葛飾区の農家の人に、八潮市の農家の人が葱の栽培についてアドバイスをもらい、八潮市でも良い葱を作ることができるようになったという話がある。[27]

こうした千住の発展を支えた人たちは、足立や千住出身以外の人たちが多く存在していた。千住宿の千住二丁目の人たちに関しては、1860（安政7）年時点で、1610人のうち35%が域外からの移住者で、残りの65%が足立出身者であった。その中で、千住二丁目出身者は494名で、それ以外の足立出身が548名であった。その他の地域で一番多かったのが、現在の台東区で327名、次いで、多いのが荒川区の53名、葛飾区44名、江東区35名、豊島区30名、文京区23名、港区20名、千代田区18名、新宿区13名であった。[28]

このように、江戸期の千住は、元々の地形や立地を基盤としつつ、宿場町として、行楽地として、そして、商業と物流の街として、公人や旅人から商人、農家の人びとまで、様々な人びとを受け入れ、交流することで発展してきたといえよう。

3　労働者を受け入れる街へ

（1）明治から大正期

近代化する明治期は、江戸が東京府になり、正式に1872（明治5）年に、現在の足立区も東京府の管轄となり、足立郡となった。そのため、参勤交代で江戸に住んでいた大名が地方へと帰郷し、江戸の人口は半分に減少し、これまでの活気を失ってしまったという。そのため、江戸の街の治安が以前よりも悪くなり、江戸からそう遠くない郊外などへ移住する人が多くいたという[29]。そうした人たちを受け入れていた地域の一つが北千住であった。

実際に、江戸期から、物や情報だけではなく、人の往来が多かったことは述べたが、明治以降も同様であった。そうした過程で、地方出身で北千住に縁ある人たちが北千住に住みついていた。たとえば、森鷗外の父である森静男氏も島根出身であるが南足立郡医として1878（明治11）年に赴任し、翌年には千住一丁目に移住、その後は北千住で橘井堂医院として独立・開業していた。ちなみに、森鷗外も、北千住に一時期住んでいたことから、鷗外という名前の由来にも北千住が関係しているという。また、南足立郡郡会議員で千住教育会会長の堀内亮一氏も山形県米沢市出身の医者であったが、北千住の教育界に大きく貢献した人物である。

他にも、北千住の商家には、地方から多くの奉公人がいたが、そうした人たちもまた、北千住で独立し、店を構えたり、上述のように、優秀な人は商家に婿養子に入ったりする人も多かった。

北千住の商家への嫁入りも、茨城や栃木の旧家の娘が嫁いできたり、地方から商家に住みこみをしていたりした人が、北千住で家族を持って終の棲家となる人もいたという[30]。

このように明治以降においても、多くの人を迎え入れていた背景には、北千住は江戸期と同様に、宿場町の名残とともに社会経済が栄えていたことが挙げられる。明治に入っても、1872（明治5）年に宿駅制度が廃止されるまで、宿場町としての役割を担っており、街道沿いには、まだ旅籠屋、酒屋、居酒屋、呉服屋や履物屋などで賑わっていたという。次第に、これらの商店は近代化するにつれ、銀行や郵便局、葬儀屋などに屋号を転換する店もあったようだ[31]。

また、江戸期から北千住以外の足立やその周辺地域の物流、とくに野菜などの農作物の流通の拠点でもあったが、引き続き明治以降も、そうした重要な役割を担っていた。それは、先述のように、江戸期の市場の中で隆盛していた千住のやっちゃば（市場）の存在が大きな影響を及ぼしていたのだろう。

加えて、江戸期の千住は陸路と水路の要所であったが、1895（明治28）年にはさらに鉄道が加わり、北千住駅が開通したことで、さらに交通の要所として、人・物・情報の行き交う街となっていた。こうしたいくつかの鉄道路線の開通によって、海外との取引なども盛んになり、北千住経済自体は発展していたという。

昭和30年頃になると、北千住にあった農地がやがて工場用地や宅地へと開発され、軽工業の街として変容していく。

（2）地方労働者を受け入れる工業の街へ

明治以降は、先述の通り、北千住駅の開業と共に、工業化が進んだ。その背景には、水運の利便性が良いことや冷水の取水などが可能であったことが挙げられる。大正期には、荒川放水路が建設され、関東大震災以後の1935（昭和10）年には、北千住地区の隅田川の沿岸は軽工業地区となり、農地は工場や宅地に開発された。

1937（昭和12）年の日中戦争勃発により、足立区で軍需産業が拡大し、それを継いで、70年代には軽工業地帯として隆盛期を迎え、商業や宿場町から労働者の街へと変容したのである。同時に、労働者たちの住宅開発も進んだ。千住緑町には、1945年の東京大空襲で焼失してしまい現存していないが、一般社団法人同潤会[32]が建設した職工向けの分譲住宅も建てられた。この頃の北千住は、軽工業とそこに従事する労働者の街となっていった。

そんな北千住の地場産業として発展してきた軽工業の一つが皮革産業である。1902（明治35）年に、千住河原町に日本製靴株式会社が創業していた。1907（明治40）年には、皮革加工の日本皮革株式会社が千住緑町に創業しており、この周辺には製靴工場が集積していたという[33]。現在のリーガルコーポレーション（大蔵組皮革製造所）も1903（明治36）年に、本店と本社工場を現在の千住橋戸町に新設している。戦争下では軍靴などを生産していた。

現在も、北千住には革製品関連の企業が立地している。たとえば、先述の日本皮革株式会社である。１９０２（明治35）年に、日本製靴株式会社が千住橋戸町に工場を建設し操業、同年に、さくら組皮革合資会社も近隣に移転してきた。１９０７年に、日露戦争の不況に対抗し、東京製皮系とさくら組系、そして大倉組系（大倉皮革製造所）が合弁会社を作り、日本皮革株式会社となった。１９７４（昭和47）年にニッピ株式会社に名称を変更し、化粧品や食品、アイ・ピー・エス（ips）関連事業など幅広く扱う企業となった。現在も京成本線の千住大橋駅近くに本社を構えている。(34)

もう一つは、千住四丁目に立地する１９３５（昭和10）年創業の大峡製鞄である。従業員数は約50名、革製品の製造、卸、小売販売を行っている企業であり、ランドセルの老舗トップメーカーでもある。現在でも技術の高い職人が最高級素材の革のみを使用して品質の高い製品を作り続けている。こうしたクラフトマンシップから生まれた製品は、これまでに、文部大臣賞7回、通産大臣賞、東京都知事賞11回、経済産業大臣賞など、幾度も賞を受賞している。他にも、革の問屋や皮革製品の企業が北千住には現在も点在している。近年では、前章で述べたように、若者が北千住に革製品のアトリエや店などを構えており、クラフトマンシップが継承されているようだ。

また、従業員数が１０００名を超えていた平田工業（現・エイチワン）という金属プレスの大手企業が北千住に立地していた。２００９年に足立区の工場が閉鎖され、現在はさいたま市に本社を置く企業である。平田工業は、１９４５年に足立区に移転してきた会社で、太平洋戦争中は軍の管理下で創業しており、戦後の昭和期は、日本電気、日本炭鉱、日立重機の下請け工場になり、その後は、ダイハツ自動車、本田技研、井関農機、プレス工業、東京ラジエーター、川崎神戸製作所、川崎航空機、富士重工、いすゞ自動車、航空自衛隊などから発注を受けるまでの企業になった[35]。北千住時代の工場の従業員は、地方出身者が多かったという。一番多かったのが、社長と同郷の静岡県で、その他、山形県や福島県出身者もいたという。この当時、下請工場は足立にとどまらず、前橋や王子、草加など50カ所以上に及んだ。

昭和後期頃になると、北千住の軽工業は最盛期を迎えていた。この当時も、工場に勤める多くの労働者が北千住に居住していた。その中には、先述と同様に、東北からの出稼ぎの人も多くいたという。時代は江戸期の千住の社会経済とは異なり、人の受け入れの背景も異なるが、近代になってからも、多くの地方からの若い出稼ぎ労働者を受け入れ、発展してきた街といえる。一方で、1980年代の経済のグローバル化により、製造業や工業関連の工場や下請け企業は少なからず、打撃を受けることになる。

4　教育文化の醸成から見た地域発展の循環

(1) 北千住の女子就学率の高さ

北千住は、特に江戸期から明治、大正期にかけて、まだ女性の就学率や就業率が高くなかった時代に、地域の人々が女性教育に早くから積極的に取り組み、それらの割合も足立の他の地域に比べて高かった。その背景には、先述のように北千住地域の商家において、彼らの子女への教育や習い事、そして家業の手伝いをすることが日常生活の一部であり、普通のことだったことが挙げられる。当時は、寺子屋や家塾なども多く、明治期に教育制度が整備され、小学校ができるまで、商家の子女たちはそこで教育を受けていた。

1872（明治5）年の『家塾明細表』によると、北千住地域での家塾の数は41、生徒数は1383人だったという。[36] 女性でも家業を継ぐ者もいたし、経営者として家業に積極的に自ら関わるキャリアウーマン的な女性も北千住にはいたという。この当時から商家では、女子教育を行うことが常であった。[37] そうした中で、女子教育という考え方が自然と地域の人々の間で根付いていたともいえる。

1872年になると、学校制度や教員養成に関する規定を示した「学制」が公布され、教育制度が確立されていった。公立学校が導入され、男女関係なく、初等教育を受けられるようになったが、まだ当時は女子生徒数の就学率は低かった。そうした中でも、足立区においては、北千住の女子の就学者数は他の地域よりも多く、男子生徒の数と変わらないものであった。

『足立区教育百年の歩み』によると、千住小学校は、開校が足立区の中でも最も早い1874（明治7）年であり、当時の男子生徒は37名、女子生徒は31名で、男女の生徒数はほとんど変わらない。一方で、開校が同年の興野小学校では、男子生徒は23名、女子生徒は15名、田沼小学校は男子が52名、女子が15名、鹿浜小学校では、男子が34名、女子が9名で、男子生徒数の方が圧倒的に多かった[38]。

約10年後の1885（明治18）年になると、就学児童数が大幅に増加し、足立区内に公立小学校が16校、私立小学校が12校、教員数は公立が18名、私立が38名の体制であった[39]。千住中組だけでも、344人もの児童が学校に通っていたという。その児童数は、男子が190名、女子が154名であり、就学率はこのエリアの児童数全体の約56％と伊興村と同等で一番高かった地域である（図2-4参照）。

また、図2-4が示しているように、千住中組、千住一丁目、四丁目、五丁目の小学校は、足立区の他の地域より女子生徒の就学者数が多いことがわかるだろう。特に、千住一丁目や千住四丁目は、女子生徒数の方が男子生徒数を上回っている。一方で、北千住以外の地域は、女子学生徒数は男子の半数以下である。北千住の女子生徒の就学率が高いのは、『葦笛のうた』によると、商家が多く、子女に教育を受けさせることが江戸期から当たり前のことであったためである。

(2) ローカルによるインクルーシブな教育環境の醸成

また、当時の足立区には12校の私立学校があり、そのうちの半数となる6校が北千住にあった。こうしたことからも、北千住は人口が他の地域より多く、児童数も多かったことも私学が多く設立されたのであろうが、それだけではないだろう。それは、北千住地域の人々によって、教育環境が整備され、幅広い層に対して教育機会が提供されていたことに特徴がある。女子教育だけで

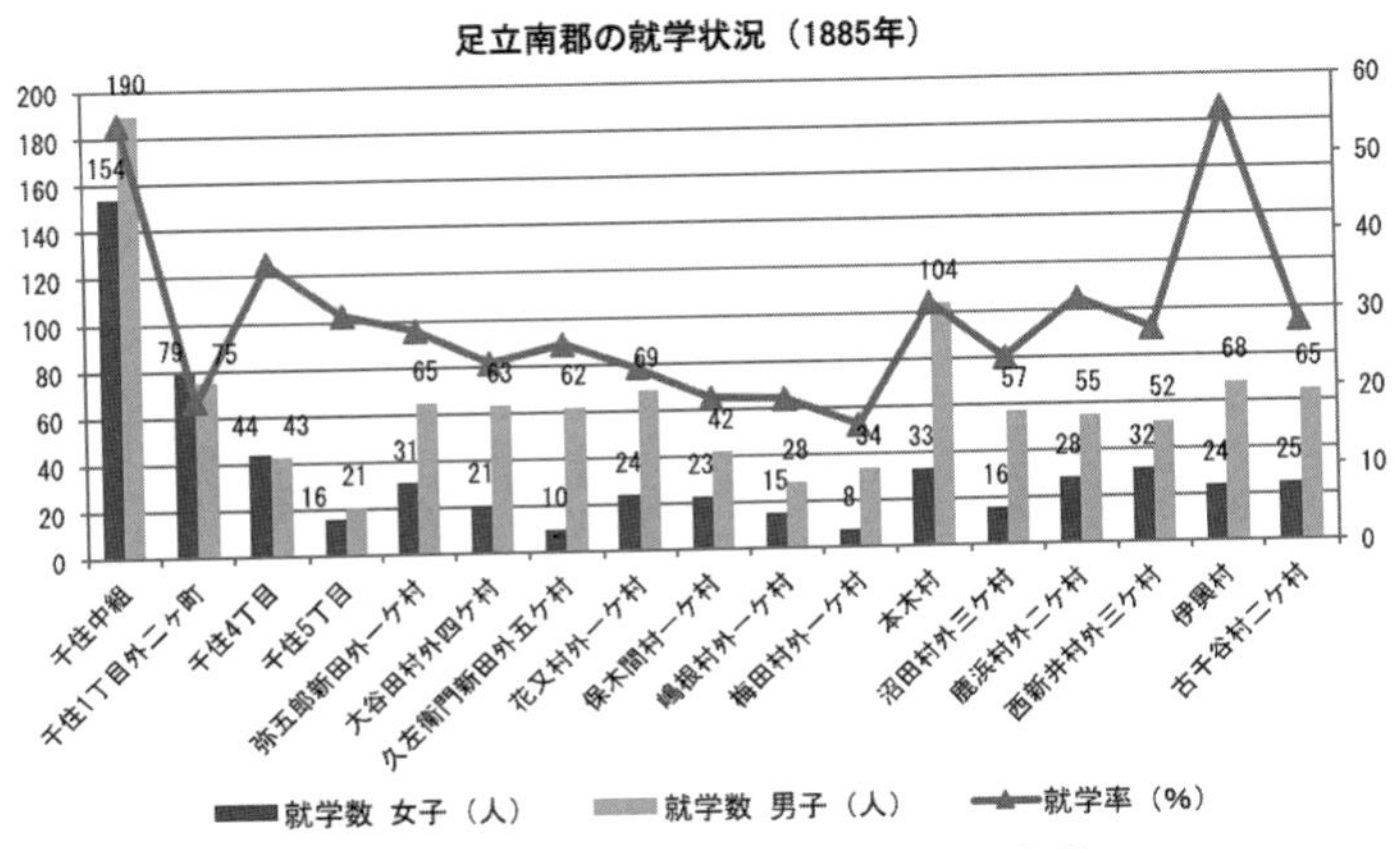

図 2-4　足立南郡の就学状況（出典：『葦笛のうた』より著者作成）

はない、インクルーシブな教育環境を作り出したのが北千住であるといえる。

これも、長く続いた江戸期に醸成された他者を受け入れる寛容性や開放性が基盤となっているのではないだろうか。私学を設立した人たちは地方出身者の北千住住民であり、そうした人たちは、自分たちも北千住の地で受け入れられて成功してきた人たちであった。こうした体験や経験が性別や貧富の差も関係なく、多くの人に開かれた教育環境を作らせたのであろう。

そうした北千住の私立学校の一つが１８８０（明治13）年に開校された愛吟女学校で、現在の千住仲町に明治30年代まであった。その後、１９００（明治33）年には、児童数の増加により、北千住に二つ目の公立学校として千寿女子尋常高等小学校が創立された。１９０９年度には男女共学の千寿第一小学校となったが、当時の北千住における女子教育のニーズ及び就学率が高かったことが覗える。[40] 大正期になっても、北千住における女子生徒の就学率は、足立区の他地域よりも高く維持されていた。当時、北千住の高等科に通う児童数は、他の地域よりも、男女差が少なく、1916（大正5）年では、女子111名、男子125名であった。[41]

この背景には、先述のように、北千住に経済的に余裕のある商家が多数存在していたことはもとより、熱心な地域の人々の活動があったことが挙げられる。学校教育に関しては、明治政府によって主導されたが、市町村が小学校を設置し、実質的な学校運営をするという仕組みであった。そのため、自治体の財政を圧迫することもあり、北千住では、地域の名士たちが学校運営に対して財政的な支援や地域における教育活動の推進を主導していたという。

そうした地域の教育活動を行っていた組織が南足立郡教育会であった。この組織の特筆すべき点は、足立区の就学普及のための啓蒙活動や貧困層の児童に対する就学支援を行うと同時に、就学機会が得られなかった大人に対しても、夜間学校や補習学校の開校はもとより、文化を享受する能力を養うような講演会や展覧会、映画会の催しなども提供されていた。[42] こうした活動からも、先述の女子教育の推進・普及もとより、インクルーシブな教育環境を提供していたといえる。

その教育会の活動の一つとして、足立区で最初の中高教育機関である潤徳高等女学校が1924（大正13）年に北千住に創立された。この女学校は、現在の潤徳女子高等学校（潤徳学園）で、千住二丁目に立地している。潤徳高等女学校が設立した背景には、千住教育会の尽力があったことが挙げられる。その教育会の中心的な人物だった堀内亮一は1889（明治10）年に北千住に開業した医者で、米沢上杉藩医の子息だった。

堀内氏は、大学入学のため上京し、その後、北千住の教育に大きく貢献する人物となるのである。実際に、堀内氏は、早期に女子教育のイニシアティブを取り、その重要性を説き、千住教育会のメンバーたちを動かしたという[43]。それによって、幼稚園や女学校の設立が実現し、北千住の女子教育はもとより、足立区やその他の女子教育に対する意識や環境にも大きな影響を及ぼした。それは、当時の潤徳高等女学校の人気の高さからもよくわかる。設立当初から、北千住や足立区内だけではなく、都内全域や千葉、埼玉などからの学生が通っており、募集定員は100名であったが、年を追うごとに、希望者が増えていったのである[44]。

他にも1919（大正8）年に、私立千住愛育院商業補習学校が、荻野鉄蔵によって設立された。同氏の出身は新潟県であり、上京して北千住で財をなした人物である。そんな荻野氏は、託児所千住愛育院と夜間学校を開校し、読み書きの基本やそろばんといった小学校教育を授業料無料で、学用品も一部貸与し、開かれた教育環境を提供していた。そのため、ここに通っていた人の多くは商工業に従事している人で、奉公人や見習いとして働いていた若者が約半数を占め、残りの半数が家業を持つ家の出身者であった[45]。

このように、当時から北千住では、女子教育はもとより幅広い層に対して教育が提供されてきた。そして、それには、地方出身で北千住ローカルになった人たちがイニシアティブを取り、地域の開かれたインクルーシブな教育文化の土壌を醸成していた。それは、北千住の社会経済の発展にも大きく貢献していたといえる。そして、こうしたインクルーシブな学びの場は、多様な人たちが交流できる場の一つでもあっただろう。

したがって、北千住は、江戸期から多くの人が交流する拠点として発展してきた。そうした環境の下で、北千住には、多様な人々を受け入れる開放性があり、寛容性のある地域性や文化を育くんでいったのであろう。江戸期以降、地方の人を多く受け入れて発展してきた地域は、そうした地方の人たちを地元の人として受け入れ、そうした人たちもまた、率先して、地域社会の発展のために尽力していた。北千住には、そうした気質が暗黙のうちに、受け継がれているのだろう。

註

（1）１９６８（昭和43）年に三ノ輪から千住四丁目間が廃止された。

（2）うち1校は大学の付属病院である。

（3）千住宿は徐々に拡大し、１６６０（万治３）年には隅田川の南岸の現在の南千住の一部も千住宿として加えられていたが、千住宿自体は3分の2以上が隅田川以北の現・北千住のエリアが占めていた。この人口数は１８４４年であるため、現在の北千住のエリアと南千住の一部を含む人口数のものであると捉えられる。

（4）足立区立郷土博物館・足立風土記編さん委員会（２００２）『ブックレット足立風土記①千住地区　足立の交通史』足立区教育委員会 p.13

（5）１６６０年にも二つの町（小塚原町・中村町（現在の荒川区・南千住）が南宿として加わっている（前掲『ブックレット足立風土記①千住地区　足立の交通史』p.28）。

（6）前掲『ブックレット足立風土記①千住地区　足立の交通史』p.33、鈴木裕子編・足立女性史研究会（１９８９）

『葦笛のうた』ドメス出版 p.22、足立区立郷土博物館（2012）『千住生活史調査報告書』古文書編（一）

（7）北斎自体は、千住にゆかりがあり、骨つぎの名手だった名倉医院（名倉家）にいた時期もある。絵を書くために、人の体や骨などについて学んでいたという。

（8）足立区によると、冨嶽三十六景の中で、千住所縁の作品は三作であるとされており、他の作品は「隅田川関屋の里」と「従千住花街眺望ノ不二」であるという。

（9）足立区の有形民俗文化財に指定されている。

（10）『ブックレット足立風土記①千住地区　足立の交通史』p.23

（11）同右

（12）幕府の江戸領域の防衛のため。

（13）『ブックレット足立風土記①千住地区　足立の交通史』）p.24-25

（14）同書

（15）問屋を営んでいた天満屋五郎左衛門と鮒屋与兵衛は後述している千住酒合戦にも参加し、文化の発展にも寄与していた人物である。

（16）前掲『ブックレット足立風土記①千住地区　足立の交通史』

（17）足立区（1979）『足立の今昔』今石印刷 p.211

（18）前掲『ブックレット足立風土記①千住地区　足立の交通史』p.26

（19）特に江戸時代は利水が進んだこともあり、水も豊富で低湿地という条件から稲作農業が中心に行われていた。新田の約7割が米を生産し、「江渕米」や「葛西米」というブランド米が千住から出荷されていた（『ブックレット足立風土記①千住地区　足立の交通史』p.20）

（20）江戸から明治にかけては、野菜などの特産品も生産するようになり（『ブックレット足立風土記①千住地区　足立の交通史』p.5）、江戸へ野菜が卸されていた。足立では、西新井大莢（枝豆）、栗原山東菜、本木セリ、本木ナス、ハス、クワイ、ツマモノなどが生産されており、現在でも枝豆や小松菜などを中心として生産されている（『ブックレット足立風土記①千住地区　足立の交通史』、池享・桜井良樹・陣内秀信・西木浩一・吉田伸之編（2020）『みる・よむ・あるく　東京の歴史8』吉川弘文館）。また、川魚問屋は、1857（安政4）年当時で問屋が6軒、仲買が18軒だったという（『ブックレット足立風土記①千住地区　足立の交通史』p.31）。
(21) 神田市場は千住市場より先に、徳川家の御用達であった。また、この三大青物市場に京橋と本所を加えて五大市場とされた。
(22) 前掲『ブックレット足立風土記①千住地区　足立の交通史』p.28、『足立の今昔』p.210
(23) 前掲『足立の今昔』p.211
(24) 前掲『ブックレット足立風土記①千住地区　足立の交通史』p.28
(25) 前掲『足立の今昔』p.211
(26) 前掲『足立の今昔』p.210
(27) 足立区立郷土博物館（2012）『千住生活史調査報告書』p.102
(28) 前掲『ブックレット足立風土記①千住地区　足立の交通史』p.13
(29) 足立区立郷土博物館インタビュー
(30) 前掲『葦笛のうた』p.20
(31) 同書（1989）p.19–20
(32) 同潤会設立の背景には、東京大震災の被害が大きかった東京と横浜の救済のための住宅供給を行う組織として作られたたことが挙げられる。
(33) 足立区（1972）『足立の歴史』巧文社 p.131
(34) 前掲『葦笛のうた』p.261
(35) エイチワンホームページ
(36) 前掲『葦笛のうた』p.78から再引用
(37) 同書 p.21
(38) 同書 p.21から再引用
(39) 同書『東京府統計書』（1885）

(40) 前掲『葦笛のうた』p.84
(41) 同書p.89
(42) 同書p.86
(43) 同書p.90
(44) 同書p.91
(45) 同書p.96

第3章　今も昔も生活空間に点在する交流サロン
――草の根コミュニティの根城はどこにあるのか

1　文化基盤から広がる草の根レベルの交流

北千住が、江戸期から多くの人が交流する拠点として、発展してきたことは、これまで述べてきた通りである。それは、ローカルの寛容性という気質を文化基盤として形成してきたことが背景の一つにあるのではないだろうか。そして、そのことは、ローカルが新しいもの好きであったり、人懐っこかったりする気質にも表れている。そして、新たな人を北千住コミュニティの一員として受け入れ、そうした人たちも北千住のために尽力を尽くすという建設的な循環が生まれていた。そうした過程において、様々な人々との出会いや交流が広がり、それが発展につながっているのである。

では、そうした交流する場所はどこにあったのだろうか。江戸研究家の田中優子氏によると、江戸期には居酒屋や茶屋は文化交流の場であったという。そして、そうした場所で俳諧などの文化活動も行われていたのである。そうした交流する場（サロン）が今も昔も北千住にもあり、地元の人や地方の人など多様な人々が出会い、交流する文化が構築されていたのであろう。そこで、本章では、北千住におけるそうした場所をいくつか考察していこう。なお、前章と同様に、江戸期に関しては千住と表記している。

2 江戸期から「酒呑み」の聖地——ノーボーダーな交流

まずは、江戸期から民衆の交流サロンの場として機能していた飲み屋をみていこう。北千住の飲み屋街といえば、路地に位置する北千住駅西口のときわ通り、通称「飲み屋横丁」だろう。ここは、立ち呑み屋も多く、知る人ぞ知る名店も立地している。多彩な飲食店や多様な価値観の人びとが交差し、賑わいのある風景が見られる場所である。また、北千住自体はここに限らず、総体的に飲食店が多く、酒を提供している店が多い。いわゆる飲み屋をサロンというならば、北千住には多くのサロンが点在しているといえる。

例えば、飲み屋横丁には、昭和レトロな居酒屋「千住の氷見」や「かぶら」などから新規の洒落た立ち飲み屋や居酒屋まで、多種多様な飲食店が立ち並んでいる。他にも、旧日光街道の宿場町通り商店街には、1877（明治10）年創業の東京の三大煮込みといわれる「大はし」が立地している。２０２１（令和３）年の10月現在でも、外で空席を待つ人が並んでいたほどの人気店である。こうした昔ながらの居酒屋や立ち飲み屋には、昭和レトロブームもあいまって、近年若い女性も見かけることが多くなっている。他にも、北千住全体は個性豊かな飲食店が多い。こうした場所は、現代の交流の場でもあり、憩いの場にもなっているのだろう。

そんな北千住であるが、実は江戸期に、歴史的な酒を飲むイベントが開催されており、江戸から継承された「酒呑み」の聖地であるといえるのではないだろうか。江戸期には、千住だけではなく、江戸市中でも、こうした酒呑みイベントが一般的に盛んに行われていた。その背景には、居酒屋が発祥し、食文化が飛躍的に発展したのが江戸時代であることが挙げられる。特に、「京都の着倒れ、大阪の食い倒れ、江戸の呑み倒れ」といわれたように、１８１１（文化８）年には、すでに江戸の町に１８０８軒の居酒屋（当時の煮売居酒屋）が存在しており、居酒屋は飲食業をリードするまでに発展していた[1]。

そうした中で、慶安（１６４８～52年）の頃には、江戸では、大酒会などが盛んに行われており、その後は19世紀にはいって再び行われるようになっていた。その中でも、有名な催しが、１８１５年に千住で行われた「千住酒合戦」であった。この大酒会は、その名の通り、千住で開催された酒合戦である。これに関する記述は、様々な歴史的書物にも残されている。たとえば、当時の役人でもあり、狂歌のスーパースターといえる大田南畝も、この酒合戦について記述を残している。その様子を描いた絵巻「高陽闘飲図」が、ニューヨーク公立図書館に所蔵されていることからも、これがどれ程有名な酒合戦だったかを物語っている。

この「千住酒合戦」は、千住の飛脚問屋の主人であった中屋六右衛門の喜寿を祝う酒呑イベントで、参加者の飲酒の量を競うものであった。これが開催された場所の門には「下戸と理屈はお断り」と書かれていたそうだ。[2] これだけを見ても、酒が楽しく飲めるなら誰でも入ってよい、といわんばかりのオープンなイベントと想像できよう。それも関係し、総勢100名の多彩な人々が様々なところから参加していた。

その中には江戸からの文化人（文芸人）たちとそのパトロンであった千住の豪商や豪農たちも招待され、参加していたし、飛び入り参加する一般の人もいたという。また、足立の人はもとより、この酒合戦に参加するために駆けつけた足立以外の人たちも参加していた。比較的千住に近い浅草や馬喰町から駆けつけた者たちもいたし、宿場町だったこともあり、小山（栃木県）や会津（福島県）からの旅人が飛び入り参加していたことも記されている。他にも、男女の性別も関係なく、芸者や飲食店従業員の女性なども酒合戦に参加していたという。「擁書漫筆」の「千住酒戦の図」にも、女性が描かれているように、様々な人たちが自由に参加することのできたイベントであった[3]（図3-1参照）。

そして、この催しでの飲酒量はかなりの量であったという。千住宿の松勘は九升二合飲みほしたと記録されている。また、62歳男性は三升五合、大長という男性は四升と次の朝に一升五合、ある農夫はとうがらし三つを肴に四升五合、米屋の者は三升七合、小山（栃木県）の者は七升五

図 3-1　『千住酒戦の図』（「擁書漫筆」所収）（出典：足立区立郷土博物館所蔵）

合など酒を飲んだという。(4)

この酒合戦の飲酒量や参加者からわかることは、男女や職業、身分を問わず、多様な人たちが、酒を通じて交流し、楽しんでいること、そして、なにより酒好きであることがよく示されている。この催しは一大イベントではあったが、こうした多様な人たちが、日常生活の中で、社会的な地位なども関係なく、気軽に飲め、交流できる場所が居酒屋や飲食店だったのだろう。こうした雰囲気は、現在の北千住の飲食店の一部に今も残っており、人情味あふれる下町の雰囲気も魅力の一つとなっているのである。

したがって、北千住に酒好きが多く集まるのは、今に始まった訳ではなく、誰でも受け入れてくれる雰囲気があるからではないだろうか。それは開放性と寛容性の文化が北千住のローカルに根付いているともいえる。こうした文化基盤を持つ北千住だからこそ、近年では、立ち呑み屋にも若い男女が訪れ、会話と酒を楽しみ、活気を齎している[5]。今も昔も「酒呑み」の聖地の一つであり、北千住のサロン的な役割を果たしている空間の一つといえよう。

3　昭和の経験と記憶を今に継承する銭湯文化

銭湯は広く江戸期から社交場であった。当時は町内に最低1軒は銭湯があり、町人たちの生活の一部であり、また客の休憩所や寄合所になっていたことからも、「町内の人々の社交の場」であったという[6]。こうした機能は、今日まで少なからず持ち合わせているといえよう。

そうした銭湯が、北千住で最盛期を迎えたのが昭和の頃であった。現在においても、足立区内の銭湯数自体は減少傾向にあるが、23区内においては三番目に多く、２０２１（令和３）年1月時点で27軒が現存している。そのうちの10軒ほどが、この北千住の狭いエリアに集積している。

それには、当時の社会経済が背景として挙げられる。昭和期の北千住は工場地帯であり、多くの労働者が北千住に居住していた。そうした人たちの多くは、先述の通り、東北からの出稼ぎの若者も多くいた。その職工である労働者たちは一人で借家に住んでいたが、ほとんどの部屋に風呂は当時ついていなかったため、工場に従事していた人たちや職人といった人たちは銭湯を利用していたのである。

つまり、北千住の銭湯文化は、足立で住んでいる人たち、足立で働いている人たち、出稼ぎで

図3-2　タカラ湯の風呂場の様子。正面に富士山の絵（左）。錦鯉が泳ぐ日本庭園（右）（著者撮影）

足立に住んでいる人たちなど、当時の北千住の街や基盤産業を支えていた多くの人たちの憩いの場であり、交流の場でもあった。こうした多様な人たちを受け入れてきた歴史文化があるといえる。

北千住の銭湯の一つである「タカラ湯」は昭和2年創業で、北千住駅から徒歩20分程かかる住宅地の路地に現在も佇んでいる。戦後闇市の盛況な頃には、平日で1日あたり1500人から2000人、大みそかになると3000人もの人たちが訪れていたという。また、二代目の松本益平氏の「タカラ湯物語～番頭日記～」によると、1944（昭和19）年頃からは空襲も時折あったが、銭湯は営業を続けており、「少々の空襲には客も慣れ、平気で湯につかっている人がいた」という。

また、タカラ湯は、銭湯界でも屈指の日本庭園と縁側のある銭湯の一つでもある（図3－2参照）。日本庭園の池には錦鯉が優雅に泳いでいる。なお、現在の建物は１９３７（昭和13）年に建てられたもので、ノスタルジックな雰囲気を伝える北千住の魅力ある風景の一つともいえる。そのため、テレビやコマーシャルや広告などのロケ地に頻繁に使用されている。例えば、女優の石原さとみがその庭園を背景にして、縁側に座っているシーンもテレビコマーシャルなどでも放映され、東京メトロの広告として使用されていた。他にも、ボディソープミノンのテレビコマーシャルや仮面ライダーでも主要なロケ地となっていた(7)。

必見すべきは庭園だけではなく、正面玄関の七福神の彫刻は著名な作家が制作したもので、これだけで美術的価値がある高価なものである。これは、伝統的な建築の銭湯には見られる豪華な「唐破風」の屋根で、宮大工の人たちの技術を駆使して作られたものである。こうした「唐破風」の屋根を持つ銭湯を東京ではよく見かける。これは偶然ではなく、銭湯自体が関東大震災の復興の意味も込められており、復興のために、宮大工の技術を持つ人たちがその技術を駆使して豪華な「唐破風」の屋根にしたという。「唐破風」は、見た目が豪華であるだけではなく、ここに入ると極楽浄土であるということを表しているのである。人びとにとって、また、日本人にとって、風呂に入ることや湯に浸かることは、当時も今も癒しを提供してくれる場所であり、銭湯は日本の社交場の一つとして継承されているのである。

そして、銭湯といえば、タイル絵だろう。北千住駅東口から一番近い１９２７（昭和２）年創業の「梅の湯」も「唐破風」の屋根で富士山のタイル絵が描かれている伝統的な作りの銭湯である。北千住には、他にも１９５６（昭和31）年創業の大和湯、美登利湯、旭湯、緑湯などがある。こうした銭湯は、年配の世代には懐かしさ、若い世代には昭和のレトロなノスタルジーを味わえる古くて新しさを感じられる魅力的な空間であろう。

実際に、若い世代の人たちで、銭湯に興味・関心を持つ人も多く見かける。若い世代の人たちによると、それぞれの銭湯が持つ地域性や情緒を気軽に味わえ、お金をかけずに楽しめ、海外旅行に行った際にレアな店や場所を巡るのと同じ感覚だという。確かに、コロナ以前は、訪日外国人観光客の中にも銭湯に行く人が増えており、日本の文化を体験するということだけではなく、日本の若者と同じ感覚があったのかもしれない。

銭湯自体の継承は年々難しくなってきているが、住民に愛され、時代の流れと共に、いつの時代も多種多様な人びとを受け入れてきた場所である。高度成長期における銭湯は、地方出身の出稼ぎの若者にとって、汚れを落とすということだけではなく、同郷の人などとも触れあえる家族的な雰囲気を味わえる場所だったのではないだろうか。そうした意味においてもサロンとして機能していたといえる。そんな役割を担っている銭湯文化は北千住コミュニティ形成に少なからず影響を及ぼし続けてきたサロンの一つであろう。

現存している銭湯は、歴史を見てきたメディア（媒体）でもあると同時に、裸の付き合いができる日本式の大衆サロンでもあり、その当時を感じられる北千住の下町文化の一つでもある。こうした昭和を感じられる銭湯も、社会経済の変容を背景として、数が減少している。北千住でも、

図 3-3　かつての大国湯（実は煙突の上部に猫（オブジェ）がいた）（著者撮影）

2021年に、「キングオブ銭湯」といわれた大黒湯が営業を終了した（図3－3参照）。建物は取り壊されたが、住民や銭湯ファンなどの要望もあり、保存・継承のクラウドファンディングを実施し、現在は同区の静安院に「唐破風」の屋根の部分が移築され、保存されている。今後は、銭湯文化を創造的に未来に結びつけるまちづくりや現代に合ったかたちでの銭湯の継承を考えていくことも必要であろう。

4　学生サロンの根城だったコーヒーワークショップ・シャンティ

「コーヒーワークショップ・シャンティ（以下シャンティ）」は1968（昭和43）年創業の千住本町商店街にあるコーヒー店である[8]。外観は、赤い屋根に山の深い緑色の壁面で、窓やそれに絡む薔薇の花が施され、どことなくイギリス庭園のようなイメージが湧いてくる(図3-4参照)。その正面のドアを開けて中にはいると、蝶ネクタイをしたオーナーご夫妻が出迎えてくれる。

創業当時から、多くの人に楽しんでもらえる喫茶店でありたいというモットーの下、安かろう、悪かろうということでなく、美味しいコーヒーを多くの人に飲んでもらえる価格で提供し続けるということを継続している店でもある。そして、酸味と甘みのあるコーヒー豆本来の美味しいコーヒーが手ごろな値段で味わうことができる、50年以上地元の人に愛され続けているコーヒーショップである。

そんなシャンティは、かつて学生サロンになっていた。その背景には、創業当時は、学生運動の最中だったことが挙げられる。その当時は、どこの大学でも学生運動が起こり、学生は大学からロックアウトされ、大学に行くことが出来なくなり、居場所を求めていた。そうした中で、自分自身や友人たちを含めた学生の居場所を実家のあった北千住に作ろうということになった。そして、コーヒー焙煎から経営まで様々なことを1年間学び、現在の北千住の自宅1階でコーヒースタンドを始め、そこを居場所として機能させたのである。

コーヒーの店にした背景には、当時人気が高く、北千住にも、喫茶店が各町に4、5軒ほどあり、どこも賑わっていたということが挙げられる。実際に、当時のシャンティも、コーヒーの値段は一杯60円であったが、1日で4000円売り上げる時もあり、今よりも半分のスペースでカ

図 3-4　シャンティ正面（左）・壁面（右）（著者撮影）

ウンターだけの店だったが、連日多くの学生や地元の人たちで賑わっていたという。学生運動当時は、1日、3、4回来店する学生もいれば、ここに居座って、お昼ごはんになると他の店で食べ、また戻って来る人もいた。現在でも、1日2回通う地元の常連客がいる。

このように、シャンティは、学生運動時代に行き場を無くした学生のための学生サロンから地域の人びとが日常的に訪れるサロンへと時代と共に変容したのである。アメリカの社会学者オルデンバーグ氏が提唱したサード・プレイスともいえよう。このように、シャンティは、ローカルの人々の居場所であるサロンを50年以上も提供し続けているのである。

5　歴史的建造物・板垣家の保全と活用——コミュニティサロンとしての潜在的可能性

北千住には、江戸期から続く接骨医院の名倉家や横山家、絵馬屋もあるが、昭和初期の建築物もいくつか現存している。その一つが千住五丁目にある板垣家である。宿場町通りを荒川土手の方向に行った交差点のあるところで、かつては旧日光街道と旧水戸街道が交差する地点に立地している日本家屋の建物である（図3-5・3-6参照）。

この建物は、戦前の東京区議会議員であった板垣信春氏の自宅であった。1838（昭和13）年に建設された木造の2階建て日本家屋であるが、正面右端の外観は、淡いピンク色の洋館風になっており、当時最先端であった。その洋室の内観で特徴的なのは、天井が丸みを帯びた形になっており、モダンな造りになっている。これは、大正から昭和初期にかけて、モダンな応接室を併設することが流行していたことから、こうした造りになっている。また、厨房になっている所以外は、1階も2階も、部屋の形や和室の床の間は当時のまま残され、モダンな明るい部屋にリノベーションされている（図3-7参照）。現在はないが、当時は、南国風もしくはコロニアル風のシロの木と松が植えられており、和洋折衷な志向になっていたという。

屋根の瓦もすべて高知で特注した高価なもので、きらきらと光るような瓦だったという。加えて、板垣家は、安政から明治期まで富士山信仰の氷川神社の講元であったことから、今でも富士山の溶岩がそのまま置かれていたりする。随所に、当時の建築様式や流行がよくわかる建造物であり、国の有形登録文化財にも登録される予定である[9]（図3－5・3－6参照）。

こうした板垣家は、現在、「創作和食　板垣」として利活用され、継承されているが、先述の通り、こうした歴史的建造物は、個人の所有物であるため、建造物の老朽化や後継者、相続の課題に直面し、継承したいという思いはありつつも、街からいつの間にか無くなっているケースも少なくない。板垣家も同様な問題に直面していた。

そうした中で、代々付き合いのある安養院の住職から板垣家の当主に建物を残せないかという相談が最初にあったという。３００年続く板垣家と北千住で数百年続く安養院との長い世代を超えた信頼による繋がりが覗える。こうした地域の人たちの思いもあり、現在のオーナーに売却し、建物を保存した形で継承されることとなった。

現在のオーナーは、板垣家の向かいに幼少期から住む、北千住で３００年以上商売を続けている葬儀屋・溜屋の10代目で、生粋の北千住ローカルである。そのため、板垣家当主も、現オーナーとは、世代は異なるが、昔からの顔見知りで、代々葬儀があると必ず溜屋に依頼をしており、時代を超えた普段からの地域での繋がりと信頼があった。そうしたことも大きく作用し、売却を決めたという。

そして、２０１９（令和元）年に、葬儀屋とは別会社のMEKICON（メキコン）という会社を立ち上げて、ここを買い取るに至っている。現オーナーがそうしてまで、板垣家という歴史的建造物を継承する背景には、次の３つの理由があった。まず、板垣家という歴史的建造物を残していきたいという思いである。その背景には、板垣家は思い出深い場所の一つでもあり、秋の祭りでは神輿が板垣家の前に集まり、街のシンボルであったという。そういう貴重なものを取り壊されたくないという思いが強かったそうだ。

近年の北千住の人気から、先述のように、この周辺の不動産価格は高騰しており、決して安い買い物ではなかったが、購入後のことよりも板垣家を北千住に残したいという思いが勝ったという。また、先述の通り、住職などをはじめとした地元の人びとの強い思いにより、板垣家が継承されることになったといえる。

次に、町内のシンボルともいえる板垣家を活用し、地元の若手と繋がる機会を提供できる空間にしていきたいという思いである。近年、町会の人びとの繋がりが少なくなり、高齢化していることを肌で感じ、住民同士の繋がりが希薄になってきていることを常々危惧していたという。それは、職業柄、近隣の葬儀の際に、今でも町内会の人たちがやってきて、受付などの手伝いをしてくれるのだが、その人たちも高齢化しており、町会に若手があまり関わっていないことが顕著であったためである。

本来であれば、地元の若手の人たちに、町会に入会してもらい、街のために色々活動し、自分たちの街を作ってほしいが、近年、どこのコミュニティも同様であるが、若手不足という難しい局面にある。そこで、企業として、町会の役割を担っていく方が現代に合うのではないかという考えに至り、企業を立ち上げて、板垣家をコミュニティの再構築する場として活用していく方向に至ったのである。その活用法として、毎年、お正月に町会では、もちつき大会が行われているが、それを板垣家の中庭スペースで行ったり、お祭りの休憩スペースを設けたりする予定である。

　そして、最後の理由として、板垣家を飲食店として利活用することで、街を活性化し、面白い街へと作り上げていきたいという思いである。これに関しては、一つ目と二つ目の理由とも関連しているが、宿場町通りは、途中から板垣家のところまでがほとんどシャッター街になっている。1960年の東京オリンピック頃までは、草加や竹ノ塚などからわざわざ買物に人が訪問してくるほどの賑わいだったという。そのため、コミュニティや商店街の再生の起点となるため、創作和食やバー、かき氷屋を開いたという。そうすることで、少しでも、人の流れを駅前だけではなく、千住五丁目まで回遊させることを目指しているのである。

　こうして板垣家は、2020（令和2）年11月から「和食板垣」に姿を変え、創作懐石料理を提供する空間へと生まれ変わっている。中庭には、サイレントシアター（ヘッドフォンを付けて楽しむ）を定期的に開催するバー「場―BA―」も併設されている。昔は北千住にも映画館はあったが、現在は1軒もないというところからの発想だ。また、正面玄関の左側の建物は、2021（令和3）年1月にオープンしたかき氷店「TSUJI お茶とかき氷」になっている。これら、三形態の店舗を併せて「板垣辻場」[10]と呼んでいる。それは、板垣家がある場所は丁度交差点の角にあたるためである。特筆すべきは、ここをコミュニティサロンとして活用していく予定であるということだろう。

図 3-5　昔の板垣家（出典：和食・板垣提供）

図 3-6　現在の「和食　板垣」（著者撮影）

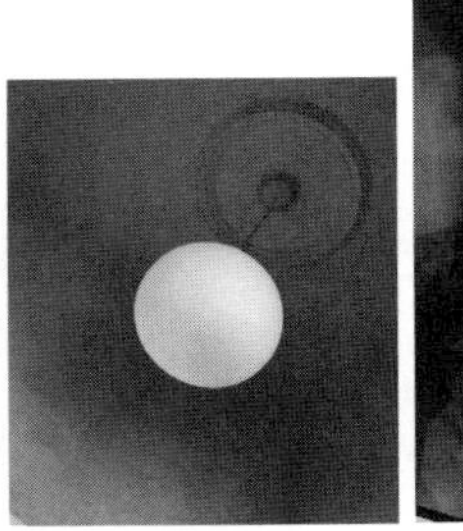

図3-7　内観　当時モダンだった丸みのある天井　バー（著者撮影）

このように、板垣家も地元の人たちによって歴史的建造物を継承し、さらに、それをコミュニティサロンとして活用し、地域の活性化につなげる試みが行われようとしている。コロナ渦に突入した2020年から始まったばかりであるが、こうした活動が地元の若手に広がり、関わってもらえることが、北千住の文化を継承し、創造的なまちづくりや地域の維持可能な発展に繋がっていくのであろう。

註

（1）飯野亮一（2014）『居酒屋の誕生　江戸の呑みだおれ文化』ちくま学芸文庫

（2）足立区（1987）「特集　千住の酒合戦と江戸の文人展」『足立区郷土博物館紀要』第3号・足立区立郷土博物館・足立風土記編さん委員会（2002）『ブックレット足立風土記①千住地区　足立の交通史』足立区教育委員会

（3）前掲「特集　千住の酒合戦と江戸の文人展」・『ブックレット足立風土記①千住地区　足立の交通史』・田中優子（2008）『江戸はネットワーク』平凡社

（4）前掲『江戸はネットワーク』

（5）先述のように、危ない・危険なこともあったが、それらは足立区の様々な施策や先述の路地裏の再生により、徐々に北千住が活性化し、活気づいてきたことも大きく影響を及ぼしている。

（6）西山松之助・郡司正勝・南博・神保五彌・南和男・竹内誠・宮田登・吉原健一郎（１９９４）『江戸学辞典』弘文社 p.247

（7）２０２１年12月時点。仮面ライダーは主役の三兄弟は銭湯が実家で、そこに住んでいる設定となっている。また、２０２２年度放映のドラマの舞台にもなっている。

（8）１９５５（昭和30）年頃の北千住には、ミルクホールや喫茶店といった店が2、3件だけだったという（足立の今昔 p.169）

（9）２０２２年8月6日時点

（10）辻とは、道が交差している十字路のことを指す。

第4章　ローカル・カルチャーを生み出す文化基盤

1　江戸期の北千住はアートな街だった

(1) アート作品が生まれるクリエイティブな場所としての北千住

これまで考察してきたように、北千住の路地では、新たな魅力ある店舗が次々と生まれ、活気ある、そして魅力ある街を形成していた。その背景には、北千住の開放性とローカルの寛容性があり、そうした環境下では、物や情報が行き交い、歴史的に様々な人を受け入れて、人が集まり、様々な交流（サロン）の中で発展してきたことが挙げられる。つまり、北千住の人々の他者を受け入れる開放性や寛容性が、様々なところでの交流を活発にさせ、発展してきたといえる。それは今も昔も変わらない。

そして、そうした交流が活発な時の北千住は、クリエイティブな場所として、実は、文化やアートを発展・繁栄させていたのである。実際に、江戸期には、文化的価値の高い数々のアート作品が生まれ、今のストリート・カルチャーであるラップさながらの句を読み合い、絵を書き、北千住の地で文化を開花させていた。こうした文化に関連する活動はかろうじて昭和初期まで継承されていたが、その後は２０００年初頭まで、江戸期のような目立った創造的な活動はほとんどなかったといえるだろう。そうした中、近年、北千住で再び、アートを通して多様な人々が交流する拠点が出来始めた。

こうしたアートが花開く土壌や風土が醸成される背景には、経済的な支援があることはもとより、これまで考察してきたローカルの人々の他者や異文化を受容する寛容性が少なからず関係しているのではないだろうか。そこでの多種多様な交流が文化活動を活発にさせ、新たなアート作品を生み出しているのではないだろうか。そうした環境の場所に、アートに関係する人々が根を下ろすことは不思議ではない。自由な発想や活動が出来る場所を求め、そうした場所から新たな作品や人材が生まれる。本章では、そうした北千住のローカル・カルチャーの創造過程を観察することにしよう。なお、第2章と同様に、江戸期に関する記述部分では、北千住を千住と記載する。

（2）次々と発見される文化的価値の高い芸術作品

先述のように、実は、江戸期の千住には元々クリエイティブな空間があった。それを示しているのが、平成に入ってから今日まで、文化的価値の高い芸術作品が次々と発見されていることからも示されている。

その背景には、江戸期の千住は、先述のように、地方から江戸、江戸から地方へ向かう中継地点の「宿場町」として、また、江戸町民や地方の人たちの「観光地」として、そして、「商業・物流の街」として栄えていた。こうした街の発展とともに経済力を持つようになった豪商や豪農の人たちは、いわゆるパトロンとしての役割を担っていたのである。そのため、千住には、当時文化人（文芸人）が住んでおり、彼を通じた江戸の文化人（文芸人）たちとの交流が活発であった。そうした歴史的な文化蓄積が、近年、文化的価値の高い芸術作品として足立区で次々と発見され、今なおその状況が続いているのである（２０２１年10月時点）。

たとえば、名倉家である。以下の屏風は六曲一双の大作であるが、当時、千住在住だった建部巣兆の作品で、名倉家から足立区郷土博物館に寄贈されたものである（図4-1参照）。名倉家は、全国に名をはせた「骨つぎの名医」といわれ、現在も当時と変わらず整形外科医院を営んでいる千住の名家である。代々の当主は、文化人（文芸人）たちと交流しつつ、彼らを支援していた。その結果、千住で多くのアート作品や文芸作品が生み出されていた。後節で使用している表4-1は、名倉家当主と交流があった千住や江戸の文化人（文芸人）たちの一部である。

後述している江戸・下谷に当時住んでいた絵師の谷文晁とも交流があり、文晁が足をくじいて、名倉家に治療に通っていたという[1]。また、琳派の絵師で、千住に移住してきた村越其栄作の屏風も名倉家に継承されている。其栄の息子の琳派絵師で小学校を運営していた村越向栄も4代名倉彌一と5代謙蔵から文化活動の支援を受けており、名倉家には多くの作品が残されていた。特に、家業も文芸活動も隆盛であったのが、江戸後期から明治にかけて当主だった彌一(やいち)の時代であった。1899(明治32)年時の彌一の還暦記念の画貼には、当時の文化人(文芸人)の巨匠ともいえるメンバーの作品が並んでいた。例えば、横山大観や橋本雅昌などである[2]。

また、東京美術学校(現・東京藝術大学)の校長であった岡倉天心とも交流があったという。岡倉が彌一に1893(明治26)年に開催されたシカゴ万博博覧会に招待する書簡を送っていたという。こうした書簡からも、万博にむけての創作活動に対する支援活動をしていたと覗える。また、大正から昭和期にかけて当主だった名倉謙蔵は、森鷗外とも交流があり、書簡なども発見されている。こうしたことから、名倉家では、様々な文芸作品が継承されているのである[3]。

また、横山家も、江戸期に地漉き紙問屋を営んでいた豪商であり、昭和初期まで、代々文化人(文芸人)たちの創作活動を支援し、当時の文化を担っていた代表的な商家の一つであり、多くの作品や歴史的価値の高い資料が残されている。その横山家には、狩野派の狩野素川筆[4]の落款のある屏風が継承されており、客をもてなすための調度品として狩野派絵師に作らせたという。

他にも、詳しくは後述するが、足立の豪農であった船津家には、谷文晁の『波どとうのど雲龍図[5]』などや足立区六町の個人が所有している江戸時代後期の谷文晁作の『山水図』や『騎牛帰家

図 4-1 「建部巣兆《吉野山桜竜田川紅葉図屏風》」（出典：足立区立郷土博物館所蔵）

図』、千住仲町の個人所蔵で一世谷文一作の『双鶏図屏風』など多くの芸術作品が発見されている。[6]

足立区郷土博物館によると、発見のきっかけとなったのは、地元の人々のネットワークにあったという。2010（平成22）年に、博物館で「千住の琳派」という展示会を開催したところ、「同じような絵がうちにもある」という情報が足立区住民の方から入り、その後、博物館が調査をし始めた。ローカルの人々の横の繋がりを通じて情報がよせられ、多くの歴史的価値の高い芸術作品を発見するに至っており、現在もそれが続いているのである。こうした作品が北千住や足立区に多く残っているということからも、実は、当時、文化が花開いている、アートな街だったといえるのである。

2　アートを開花させた北千住の文化サロンと「連」の存在

江戸期の千住がアートな街として繁栄していた背景には、先述の経済的な発展はもとより、文化交流が盛んだったことが挙げられる。実は、そこには、当時の文化人（文芸人）が作った文化サロンが起点となっていたのである。そこで、当時の文化人（文芸人）と旦那衆をはじめとした千住の住民との交流が盛んとなり、文化的な横の繋がりが構築されていった。それが千住で文化を開花させ、昭和初期まで継承されていくのである。

そのきっかけは、先述の通り、足立や千住は経済が発展していたことから豪農や商家が多く、彼らが文化人（文芸人）に掛け軸や屛風など様々な作品を依頼することから始まった。そのうち、酒席で、書画や俳諧で交流するうちに、本格的に習い、自分たちで作品を創作するようになっていったのである。

そして、キーパーソンともいえる、きっかけとなった人物が、建部巣兆（たけべそうちょう）である。巣兆（1761〜1814年）は、書家（山本龍斎）の家に生まれ、絵師としても、俳諧師としても、当時から評価されている著名な文化人（文芸人）であった。千住の商家であった藤沢家の養子になったことをきっかけとして千住掃部宿（現在の千住河原町）に移り住むことになり、「秋香庵」という文化活動の拠点を構えたのである。ちなみに、「秋香庵」は松尾芭蕉を慕って造られたといわれている。

「秋香庵」では、「千住連」というグループの人たちが集まり、定期的に俳諧活動を行っていた。「千住連」のメンバーは、「千住宿」の掃部（かもん）宿や青物問屋、川魚問屋などの旦那衆を中心として構成されていた。そこでは、自ら挿絵を書いて、句を読んでおり、それらの作品集を出版していたことからも、活動が活発だったことが垣間見られる。

そして、「千住連」の俳諧の会には、江戸の著名な文化人（文芸人）である谷文晁、絵師の酒井抱一、儒学者の亀田鵬斎（巣兆の義理の兄）、狂歌師の大田南畝などが江戸からわざわざ参加するために千住を訪れ、書画や俳諧狂歌などの文芸活動や文化交流が積極的に行われていたのである。

その背景には、巣兆が元々、酒井抱一や亀田鵬斎と親交が深かったことが挙げられる。また、彼らが当時住んでいた下谷から千住までは、そう遠くはなかったことも交流しやすい環境を生んだのであろう（図4-2参照）。当時、下谷にも、多くの文化人（文芸人）が住んでおり、酒井抱一や亀田鵬斎、谷文晁の三名は「下谷の三幅対（さんぷくつい）（三人組）」と呼ばれ、先述の大田南畝などとも文化活動を行っていた。

千住との結びつきも深い一人である谷文晁であるが、狩野派や中国山水画に加え、西洋画などにも精通しており、独自の谷派という一派の創始者であった。谷家や谷派の人たちは、当時下谷を拠点とし、全国に弟子がいた大きなグループ（一派）を形成していた。

こうした巣兆と抱一、そして鵬斎などから始まった千住と下谷の交流は大変に活発で、千住だけではなく、千住郊外の足立の住民からも谷派の絵師を輩出していたほどである。先述の通り、足立は元々農業が盛んであり、江戸期になると豪農も現れるようになっていたことからも、農家の人たちからも絵師などの文化人（文芸人）が生まれていたのである。

このように、千住に移り住んだ建部巣兆がきっかけとなり、江戸の文化人（文芸人）や千住の旦那衆などが集うようになった「秋香庵」は、いわゆる「文化サロン」の役割を担っていたといえる。そこでは、「千住連」というグループが身分関係なく、共に文芸活動をし、酒を飲み、知的な会話を交わす、文化的で、知的で、楽しい時空間を作り上げていた。

特筆すべきは、千住や足立の豪農や問屋などの商家の人たちはパトロンとして文化を支えていただけではなく、自ら文化活動を当時の名だたる文化人（文芸人）たちとともに楽しみつつ、文化活動を行っていた点であろう。

したがって、千住ひいては足立の当時の文化を花開かせたのは、千住はもとより足立の人びとを巻き込んだ文化活動や文化交流に起因しているといえる。そして、その土台となったのが千住の「秋香庵」という文化サロンであった。そこで形成された江戸期でいう「連」、すなわちグループとそこで生まれた人びとの繋がり（ネットワーク）こそが、千住でアートを開花させ継承することに重要な役割を果たしていたのである。そして、その繋がりは、千住だけではなく足立で広がり、時空間を超えて継承された。

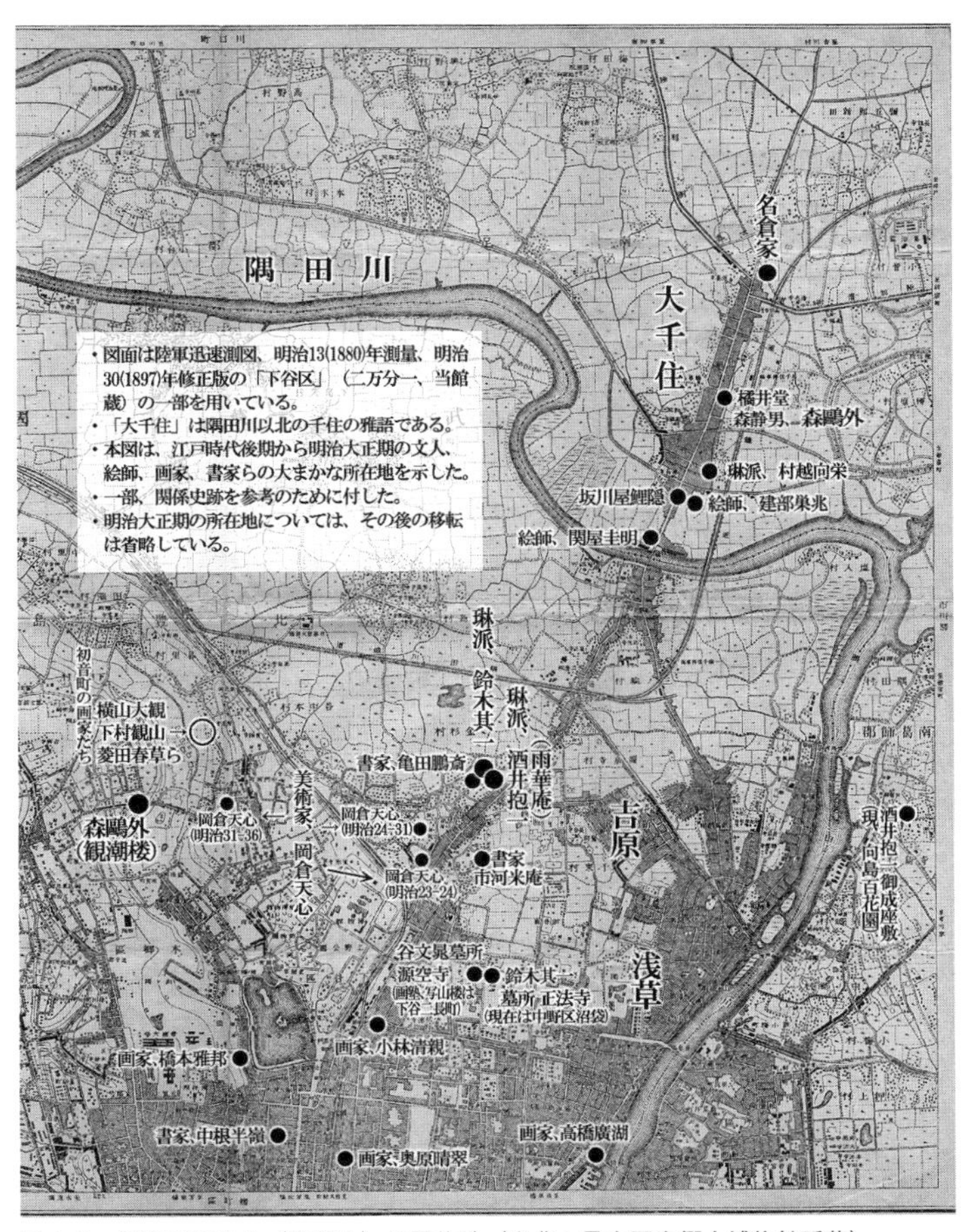

図 4-2　当時の文化人（文芸人）の居住地（出典：足立区立郷土博物館所蔵）

3　時空を超えた重層的な文化基盤ネットワーク

(1) 建部巣兆の没後の「千住酒合戦」から見る文化人（文芸人）ネットワークの継承

巣兆がきっかけとなって千住で開花した文芸活動は、千住でその後も根付いていた。巣兆が亡くなった後も、世代を超えて、昭和初期まで江戸の文化人（文芸人）と千住の人びとは交流を持ち続け、繋がっていたのである。それが示されているのが、千住で開催された「千住酒合戦」である。「千住酒合戦」は、巣兆が亡くなった翌年の1815（文化12）年10月21日に行われている。先述の通り、「千住酒合戦」には、総勢100名が参加し、この世話役には、巣兆の門人で千住連のメンバーであった坂川屋鯉隠がなっていた。鯉隠は、千住の青物問屋を営んでいた商家とされている人物である。

千住で次世代の文化的潮流を担っていた鯉隠などが、巣兆が無くなった後も、酒井抱一、谷文晁、一世谷文一、巣兆の義理の兄である亀田鵬斎などの千住連のメンバーとの交流を続けていたのである。こうした繋がりから、この一大イベントに、江戸の文化人（文芸人）たちも見届け人として招待されていた。実際に、千住酒合戦に参加していた文化人（文芸人）たちは書画で記録を残している（図4-3参照）。それが高い歴史的・文化的価値あるアート作品として現在に継承されているのである。

そうした文化人（文芸人）招待客の中には、大田南畝も招待されており、実際に当日は参加し

図4-3 千住酒合戦の様子(「谷文一《戦飲図》後水鳥記」)(出典:足立区立郷土博物館所蔵)

ておらず、様子を聞いて書いたともいわれているが、「後水鳥記」に千住酒合戦のことを記している。また、先述の名倉家当主などをはじめとした商家や豪農たちもこれに参加していた[7]。

そして、この酒合戦の数年後には、巣兆や文晁の書画などの展覧会が源長寺で開催されている。源長寺は、当時、巣兆寺と呼ばれ、巣兆が生前に酒を飲み、絵を書いていた巣兆ゆかりの場所でもあり、この寺で開催されたという。

このように、文化サロン「秋香庵」の場に集まっていた「千住連」のメンバーによる繋がりが時空を超えて、千住での文化創造の活動を浸透させ、広がりと深さを持たせたのである。それによって、千住を中心として、足立全体にも創造的活動が広がるのである。その繋がりの発信源となった巣兆、谷文晁、酒井抱一の繋がりを以下で考察することにしよう。

(2) 建部巣兆からの繋がり

建部巣兆の人的ネットワークである。まずは、「千住連」の中心的な人物である酒井抱一。元々、巣兆と抱一は親しかったため、抱一が下谷の文化サロンの仲間と一緒に、巣兆を訪ね、千住のサロンに通ったことから始まっている。

次に、巣兆の千住の門人の鯉隠である。鯉隠は、「千住連」のメンバーでもあり、絵師としても活動を続けつつ、文化人（文芸人）たちの支援を行い、パトロンとしても活動していた。そして、巣兆の死後も、文晁、抱一、鵬斎、南畝などとの交流は続いていた。実際に、抱一の日記には、抱一や文晁が千住の鯉隠を度々訪ねてきていることが、記されているという。また、後述するが、鯉隠は、抱一や文晁の門人とも交流があった。

そして、巣兆を慕って移住してくる者もいた。漢学者で俳人だった一啓斎路川（いちけいさいろせん）は駿州の田舎から江戸に出て学問に励んでいたが、50歳になった際に、建部巣兆の「秋香庵」の近くに住み移り、寺子屋を開いて子どもたちに読み書きを教えていたという(8)。

「千住連」を中心とした「秋香庵」という文化サロンは、様々なネットワークや繋がりを作り出し、時空間を超えて、千住だけではなく、足立区全体にも文芸活動をこの地に根付かせたのである（表4-1参照）。

(3) 谷文晁からの繋がり

次に、千住における谷文晁のネットワークである。文晁の門人は江戸と関東を中心にかなりの数がいたといわれているが、息子や孫の谷文一は、足立の門人との関係性が深かったといわれている。その門人が、足立（現在の江北地域・上沼田村）の船津文渕（1806〜56年）である。

この「文渕」という号は、文晁が与え、自分の流派を継ぐ絵師として認めた人物であることを示しており、文渕と共に、千住連に参加していたという。

文晁の没後も、文化サロンの千住連での交流から生まれた門人・文渕は、文晁の子息や孫の一世谷文一や二世谷文一との深い交流を続けていた。そうした文化的活動の繋がりの中で、さらに二世谷文一は、足立区舎人地域の豪農であった文暉や平柳家の春吉を門人に迎えていた[9]。他にも、竹塚村（現在の足立区竹の塚）の豪農であり、旗本河内家一族の河内半蔵、栗原村（現在の足立区栗原）の豪農の水野松雨、皿沼の皿沼文舟なども門人であった。

加えて、文渕は、先述の文晁の門人で千住の商家の鯉隠や後述する抱一の江戸の門人・酒井其一やその息子の其栄とも交流があった。実際に、文渕の日記『菜庵雑記』には、其栄と共に江の島に行ったことも記されている[10]。其一と文晁や巣兆の門人たちは、時空を超えて交流をしていたのである。

巣兆から始まった千住連での繋がりは、文晁から足立・江北の豪農・文渕へ、そして、文渕と江戸の文一との交流から、さらに、足立の他の地域に広がり、谷派といえる文化活動を根付かせた人物ともいえるだろう[11]。

（4）酒井抱一からの繋がり

そして、江戸琳派の酒井抱一である。その門人である鈴木其一もまた、千住と関わりを持つ人物の一人であった。建部巣兆の没後も、抱一、其一、そして、建部巣兆の門人で千住の青物問屋の主人であった坂川屋鯉隠が『正月の飾り物図』という合作の掛け軸を書いている。[12]其一が活躍を始めるのは、抱一没後の天保期であるが、その後も千住の人々との繋がりは継承されていた。[13]

そうした中で、パトロンの一人として、日本橋の大富豪・松沢家などもいたが、抱一や鯉隠などの繋がりから、谷文晁の門人で足立・江北の豪農の船津文渕も、鯉隠とともに絵画を発注するなどして積極的に文芸活動を支援していた。他にも、狂歌師でもあり、千住の商家で関屋町に広大な土地を所有していた関屋里元や東耕舎米員などとも交流があり、作品を共作したりしている。また、名倉家も、先述の通り、様々な文化人（文芸人）の創作活動を支援してきたが、其一の作品が名倉家に所蔵されていることからも、パトロンの一人であったといえる。[14]

また、其一の門下で琳派絵師の村越其栄も天保の末期に、下谷から千住に移住し、千住河原町に寺子屋「東耕堂」を開き、教育と文化活動を千住で行った人物である。その息子・村越向栄も、寺子屋を継承し、１８７３（明治６）年以降に私立村越小学校となり、１８９５（明治28）年まで千住地域の教育に携わっていた。そうした千住での教育活動と琳派絵師の活動の中で、千住の人びととの交流を継承していた。[15]

向栄の還暦の祝いは、千住の旦那衆たちによって、浅草山の料亭「重箱」で「光琳派絵画展覧会」が開催され、下谷と千住にゆかりのあった抱一や其一、其栄の作品４００点を展示したものであった。その半年後には、「千住光栄会」や「千住与楽会」などが、結成され、名倉家をはじめとした千住の旦那衆らが中心となって、所蔵している作品を出品・展覧し、楽しむ会が明治時代になって開催されていた。この頃からは、地域一体となり、こうした文化活動の支援するようになっていた[16]。

本書で取り上げてきた三名の繋がりからだけでも、様々な文芸活動やそれに対する支援活動が千住や足立で行われるようになっていたことが示されている。すべてを取り上げることはできないが、他にも、先述の狩野派の絵師・狩野章信（１７６５～１８２６年）も「千住酒合戦」に参加していた文化人（文芸人）の一人であるという。章信の三代後の狩野派の絵師・狩野寿信も千住の人々との交流があり、世代を超えて約１００年続いていた。千住青物市場（千住河原町）の問屋の谷塚屋の五代目当主の谷塚午三郎（やつかうまさぶろう）（１８８２～１９４８年）も、芸術家の支援活動を行っていたし、島村流木彫家の冨岡芳堂（１８９０～１９５７年）は、千住中居町にアトリエを構えて創作活動をおこなっていた千住の呉服商の者であった。

このように、江戸期から昭和初期までは、千住はアートな街であり、文化交流や文化活動が根付いていたクリエイティブな街だったといえよう。

（5）時空を超えた文化継承の繋がり

江戸後期に、千住でアートが花開いたのは、地域の経済が栄え、パトロンがいたことも要因の一つであるが、江戸の文化人（文芸人）と千住の人びととの交流を促進する創造的な空間が形成されていたことやそこで生まれた繋がりが広がりをみせていったことが、大きかったといえる。元々千住という地域は、物流拠点であり、宿場町、観光地でもあったという街の特性から多様な人びととの交流や繋がりが多く、常に他者（域外の人びと）を受容し、街を発展させてきた、そうした開放性や寛容性という文化を基盤として、こうした創造的な空間を形成したのだろう。

他者を受け入れる寛容性という気質から生まれた様々なネットワークが、交流をさらに活性化し、社会に多様性を齎し、文化的交流をさらに促進する。そうした創造的な空間が創られ、新たなものやアイデアを生む環境の土台となるのである。こうした環境が、千住の文化を発展させ、素晴らしい芸術作品を生み出し、今に残すことに繋がったといえる。

このように、巣兆が創った文化サロンから始まった江戸の文化人（文芸人）と千住の人びとの文化的なネットワークから生まれた交流が、時代を超えて、千住の文化の発展や貴重な芸術作品を生み出し、今に伝えられているのである。現代でいいかえると、旅人は交流人口、巣兆を中心とした江戸の著名な文化人（文芸人）たちは関係人口である。交流する場であるサロンを介して、関係人口を増加させ、文化的交流を活発化させていったのである。

江戸期から昭和初期にかけて、こうした広がりや文化の発展があったのは、元々、他者を受け入れ、多種多様な人びとが交流する千住の開放性や寛容性のある文化基盤にあったといえる。そこから生まれた創造的な活動が文化や経済に結びつき、それらを発展させ、人びとを惹きつけていたのだろう。

<table>
<tr><td rowspan="14">江戸時代後期</td><td>名倉家歴代</td><td colspan="3">千住足立の文化人（文芸人）</td><td>名倉家及び千住足立と交流する文化人（文芸人）</td></tr>
<tr><td>氏名</td><td>氏名（号）</td><td>職業</td><td>居住地</td><td>氏名（号）</td></tr>
<tr><td rowspan="8">直賢（1750〜1828）</td><td>建部巣兆</td><td>俳人・絵師</td><td>現･千住河原町</td><td>酒井抱一</td></tr>
<tr><td>一啓斎路川</td><td>俳人</td><td>現･千住と周辺</td><td>谷文晁</td></tr>
<tr><td>関屋里元</td><td>商家・狂歌師</td><td>現･千住と周辺</td><td>一世谷文一</td></tr>
<tr><td>東耕舍米員</td><td>狂歌師・商家＊</td><td>現･千住と周辺</td><td>大田南畝</td></tr>
<tr><td>坂川屋鯉隠</td><td>商家・絵師</td><td>現･千住河原町</td><td>亀田鵬斎</td></tr>
<tr><td>舩津文渕</td><td>豪農・絵師</td><td>現・江北</td><td>狩野彰信</td></tr>
<tr><td>村越其栄</td><td>寺子屋運営・琳派絵師</td><td>現･千住河原町</td><td>鈴木其一</td></tr>
<tr><td colspan="3">など他</td><td>歌川国芳
二世谷文一
など</td></tr>
<tr><td rowspan="5">知重
吉音</td><td>村越向栄</td><td>小学校運営・琳派絵師</td><td>現･千住河原町</td><td>山岡鉄舟</td></tr>
<tr><td>森鷗外</td><td>陸軍医・文学者</td><td>一時千住に在住</td><td>酒井道一</td></tr>
<tr><td colspan="3" rowspan="3">など他</td><td>＜名倉家と繫がる文化人（文芸人）＞</td></tr>
<tr><td>河鍋暁斎</td></tr>
<tr><td rowspan="4">近代</td><td>岡倉天心</td></tr>
<tr><td>尚壽</td><td>河合榮次郎</td><td>経済学者</td><td>現・千住２丁目</td><td rowspan="3">高島北海
など他</td></tr>
<tr><td>彌一</td><td rowspan="2">為成菖蒲園
など他</td><td rowspan="2">俳人
（高岡虚子に師事）</td><td rowspan="2">現・千住河原町</td></tr>
<tr><td>謙蔵</td></tr>
</table>

表4-1　江戸期から昭和初期の北千住の文化サロン形成の人的ネットワーク

出典：『大千住　美の系譜－酒井抱一から岡倉天心まで－』図録（足立区立郷土博物館、2018年）の「江戸から明治へとつながる文人交流史」から本書で取り上げた人物を中心としたものに著者編集。

注：この表に挙げているのは、上述のように主に本書で取り上げた人物を中心としており、他にも存在する。詳しくは上記の出典を参照されたい。

＊：商家と推測されているが、詳細は不明

4 再びアートな街へ

今日の北千住に、再びアートな空間が点在するようになり始めた。昭和初期までは、なんとか続いていた芸術活動や支援活動であったが、近代化する過程で、それまでの宿場町や農村地帯から製造業の経済的な空間へとパラダイムシフトし、これまでの文芸活動やアート活動といったものはほとんど見られなかったのではないだろうか。どちらかといえば、住宅地（団地）や労働者の街のイメージが強いだろう。特に、世界的な１９８０年代からのグローバル経済の流れの中で、足立区の製造業もその影響を受けて低迷し、昭和後期や平成においては、犯罪数が増加し、怖いや危ないといった良くないイメージが定着するようになっていた。現在の北千住は第１章でも述べた通り、飲食などのサービス産業と軽工業、そして住宅の街に変容してきた。

そうした時代の流れの中で、再び、自由に人が集まり、新たな繋がりや創造的な活動が生まれる空間が点在し始めている。その要因の一つには、若い人たちが関係人口や住民として増加し、若い学生で賑わう街に変貌していることが挙げられるだろう。先述の東京藝術大学の一部が２００６年に北千住に移転してきた後は、街の中に、アトリエが点在し、アート活動を行う若い人も少なからず増えてきた。

昨今の北千住でも様々な創造的な活動が公的なものから民間レベルまで行われ始めるようになった。たとえば、仲町の家[17]である。ここは、東京都と足立区、東京藝術大学が運営しているコ

図 4-3　BUoY（ブイ）の入口とカフェ（著者撮影）

ミュニティスペースであり、現代アートの展示会やトークイベントなども開催されるアート活動の拠点でもあるが、子どもから大人まで誰もが垣根なく、よりオープンに交流できる拠点になっている。相対的に公共性の高いコミュニティスペースとして機能している。

加えて、仲町の家の機能がアート系のコミュニティセンターとすれば、ブイ（BUoY）の機能は民間のアートセンターといえる。ここは、元々地下に銭湯、2階にボーリング場があり、20年以上廃墟のままの場所であった。それを劇場とカフェに利活用した空間へと2017年に生まれ変わり、北千住のアート活動の拠点の一つになっている（図4-3参照）。実際に、ここでは、詩、建築、演劇、ダンス、音楽、映画、現代美術といった多種多様なアートシーンを発信し、小劇場のネットワークを形成している場所の一つである[18]。アーティストからの需要も高く、地下のスペースの利用は数カ月待ちとなっているという[19]。

この空間は、若手アーティストや建築家、大工など、様々な人たちが協力し合い、自分たちの手で改装されている。また、地下は銭湯だったため、その面影が残る、ここにしかないショーケースとなっている。その面影とは、スペースの真ん中に大きな柱が堂々と建っており、こうした舞台空間は他では決して体験することはできないだろう。これが、この空間の個性や固有性となり、新たな創造活動へと繋げる表現者などがここを求めてやってくるのである。

そして、本アートセンターの空間としてのコンセプトは、まず、「異なる価値観との出会いを創造する」と「社会的無意識という名の他者に出会う」である。次に、それらを作り出す作品やプロジェクトを積極的に開催し、尖鋭的・実験的な作品や新進気鋭の若手アーティストを支援するための空間である。そして、ブイが目指しているのは、「尖鋭的なアート活動や発信を行いつつも、千住という風土や歴史と共鳴し、広範な人びとがアクセスできる場所の両立である」という。そのため、芸術活動関係だけではなく、平常時（コロナ渦中は休止中）の毎週月曜は子ども食堂を開催している。特筆すべきは、特定の運営や事務局という組織はなく、中心となっているアート好きな約15名が各々企画を実行しているのである[20]。

また、2階にあるカフェでコーヒーを入れてくれるのは、役者、作家、現代アーティストなどの創作活動をしている人たちのため、提供されるメニューや味が異なるという[20]。こちらも劇場型カフェといえるのではないだろうか。劇場で同じ演目でも、そのままそっくり同じにならないのが、舞台の醍醐味であるが、カフェも、その日その場でのみ体感できるアート鑑賞と同じ感覚ということである。

まさに、江戸時代の千住連と同様に身分関係なく、俳諧や絵に興じたのと同様に、自由で創造的な空間が現在に再現されているといえるだろう。

5　ストリート・カルチャーの萌芽――ヒップホップを中心として

加えて、近年、北千住の日光街道に面した「Juice Bar Rocket」をサロンにして、新たなストリート・カルチャーが萌芽し始めている。それは、ヒップホップ・カルチャーである。ここは、２０１８年12月に北千住にオープンしたスムージー（コールド・プレス・ジュース）を中心に提供している店である。店内にはヒップホップが流れ、2階はゆったりとした飲食スペースが広がっている（図4-4参照）。そのため、お昼になると近所の親子連れがランチ目的で訪問する場所でもあり、ローカルの人びとが交流するコ

図4-4　外観（左）・1階内観（右）（著者撮影）

2階 子供用滑り台と奥にミキサー（著者撮影）

ミュニティスペースとしても機能している。

また、子ども用の滑り台がある空間の奥には、ターンテーブルが設置されており、初めて来た人は目を見張るだろう。突如現れるターンテーブルの訳は、創業者がVIKNという名で音楽活動しているラッパーであることが挙げられる。10代半ばからラッパーとして活動を続けており、この場所で定期的にラップ音楽のイベントであるブロック・パーティーを開催している。たとえば、2021(令和3)年12月30日には、著名なラッパーが出演するイベントを行い、2階の会場が一杯になるほど人が集まったという。イベントを開催する際は、演者として出演はしたことがなかったが、この日は登壇し、場を盛り上げたそうだ。

北千住や足立の地元や近隣の若者たちにもラップ音楽の愛好家や興味・関心がある人たちもいるだろう。少なからず、こうした空間ができたことで、そうした人たちを惹きつけ、顕在化したといえる。このように、既存にはなかったラップ音楽の場所または空間が北千住にできたことで、ここに人が集まり、新たな出会いがあり、繋がりができる。そうしたところから、北千住におけるラップ音楽の環境作りや若手の人材育成の拠点またはサロンとして、北千住にラップというストリート・カルチャーが根付きはじめるのだろう。

加えて、アートや他のローカル・カルチャーの発信場所としても機能し始めている。たとえば、2021(令和3)年12月25日から26日にかけて、皮革製品を制作しているローカル若手職人の商品の展示・販売イベントが開催された。この制作者は、前章で取り上げている皮革製品の天神ワークスから独立したクリエーターであり、北千住という地の異種交流の繋がりの中で、人材が育成されていることが垣間見られる。また、毎週木曜日は、元ダンスユニットZoo（ズー）のメンバーの一人を講師に迎えてキッズダンス教室を開いており、親子で賑わっている空間になっている。

このように、ジュースバーの空間がサロンとして機能し、地元やそれ以外の人たちとの繋がりを形成している。同時に、地元の人たち同士の交流や繋がりの場となり、近隣の緩いコミュニティ・サロンとしても機能していた。加えて、ラップやダンスなど、それぞれの分野のプロの人たちの交流や繋がりを形成する場になっていた。こうしたことが、ラップやダンスなどのストリート・カルチャーの裾野を広げ、ローカル・カルチャーとして根付く第一歩になる。

こうした動きは、先述の江戸期の文化サロンから始まった北千住での文化の形成・発展の過程とある意味で同様であるといえよう。建部巣兆が北千住に縁あって住み、「秋香庵」という文化サロンという集まる場所を作り、「千住連」というグループが中心となって文芸活動を行っていたことを彷彿とさせる。つまり、ジュースバーの2階の空間が、ラップ音楽を中心とした文化サロンとして機能し、ラップというストリート・カルチャーが北千住で萌芽し、根付く可能性を秘めているといえるだろう。

6 「気取らない街」を形成する文化基盤

江戸期の千住にアートや文化が花開き、それが時空を超えて根付いたのは、単に、街の経済が発展し、いわゆるパトロンがいたからだけではない。そこには、千住に文化サロンといえる創造的な空間とそこでの文化交流と活動があり、それらを通じて広がる重層的な繋がりがある。重層的な繋がりとは、世代を超えた水平的な横の繋がりであり、文化分野や職業なども関係なく、開放的な創作活動を通じた繋がりである。それがローカルで継承され、ローカル・カルチャーが生まれ、根付いていくのである。

そうしたローカル・カルチャーが生まれやすい土壌が北千住にはあるのかもしれない。これまで考察してきた北千住を通じて、北千住には、新しいものや新しい人を仲間として受容する寛容性があり、共に地域を盛り上げていこうという共通認識が暗黙知のようにあった。こうした気質は、江戸期から、物流の拠点、交通の要所、観光名所として、他の地域の人たちを受け入れて発展してきた文化基盤が背景にあったのだろう。そうして醸成された開放性や寛容性が北千住や足立区の社会経済や施策と相互影響しつつ、現在の新旧入り混じる多様性のある様相を作り出し、多種多様な人々を惹きつけ、賑わいを取り戻しているのだろう。

註

（1）名倉医院ホームページ
（2）足立区（2018）『大千住　美の系譜―酒井抱一から岡倉天心まで―』p.112、足立区（2020）『名家のかがやき―近郊郷士の美と文芸―』
（3）同書
（4）幕末から明治初期に活躍した寿信の作といわれている
（5）足立区歴史博物館所蔵
（6）前掲『大千住　美の系譜―酒井抱一から岡倉天心まで―』p.111
（7）『高陽闘飲図巻』谷文晁・一世谷文一「酒合戦」
（8）足立区立郷土博物館・足立風土記編さん委員会（2002）『ブックレット足立風土記①千住地区　足立の交通史』足立区教育委員会 p.44
（9）足立区（2021）『谷文晁の末裔―二世文一と谷派の絵師たち―』p.110
（10）前掲『大千住美の系譜―酒井抱一から岡倉天心まで』p.13
（11）二世谷文一の後は、一世谷文一の二男文中が谷家を継承した。文中の活動拠点は下谷から浅草、八丁堀、築地に移転している（前掲『谷文晁の末裔―二世文一と谷派の絵師たち―』p.106）。
（12）其一は、酒井忠実に仕えた絵師として、姫路城などでも絵師として務めていた（前掲『大千住　美の系譜―酒井抱一から岡倉天心まで―』）。
（13）前掲『大千住　美の系譜―酒井抱一から岡倉天心まで―』
（14）同書
（15）同書
（16）同書
（17）古民家を再活用しているので、縁側や庭園なども必見である．
（18）ブイホームページ・全国小劇場ネットワーク「劇場の声⑤」

（19）ソトコトホームページ「連載―SOTOKOTOmtu 人の森―98」

（20）前掲ブイホームページ・ソトコトホームページ

第二部

蔵前——洗練されたモノづくり文化の街

第5章　蔵前経済と文化の盛衰

1　蔵前とは

(1) 蔵前の地名の由来とその範囲

蔵前は、江戸期の千住が東北や北関東と江戸市中との要所であるならば、後述する浅草とともに、上野、日本橋といった江戸の盛り場の一つだったといえよう。特に蔵前は、300年以上前の江戸の頃には「浅草御蔵前」という名称であったことからも政府の重要な御蔵が集積していた場所であった。

御蔵とは、『江戸学辞典』によると、「江戸幕府やあるいは諸藩の年貢米などを収納し、その市場販売・換金や家臣団への俸禄支給など貢粗品をつかさどる。金銀貨の保管・出納にあたるのを御金蔵（ごきんぞう）と称する」とある。諸藩の屋敷蔵も同様に御蔵と呼ばれていたが、幕府御蔵は江戸、大阪、京都（二条）に加え、長崎、大津、駿河、甲府などに設置され、その中でも、江戸浅草蔵前は当時最大の幕府管轄の御蔵であった[1]。

江戸浅草御蔵がこの地に建設された背景には、江戸幕府の初代将軍・徳川家康が、隅田川の水運を利用し、幕府直轄の年貢米を収蔵しておくための蔵の建設に着手したことが挙げられる。着手から17年後の1620（元和6）年に完成している。

当時、蔵を建てるために隅田川の西岸を埋め立てて、1番堀から8番堀までの合計8つの掘割を建設し、その掘割に収蔵庫とする蔵を建設した（以下の図5-1参照）。その埋め立てに使われた土は、鳥越神社の丘を崩して確保したもので、当時の鳥越村[2]は丘から平坦な街になったという。そうして埋め立ててできた8つの堀を持つ敷地面積は、約3・6万坪に51棟258戸で、当時、米だけではなく、藍蔵や金蔵もあったという[3]。その後、寛政期には54棟380戸、弘化期には67棟354戸に建て増しされた[4]（図5-1参照）。

そして、当時の蔵前には、米蔵などが集積していたことから問屋も多く立地するようになり、街としてコミュニティが形成されていった。実際に、浅草橋から今戸までの隅田川沿い周辺に、民家が立ち並ぶようになっていた[5]。その当時の地図では、武家屋敷や御三家及び諸大名の蔵屋敷はもとより、町民の家が御蔵の周辺には立ち並んでいたようである。

そうした蔵前は、浅草などと共に、盛り場（さかりば）といわれる日常的に多くの人が集まる

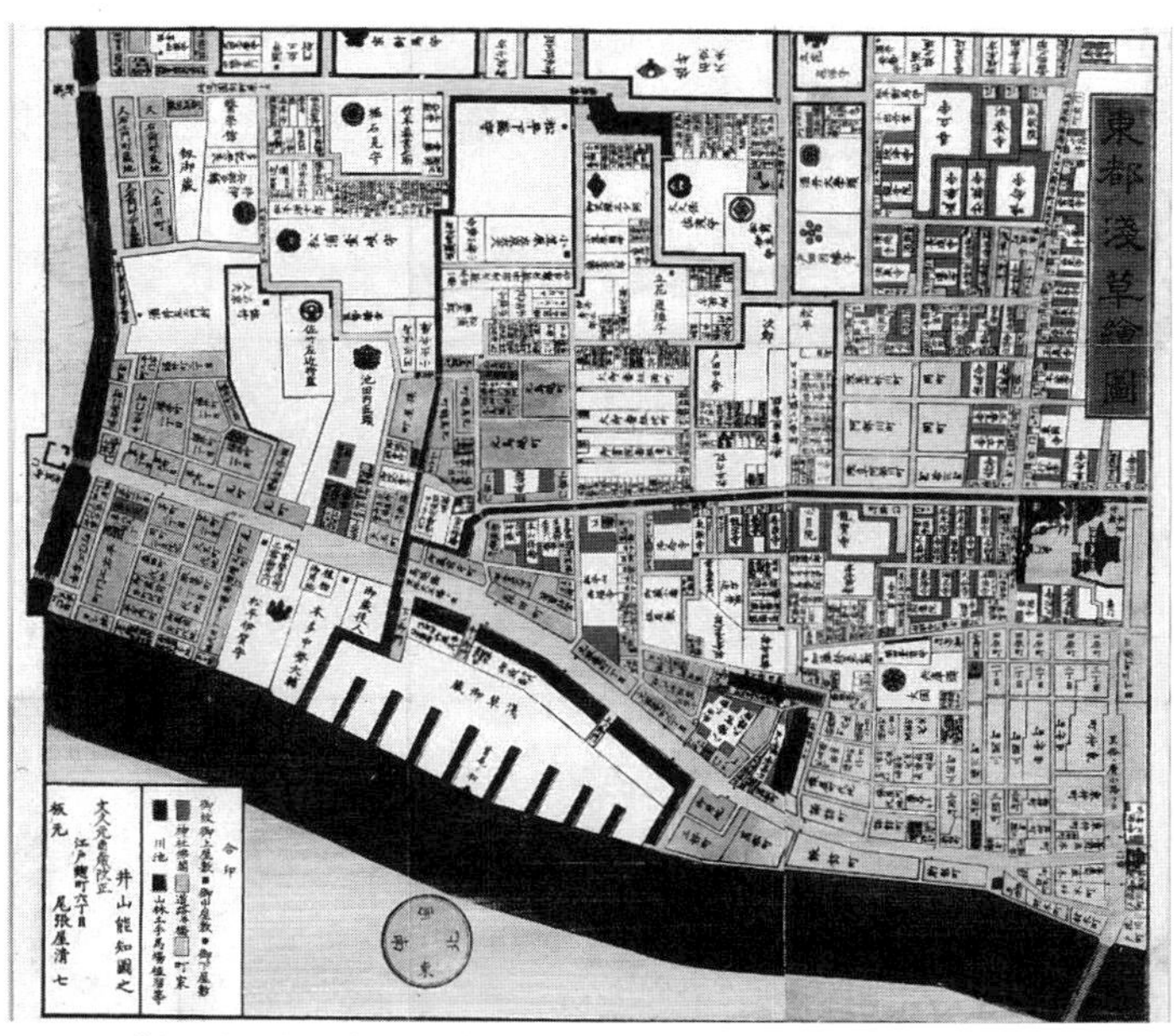

図 5-1　「東都浅草絵図（東都御蔵前辺図）」（出典：台東区立図書館デジタルアーカイブ）
注：地図上の下部に流れているのが隅田川で、向かって右側の方向が浅草方面である。川沿いの櫛形になっているところが米蔵で、向かって右側から一番堀、二番堀と八番掘まであった。

場所となり、賑やかな江戸の街の一つになっていた(6)。人びとはこの場所を「御蔵前」と呼ぶようになり(7)、それが現在の蔵前という町名や周辺エリアの総称になっている。これが現在の蔵前の地名の由来である。

そうした現在の蔵前のエリアであるが、蔵前とついている町名は、蔵前一丁目から四丁目までである。昨今の蔵前と呼ばれているエリアはこれよりも広範域(8)であるといえる。そこで、本書での蔵前エリアは、蔵前と名称の付く、蔵前一丁目から四丁目に加えて、元浅草、寿、駒形、小島、三筋、鳥越、浅草橋、柳

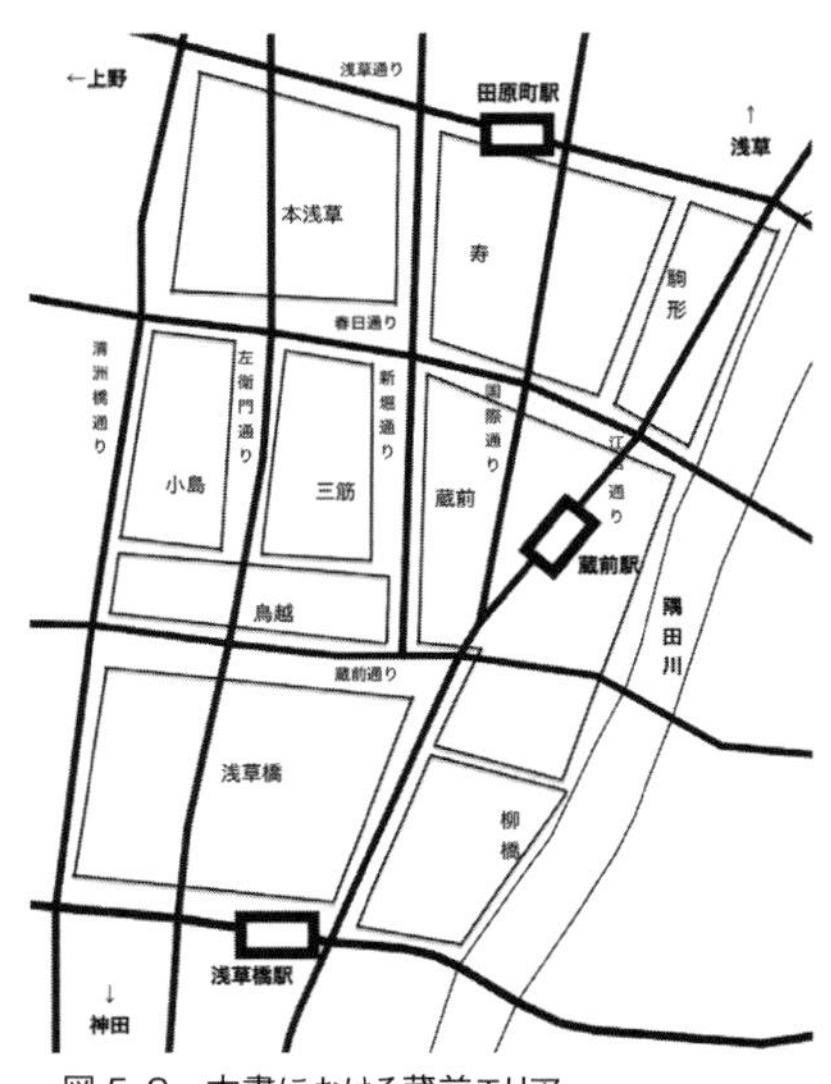

図 5-2　本書における蔵前エリア
（著者作成）

橋を含めた広範なエリアとする。図5-2で示すと、北は浅草通り以南から南は神田川まで、東は隅田川から西は清州橋通りまでの広義の範囲とする（図5-2参照）。

（2）衰退した街からモノづくり文化を継承する洗練された文化的な街へ

蔵前は、昭和から平成にかけて、軽工業が衰退していたが、現在、若者が街歩きを楽しめる洗練された文化的な香りのする街へと変貌している。実際に、これまで東京のお洒落スポットといえば、渋谷・表参道・青山など東京の西側がほとんどである中、最近、東京東部にもお洒落なエリアが現れるようになった。その一つが、「蔵前」であろう。巷（ちまた）では、東京のブルックリン（ニューヨーク）などと称されている。

現在の蔵前がブルックリンと呼ばれている背景には、おそらく街の風景や製造業の街であったことが起因していることが挙げられるだろう。例えば、生活の中で感じられる自然や醸成された文化的な雰囲気である。たとえば、川であるが、蔵前には隅田川、ブルックリンにはイーストリバーがある。ここは人びとの憩いの場にもなっており、隅田川の川岸からはスカイツリー、イーストリバーからは対岸のマンハッタンが見渡すことができる。

蔵前風景（著者撮影）

他にも、どちらのエリアも昔は工場地帯で古い倉庫や建物が点在しているところだろう。これらの建物はリノベーションされ、そこにはこだわりのある専門店や個店が入居し、趣のある雰囲気を醸し出しているのである。たとえば、蔵前には、モノづくり関連のアトリエや小売店はもとより、カフェ、雑貨、食事処（レストラン）など多種多様なユニークな専門店が混在している。後章でも紹介しているが、自家焙煎をしているこだわりのコーヒーを提供している「SOL'S COFFEE」、自分だけのノートが作れる文具専門店「カキモリ」、海外初の店舗が蔵前というサンフランシスコ発の有名なチョコレート専門店「ダンデライオン・チョコレート」などである。こうした特徴のある専門店が多く立地することで、まちの風景や雰囲気をお洒落な界隈へと変貌させているのが現在の蔵前である。

このように洗練されたエリアに変貌した蔵前であるが、もともとはモノづくりの街であり、浅草橋周辺には、繊維製品や雛人形・ぬいぐるみ・文具の問屋街が広がっている。蔵前三丁目付近には、おもちゃ工具材料の問屋街があり、玩具大手のバンダイやエポック社の本社が立地している。他にも浅草寺に近い寿町には、神仏具から革製品など様々な製造と卸の企業が集積し、そうした中には、江戸から昭和期に創業した企業も承継されている（図5-3参照）。

一方で、近代化につれ、製造業（軽工業）が台頭し、隅田川沿いは、それらの工場や倉庫街が多く立地した。1980年代からのグローバル経済の潮流により、製造業は国外へと工場を移し、国内の産業空洞化を引き起こしたことにより、製造業も衰退し、工場や倉庫の一部は空き家になり、地域自体も活気を失ったのである。こうした背景から、以前の蔵前駅周辺は、週末に人がほとんどいないような閑散とした街で、駅前にコーヒー店はなかった。それが、現在の蔵前のような洗練された街へと生まれ変わったのである。

では、なぜ蔵前が東京東部を代表するお洒落なエリアの一つとして変容したのか。第二部では、蔵前の変容過程を考察し、その背景と魅力について論じている。

2　江戸期の蔵前経済が生み出した文化的流行

(1) 金融ビジネスの隆盛と文化的流行の発生

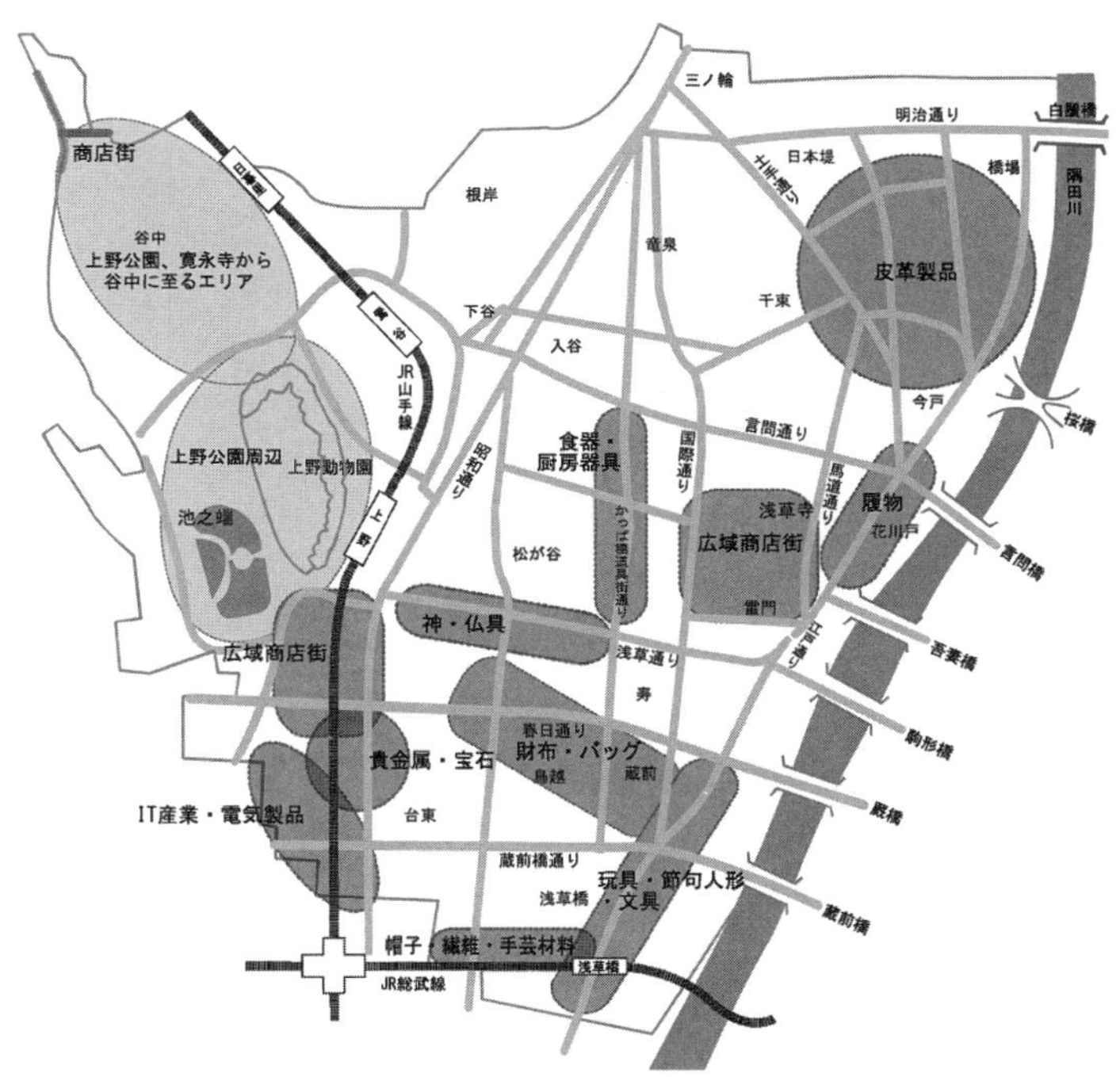

図5-3 「台東区産業の分布図」（出典:台東区『台東区産業振興計画（平成29（2017）年3月）』）

江戸期の蔵前は、文化的流行の発生源の一つであった。その背景には、蔵前で羽振りのよかった札差（ふださし）という金融ビジネスに従事していた人たちが深く関わっていたことが挙げられる。こうした御蔵前で繁栄していた金融ビジネスで生み出された利潤は消費や文化活動・支援のために使用され、それによって文化が繁栄したのである。

実際に、こうした振舞いの蔵前者の人たちを「十八（じゅうはち）大通（だいつう）」といい、「金を湯水のごとく使ってあとくされがなく、義侠心に富み、洒落っ気があり、吉原の大門を締めさせて遊びを独占した経験があり、派出な身なりと大げさで奇矯な行動により、人目を惹こうとする」[9]ような人たちであった。そうした人たちから文化的流行が生みだされていったのである。では、まず、彼らが、どのようなビジネスをして、富を持つようになり、蔵前経済が繁栄していったのかを見ていくことにしよう。

それは、蔵前の地名の由来にも関係している。江戸期の御蔵前は先述の通り、政府の税金としての年貢米を貯蔵・管理し、それを販売したり、換金したり、また、家臣への俸禄支給する財政や経済の最大の中心地であった。そのため、それに関連するビジネスが発展し、大金持ちが現れるようになったのである。そのビジネスとは札差という江戸期の御蔵前に存在したビジネスであり、札差の最終形は、現在でいうところの高利貸しのことである。

札差は、始めは高利貸しではなく、旗本や御家人たちに支給される蔵米を現金化する手続き代行を行うものであった。そうした代行業が御蔵前で成り立った背景には、武士たちへの給料の支給方法に起因している。その方法には、所領、御蔵前の米、現金の三つがあり、浅草御蔵前の米が支給される人たちを蔵前取といった。その蔵前取にも二形態あり、1年に春・夏・冬の3回支給される切米取(きりまいどり)と毎月支給される扶持方(ふちかた)があり、前者の多くは旗本、後者の多くは下級武士に支給されていたという。[10] 俸禄として支給された米は、一部のみが定められた値段での現金支給で、残りは米俵で受領することになっていた。後者の米現物で支給された人たちは、役所に支給手形を提出し、順番を待つ必要があった。役所入口には藁の束があり、そこに竹串に挟んだ支給手形を差して提出していた。当時、切米取の旗本だけでも約2700人、俵数では約62万俵にも及んでいたことからも[11]、毎月の支給の順番を待つ下級武士たちの支給には手間と時間がかかることが、容易に予測がつく。こうした面倒な仕事を武士たちの代わりに行っていたのが札差であり、藁に札を差すことから札差と呼ばれるビジネスが生まれたのである。

札差の仕事は、支給手形の提出代行だけではなく、米を受け取って江戸市中の米問屋に売却・現金化し、武士たちのところへ運ぶまでの一連の作業を請け負っていた。その一部を手数料としてもらうことで、札差は収入を得ていたのである。その後、札差が高利貸しという大きな金融ビジネスへと発展していった。

その背景には、蔵前取りの武士たちが、手形を担保として、お金を前借りするようになったことが挙げられる。加えて、最大の理由の一つは、政府支給という信用の高さと現金化できる確固たる担保があるということが、札差にとっては確実性が高いビジネスとなり、御蔵前における札差ビジネスをより発展させた。また、借り手の旗本や下級武士たちの方も、金利が札差で借りる方が市中の高利貸しよりも低かったため、札差の方で借りた方が得だったことも、ビジネスを大きくした[12]。

加えて、蔵前居住の札差たち109名が蔵前取りの札差ビジネスを独占するために、株仲間という組織を作り、幕府に許可の願書を提出し、結果として幕府公認の組合となった。そのため、幕府の許可が下りた低い利率での貸出となっていたのである。この株仲間という制度は、途中、株仲間の解体などもあるが、幕末まで続いたという[13]。

株仲間は、株主が変わったとしても御蔵前で店を持っており、エリアで3グループに分かれ、月ごとに各グループから数人が様々な役割を担っていた。例えば、米蔵の相場調査や役人との連絡である。ただ、札差ビジネスに従事していた者は米問屋が多く、米の相場でも儲けていた。その結果、明和、安永、天明、化政期にかけて札差という金融ビジネスは発展し、町人に財を齎した。そして、それが消費や文化活動への支援などへとまわされていったのである。

（2）文化的流行を生み出した文化交流

こうした札差を中心とした富を持った町人たちは、芝居や茶番劇、俳諧、能からラッパや琴などまで幅広い文芸活動を支援するパトロンになった。ここで興味深いことは、支援だけではなく、社会的地位などの社会関係性に関係なく、共に文芸活動や文化活動を行っていたことであろう。

たとえば、当時の俳諧の著名人でもあり武士であった大田南畝は借り手であり、札差の泉谷茂右衛門は貸し手であったが、一緒に両国回向院の開帳や拝観などに訪れていることからも、文芸活動を通じて、ビジネス以外の関係性があったといえる[14]。また、札差の井筒八郎右衛門も小林一茶の文芸活動を支援していたという。

こうした札差たちは文芸活動のパトロンとして活躍していただけではなく、蔵前から文化的流行も生み出していた。実際に、江戸市中では、蔵前者の格好や身なりが流行していた。例えば、髪型や歩き方などの所作や、着物とその着方などである。

髪型などは蔵前という呼び名のついたものがあったほどで、蔵前本多（本多髷という七分を前、三分を後ろに結ぶ上方の一種）という髪型が流行り、それがさらに金魚本多（田螺金魚という名前に由来するもの）や、あにさま本多といった新たな髪型の流行を作りだした。[15] 他にも、「大黒紋を加賀染めにした顧問に、鮫さやの脇差を落し差しにし、一ツ印籠を下げ、両手を左右に大きく振り、ももを高く揚げるのが、蔵前風[16]」とされたという。

これらの流行は、先述の「十八大通」と歌舞伎界との交流によって、生み出されていた。歌舞伎界の方は、十八大通（札差など）をモデルにした演目を作り、当時、「花川戸助六」というキャラクターが人気を博していた。一方で、歌舞伎などのパトロンを担っていた十八大通（札差など）も、歌舞伎の中の「花川戸助六」のファンとなり、助六の衣装や持ち物、所作などの一切を真似ていたのである。十八大通が歌舞伎の六助を真似たことから一般の町民にも流行したという。

歌舞伎のファンとなった蔵前の札差たちは、江戸名産の（江戸）紫のはちまきが象徴的な「助六」を演じていた団十郎に、特注した紫ちりめんの鉢巻を送り、団十郎はそれを歌舞伎鑑賞に訪れた観客に配ったという。実際に、寛政年間の流行ったものの一つとして、大田南畝が「江戸紫」を挙げている。[17] それほど、江戸中に流行ったということだろう。

歌舞伎界が十八大通をモデルにしたものを上演していたのであるが、その中でも、特に有名だったのが、札差の通称・大口屋暁雨（治兵衛）という実在する札差であり、十八大通の代表とされた（逸話としては、同心者を惨殺した）人物でもある。この人物は、助六2代目の柏莚と親交が深かったということから、そうした交流から、歌舞伎の物語が作られ、流行を発信するまでに至るのである。[18]

したがって、蔵前文化が繁栄していたのは、経済的な繁栄を背景としていた訳であるが、それだけではなく、文芸活動を通じた支援者と被支援者という関係性や社会的な身分を超えたオープンな文化交流があり、歌舞伎界だけではなく、当時の文化的な流行まで生み出し、発信するようになっていたのである。

3　江戸期から続くモノづくりの街——玩具・人形を中心に

(1) なぜ蔵前エリアがおもちゃ産業の中心地となったのか

御蔵があった御蔵前周辺は先述のように金融ビジネスが発展していたが、モノづくりも盛んな地域であり、職人（町人）の街として隆盛していた。仏具屋などは浅草寺を中心として、門前町として栄えていた浅草周辺の元浅草町に多く立地し、人形屋や玩具屋は、現在の蔵前から浅草橋までを中心として集積していた。玩具や人形は、江戸中期以降に浅草寺参りに来た人たちのお土産などとしても人気を博し、発展した業種であった。そして、それら江戸期から続く玩具屋や人形屋、仏具や飲食店などの一部の企業は、先述の通り、今日まで蔵前エリアで承継され、現存している。これらの玩具屋や人形屋が集積するようになった場所は、隅田川沿い、またはそれに程近い浅草橋を中心としたところであった。その背景には、元々、酒などをはじめとして、様々な品物が上方（関西）から船（剣菱廻船等）で運ばれ、流通の拠点になっていたことが挙げられる。剣菱廻船は大型のため、隅田川河口でそれぞれの商品ごとに小さい舟に乗せて、それぞれの河岸へと運ばれた。上方から運ばれてきた玩具や人形といった品物は、当時の浅草茅町（現在の浅草橋の辺り）で荷降ろしされていたことから、この周辺に玩具や人形の問屋や小売店が集積するようになったのである[19]。

加えて、小売店が蔵前周辺に集積したもう一つの背景には、浅草寺の存在が挙げられる。それは、浅草寺の表参道が日本橋から浅草橋、蔵前を通って、浅草寺に繋がっており、その参道に多くの土産物店が立ち並んでいた。その中の一つとして、玩具や人形が売られるようになっていたのである。浅草や浅草寺は当時から観光地の一つであり、連日多くの人で賑わっていたことからも、玩具や人形の店舗が集積し、やがて中心地となっていった。

消費都市・江戸ということもあり、玩具や人形は、1773（安永2）年に『江戸二色』という玩具の絵本も出版されていたというほど人気であった。江戸初期の玩具や人形自体は、上方からの流通品が多かったが、徐々に江戸市中でも作られるようになったという。それらは、上方の玩具を真似て、作り変えたものであった[20]。

たとえば、京都の上流階級での贈答品であった犬筥（いぬばこ）という顔は子どもで身体が犬の雄雌一対となった張り子で作られた化粧箱を、犬の姿の張り子の置物に改造して「東犬（あずまいぬ）」という一般家庭の子ども用のマスコットとして作り変え、江戸独自の商品として流通させた。他にも、上方生まれの「飛人形」が「とんだりはねたり」へと改造され、浅草観音の名物商品の一つになる[21]。こうして、元々は上方からの商品が主流であったが、江戸独自の玩具や人形を作り、それが流通するようになり、江戸中期以降は、現在の浅草橋付近がおもちゃ産業の中心地となっていった。

そうした中で、江戸期には、すでに組合が組織されており、1865（慶応元）年から1867（慶応3）年の組合員は18名に達していた。その中には、1711（正徳元）年創業の雛人形などを扱う吉徳の吉野屋徳兵衛や、久月の吉野久兵衛、増田コーポレーションの増田屋などの今日まで現存する企業が名を連ねていた。江戸時代から脈々と続く人形作りが日本の雛祭りや端午の節句などの伝統文化として継承されているのである[22]。

このように、江戸期の蔵前は、経済のセンターだけではなく、職人のいるモノづくりの街としても隆盛し、それが今日まで継承されている。

(2) 江戸期にデザイナーが集積か

隅田川沿いの蔵前から浅草橋にかけては玩具屋や人形屋が江戸期に集積していた訳であるが、蔵前には、灯篭や傘などや生活用品全般の萬屋も多くあった。何が関係しているのかというと、玩具屋や人形屋、灯篭や傘などに絵を描き、デザインのできる職人たちが蔵前周辺にはいたという。そして、彼らは副業として、絵馬の絵を書いていた。その背景の一つには、江戸期の絵馬の需要が非常に高く、特に浅草寺の表参道が繋がっている蔵前や浅草周辺では、特に需要が高かったことが挙げられる。

絵馬は、寺社仏閣に祈願をするために奉納するもので、江戸期に一般市民の間で広まり、人気が高まったといわれている。また、絵馬師や絵馬屋が存在し、絵馬の絵を書いたり、販売したりする専門の店もあった。例えば、現在の蔵前町になる浅草芽町には、古く元禄から、大坂屋、太田屋、日高屋が知られていた。蔵前の鯉春や、千住の吉田東斎は絵馬師として江戸期から活躍していた[23]。

このように、絵馬奉納の時期は毎年12月から翌年4月か5月頃までであるが、当時の絵馬の高い需要に対して、絵の書ける異業種の職人たちが一役かっていたのである。こうした状況からも、実は蔵前周辺には江戸期から今でいうデザイナーという専門の職人が集積していたといえるだろう。こうしたモノづくりには、当時から、ある意味、デザイナーが必要とされていたことが分かる。後章で述べるが、現在の蔵前にはプロダクトデザインなどのデザイナーやクリエーターが地元企業と事業を展開することにより、蔵前は再生したのである。

（3）今日もバンダイやエポックが立地する玩具・人形の街

近代に入った明治以後も、戦争や地震などに見舞われながらも、玩具や人形が作り続けられていた。この頃には、おもちゃの質も向上し、種類も増加していった。それにともなって、おもちゃの輸出額も増加し、『東京玩具人形共同組合創立130周年記念誌』によると、戦前のピーク時である1970（昭和45）年には700億円以上に達していた[24]。

それ以降の戦前の昭和期は伸び悩んでいたが、戦後の1979（昭和54）年には、現在も人気の高いバンダイのガンダムのプラモデルやツクダオリジナルのルービックキューブがヒットし、子ども用の玩具だけではなく、大人用の玩具の市場も拡大しつつあった。同時期に、任天堂が発売したゲーム&ウォッチが人気を博し、市場の25%を占めていたという[25]。

1976（昭和51）年の売上の上位は、一番売上高が大きいのがホビー、ついでトミー、ツクダ、タカラ、浅草玩具、バンダイ、河田、三つ星商店、米沢玩具などであった。1985（昭和60）年になると、9年前は6位だったバンダイが1位、次いで任天堂、サンリオ、タカラ、タイトー、ナムコ、セガエンタープライゼス、河田、トミーといったゲームやキャラクターなどに強い企業が上位を占めるようになった。特筆すべきは、バンダイの売上高が1976年に比べて7倍近くになっていることだろう。そして、任天堂は5年後の1990（平成2）年に売上高トップで約4500億円に達していた[26]。

近年のおもちゃ業界もコンテンツのIP（知的財産）の時代へと移行しており、キャラクターの商品化のライセンスを取得して、キャラクターグッズや玩具などの販売を展開するようになっている。例えば、タカラトミーなどは、「ポケモン」のグッズなどを世界各国で販売しており、日本とアジアにおける２０１２（平成24）年の売上は約36億円に達し、欧米市場にも進出している。

また、バンダイナムコホールディングス、バンダイ、サンライズ、創通が２００９年に東京臨海副都心エリアの潮風公園に設置した実物大の18ｍのガンダム立像も大きな話題となった。２０１２年にはダイバーシティ東京プラザの広場に登場し、東洋の未来と次世代を担う子供たちに向けて発信した「GREEN TOKYOガンダムプロジェクト」や臨海エリアの活性化プロジェクトである「TOKYOガンダムプロジェクト」などでも活躍している。

その他、蔵前に立地するバンダイは、ＩＰの時代以前の１９７１（昭和46）年から続いている「仮面ライダー」などの変身ベルトや「超合金マジンガーZ」、１９８０（昭和55）年から発売され続けている「ガンダム」のプラモデル、１９８３（昭和58）年に大ヒットした「キン肉マン消しゴム」や、２０１４（平成26）年の「妖怪ウォッチ」の時計など、様々なコンテンツのグッズや企画などを作り出している。その他にも自社独自の大ヒットした「たまごっち」は近年になってグレードアップした新たなものが発売されている。

また、駒形に位置しているエポック社も、国内外で人気の「シルバニアファミリー」を１９８５（昭和60）年に発売した企業である。「シルバニアファミリー」は、ロングセラー商品として、「おもちゃ大賞特別賞」を受賞しており、2022(令和4)年で37年経った現在でも人気商品である。他にも、浅草橋に立地するセガトイズも「お茶犬」やディズニーやアンパンマン、サンリオのキャラクターの企画商品を生み出している。幼児用教育玩具のピノチオ(PINOCCHIO)ブランドで有名なアガツマも、浅草橋に立地し、アンパンマンなどの企画商品を販売している。実は、「オセロシリーズ」を製造販売しているメガハウスも駒形にある。子どもの頃に一度はやったことがあるのではないだろうか。

そして、1724(享保9)年から営業し続けている増田コーポレーションは、機関車トーマスやチャギントンなどの商品などを販売し、今日までおもちゃ作りを承継している。また、1914(大正3)年に創業の山縣商店も、ブリキの玩具や花火大会用の大型煙火や特殊火工品などを販売している老舗企業の一つである。

このように、蔵前エリアには、歴史的にみても、玩具屋や人形屋などの江戸期からの古いものづくりに関連する問屋や企業が今日まで承継され、集積している場所でもある。

4 近代におけるモノづくり人材育成の現場

(1) 東京で最初の公立小学校から公立図書館へ——浅草文庫

明治期になると、明治政府によって各自治体に小学校が設置されたが、当時の東京市にも、6つの小学校があった。市ヶ谷、牛込、本郷、浅草新堀端、深川森下町、芝増上寺地中にそれぞれ配置され、そのうちの一つが蔵前の蔵前南元町（浅草新堀端、西福寺）の公立東京第5小学校であった。

この第5中学校は1874（明治7年）に向柳原町に移転、松前小学校と名称が変更され、さらに1878（明治11）年に育英小学校と改称されている。そして、東京第5小学校にあった蔵書はすべて蔵前片町にあった米蔵に移管し、国で初めての国立図書館を1874（明治7）年に設置した。これを浅草文庫と呼び、日本で初めて一般に書籍や資料が開放された、社会の発展にとっても重要な意味を持つ最初の図書館といえる。

その後、浅草文庫が閉館されるが、その跡地に東京職工学校が開校される。これは、後に東京高等工業学校となり、現在の東京工業大学の前身校でもある。

(2) 東京職工学校――東京工業大学の前身校

現在の蔵前がモノづくりの街となった背景には、江戸期から継承されているモノづくりの文化基盤を持つ都市の一つであったが、近代化ための殖産興業を担う場所として機能していたことも挙げられる。殖産興業は明治政府による富国強兵のための産業政策の一環であり、欧米型の資本主義を導入し、工業を中心とした産業を育成する国策である。[27] その一つが、官立高校の東京職工学校であった。

東京職工学校は、1881（明治14）年に、文部省から設立裁可が公布され、翌年には校舎が

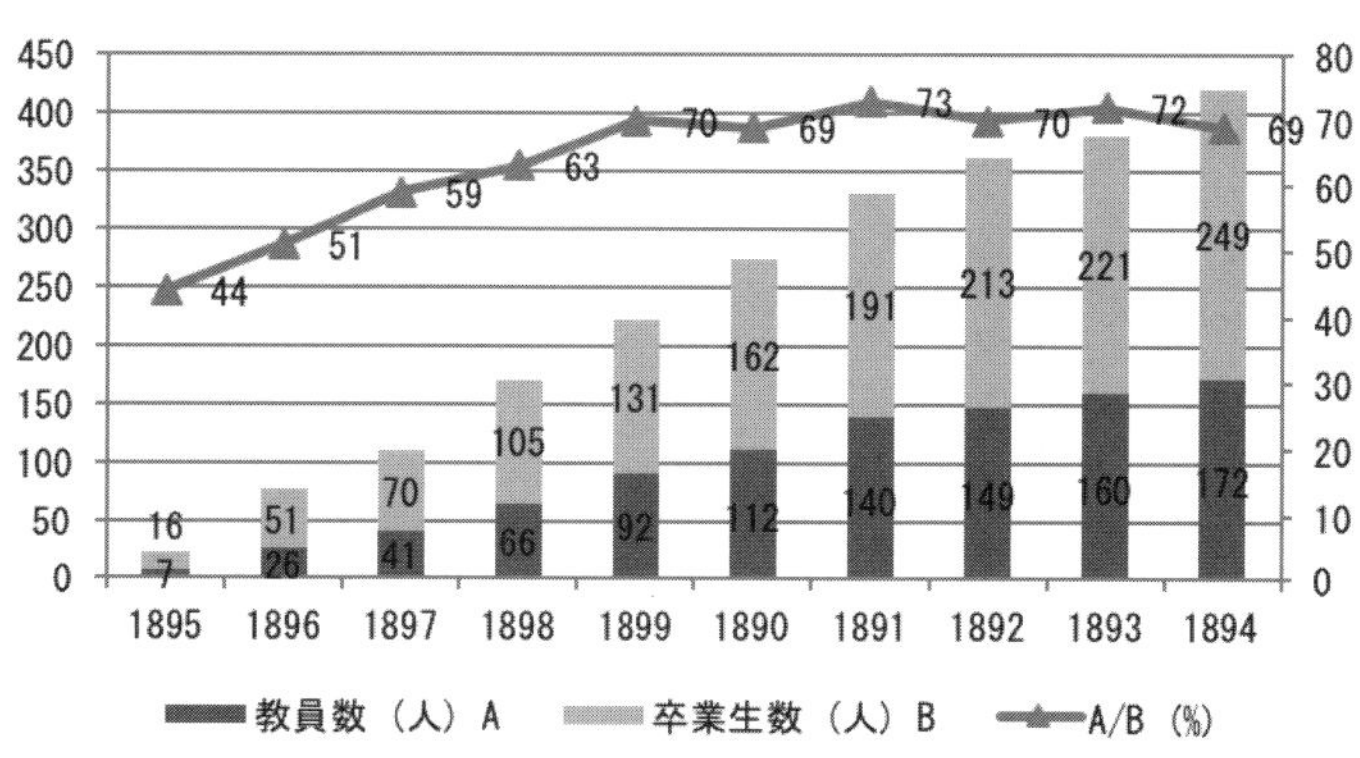

図 5-4
出典：「初期工業学校における蔵前の役割」から著者作成

浅草文庫の跡地に設立された学校で、１８９０（明治23）年に、名称が東京職工学校から東京高等工業学校へと改名された。その後、同校は、関東大震災で被災し、蔵前から現在の大岡山へ移る。東京高等工業学校は、現在の東京工業大学の前身校でもあり、同大学の同窓会の名称が「蔵前工業会」であるのもそれに由来している。

明治当時の東京職工学校の役割は、研究を中心とした工科大学（東京大学理学部・工部大学校）に対して、実践を中心とした学校として位置付けられていた。特に、全国における職工学校の教員養成の役割も含んでおり、東京職工学校設立当初の教員の多くは東京大学の教授陣が兼任していた(28)。

１８９４（明治27）年には、工業教員養成所を東京工業学校の管理下に設置し、そこから多くの教員が養成され、全国の工業学校の徒弟学校や工業補習学校に派遣・赴任していった。設置当初は学生数も少なく、教員として赴任した割合も卒業生全体の半数程であったが、学生数と教員就業数の割合は年々増え、設置の5年後には全体の70%に達している。その後も70%前後の高い割合で推移していた（図5-4参照）。

この背景には、当時の文科相の井上毅が農業や商業よりも工業の実務を拡充し、工業を振興することを重視していたことが挙げられる。当時から文科省は、実務教育のための補助金を自治体へ拠出していたが、１８９５（明治25）年から増加している。１８９５（明治25）年には3万円だったものが、１９００（明治33）年には21・9万円と7倍近くになっていた。その中でも工業学校の徒弟学校へ配分される割合が約40%以上を占め、他の学校よりも多かった。１９１６（大正5）年頃の全国工業学校数は35校であったが、その内の32校の校長が東京職工学校の卒業生であったという[29]。

こうした助成金の金額からも、政府が技術者育成を推進していたことが表れている。そうした中で、この東京高等工業学校は、日本経済を発展し、支える工業や製造業を担う人材の育成と産業発展に大きく影響を及ぼしていたといえる。

このように、近代化過程においても、蔵前の米蔵が日本最初の図書館である浅草文庫や現在の東京工業大学の前身校が立地した場所であったことからも、歴史的に社会経済において重要な役割を担ってきた場であった。同時に、モノづくりの人材を育成する高等教育機関があったことも、近代における蔵前のモノづくり文化という礎を作ってきたのであろう。

5　蔵前の再生におけるものづくり文化のアップデート

蔵前が発展してきた歴史的過程には、新たな文化的流行が生まれる空間であったこととモノづくり文化が背景にあったといえるのではないだろうか。それは、蔵前が偶然、御蔵前という財政的な機能を持った江戸の経済のセンターとして、蔵前経済が繁栄していただけではなく、そこには、江戸期の身分制度などがある中で、文芸活動などを通じて、身分やパトロンなどの上下関係のある社会制度の規制を超えた文化的交流が人々の間にあったことが、文化的にも繁栄していた要因の一つだろう。

また、早くからビジネス街として発展してきた蔵前では、札差も雛人形の業界も町人（商人）たちがつながりを持ち、組合を早くから結成し、業界の発展を支えていた。こうした人との繋がりは、政治や経済、文化についての情報が集まり、人的コネクションも形成でき、蔵前という地域全体で発展することを促進したといえる。それによって、さらに、情報だけではなく、人や物が集まり、蔵前は発展したのだろう。

一方で、明治期以降から昭和、平成にかけては、震災や戦災、そして近代化に向かう過渡期にあり、文化的な活動や交流が低迷したと同時に、隅田川沿いには工場が立ち並び、相対的に経済（市場）空間として機能していた、または重視されていたといえる。先述のように、殖産興業の政策に沿って形成された経済や産業が基軸となっていった。そのため、戦時下前後においては、文化的な要素が削がれ、効率や機能面だけを重視し、大量に製品を生産していた時期ともいえる。その後、１９８０年代からの経済のグローバル化のあおりを受け、蔵前も他の製造業の都市と同様に衰退していくことになった。

また、若者文化の中心地は西へと移り、文化製品などは、若者文化が生まれる東京西部のデパートや雑貨屋で販売されているが、実はそれらの一部または多くが東京東部で造られているということを、消費者が知ることはほとんどなかった。それは、暗黙のうちにそのことが隠されて、販売されるためであるという。そして、隠す理由の一つには、ブランドのイメージを損なうという理由からであろう。たとえば、皮革製造のイメージが悪かったのは、おそらく歴史的背景が関係しているためである。

蔵前も浅草も江戸期から今日まで皮革製品関連の企業が多く立地している場所である。その背景は、江戸期に遡る。先述のように隅田川沿いという立地から物流や取水の利便性が高かったことも集積している理由が挙げられるが、それだけではない。

元来、皮革産業は、戦国時代という時代背景から、軍需のためのものとして重要な産業であった。そのため、徳川家康の時代にも、まだ戦国時代が続くという想定のもと、軍需産業を育成し、重要視していた。関東とその周辺で、皮革産業を一手に担うようになっていたのが、矢野弾左衛門であり、13代まで続いた[30]。

早期の弾左衛門は元々被差別部落のリーダーとして台頭していたが、その身分も次第に高くなり、与力格となったという。それにつれて、関東とその周辺の被差別部落の人びとを束ね、彼らが皮革製品や灯心、雪駄作りなどを担っており、産業化していったのである。その弾左衛門が浅草（早期には南部、その後北部に移動）を中心として活動していたことが、台東区エリアで皮革製品の製造が盛んなことに関係しているのである。そうした中でも、被差別部落として、厳しい差別などもあった。[31] 明治期になっても、皮革商や靴革商などの皮革関連産業は江戸時代から承継され、軍需の高まりと共に重要な産業でもあった。[32] このような歴史的背景が皮革製造のイメージなどに影響を及ぼしているのではないかと推測できる。そのため、製造場所はあえて言わないような慣習が近年まで続いていたのではないだろうか。

こうした慣習は欧州などではほとんど見られない。なぜなら、職人はアーティザンであり、芸術家に近い存在といえる。たとえば、１９７３年にマノロ・ブラニク・ロドリゲス氏がロンドンで創業したイギリスのシューズ・ブランド「マノロ・ブラニク」は、パンプスなどでも1足15万円前後と高価なものであるが、職人が丁寧に一つ一つ作っている世界的に人気のあるブランドの一つである。

そのデザイナーでもあり靴職人でもあるマノロ・ブラニク自身が広告塔としてもよくメディアに登場する。[33] また、これまでマノロの製作した靴を芸術品として展示された「ジ・アート・オブ・シューズ」展が２０１７年にヨーロッパで開催されたり、２０１９年にもロンドンのウォレス・コレクションでも展示会が開催されたりしている。これらからもアートとして取り扱われていることがわかるだろう。

蔵前の現在は、モノづくり文化を基盤として再生し、若い人たちが散策する文化的香りや趣のある街へ変貌している。それは、これまでの蔵前のモノづくり文化を新たな若手職人やクリエーター、デザイナーがアップデートしつつ、よりアーティスティックな現代の生活やニーズに沿うモノづくりの製品へと変容させ、元々のモノづくり文化（地元企業、地元団体、地元の人々）を基盤として再生してきたからではないだろうか。それは、まさに、水平的なつながりや文化的な交流といったものから生まれたものであろう。これら蔵前のモノづくり文化を担う新たな人たちの多くは、ものづくり文化を愛する若い世代の人びとであり、蔵前に立地している既存のモノづくり企業を巻き込んで街を再生してきたのである。

熟練した職人がいなければ、どの作品も製品も完成しない。地元の熟練した職人たちと同じ立場に立ち、共に作品や商品を作り出している若い世代の人たちが、蔵前では増えている。つまり、それ以前は、おそらく共に作品を作るという意識ではなかった生産工程から、地域の一員として、または共同制作者として、共に作っていくという水平的な、かつオープンな関係性を通じて、熟練の職人にも活気を与え、新しい文化商品が次々と生まれているのである。この点が、蔵前を再生したといえるのではないだろうか。実際に、現在の蔵前は、多くの職人やデザイナーが水平的につながり、様々な文化的な作品・商品を製作し、ここでしか購入できないものを販売している。それが蔵前の最大の魅力となっているのだろう。

本章を通じて、江戸期から近年までの蔵前の盛衰を考察してきた。そこから垣間見えたのは、こうした文化活動を通したオープンで水平的な繋がりや交流を通じて、新たな文化が生み出され、文化がアップデートされている時は、文化的活動や交流があり、文化自体はもとより、経済も繁栄していたといえるのではないだろうか。

蔵前エリアは、近代に入り、製造業の工場などが立ち並ぶ、モノづくりの街として繁栄したが、昭和後期になると、グローバル化の進行を背景として、下町に集積していた製造業は衰退していった。2004、5年頃でも、小島公園などには浮浪者の人たちがおり、治安が良いとはいえない時期もあった。では、蔵前は、モノづくりという文化を基盤とした再生をどのように辿って来たのだろうか。第6章と第7章では、そうしたモノづくりという文化を基盤として再生したダイナミズムを考察しつつ、上記の問題意識の下、近年の蔵前の再生過程においても同様なことがいえるのかについても見ていくことにしよう。

註

（1）西山松之助・郡司正勝・南博・神保五彌・南和男・竹内誠・宮田登・吉原健一郎編（1994）『江戸学辞典』弘文社 p.217

（2）元々鳥越村は、室町時代にはすでに鳥越村という独立したコミュニティであったが、江戸時代以降に江戸市中に編入し、浅草内とされた地域である。

（3）石津三次郎（1958）『浅草 蔵前史』蔵前史刊行会 p.140–143

（4）前掲『江戸学辞典』p.217
（5）前掲『浅草 蔵前史』p.143–144
（6）池亨・櫻井良樹・陣内秀信・西木浩一・吉田伸之編（2018）『みる よむ あるく 東京の歴史5地帯編2中央区・台東区・墨田区・江東区』吉川弘文館 p.48
（7）前掲『浅草 蔵前史』p.143–144
（8）駒形や寿、元浅草エリアは、現在の台東区の政策においても、浅草エリアの副都心とされ、また、浅草の伝統的な祭でもある三社祭の町内会のエリアは、駒形や寿エリアがそれに含まれており、浅草エリアともいえるかもしれないが、今回、本書では、これらの地域も蔵前エリアとして論じる。
（9）前掲『江戸学辞典』p.225、前掲『米と江戸時代』、前掲『〈江戸〉選書7 江戸の米屋』
（10）前掲『江戸学辞典』p.223、前掲『米と江戸時代』、前掲『〈江戸〉選書7 江戸の米屋』
（11）同書、前掲『米と江戸時代』、前掲『〈江戸〉選書7 江戸の米屋』
（12）公式の利子での貸付だけではなく、不正なども横行し、取り締まりが何度も行われていた。
（13）前掲『江戸学辞典』p.224、前掲『米と江戸時代』、土肥鑑高（1981）『〈江戸〉選書7 江戸の米屋』吉川弘文館
（14）同書 p.225、p.227
（15）同書 p.226
（16）同書
（17）同書 p.388
（18）同書 p.227
（19）東京玩具人形協同組合・トイジャーナル編集委員（2017）『東京玩具人形協同組合創立130周年記念誌 輝ける玩具組合とおもちゃ業界の130年』東京玩具人形協同組合 p.18
（20）同書、前掲『江戸学辞典』p.401
（21）同書

(22) 同書
(23) 台東区史編集委員会（２００１）『台東区史　通史編Ⅲ下巻』東京都台東区 p.597、前掲『江戸学』p.356
(24) 前掲『東京玩具人形協同組合創立１３０周年記念誌　輝ける玩具組合とおもちゃ業界の１３０年』p.13
(25) 同書 p.136
(26) 同書
(27) 川崎房五郎（１９８４）『文明開化東京』光風社出版 p.184
(28) 同書 p.263
(29) 大西巧「初期工業学校における蔵前の役割」（２０１２）『太成学院大学紀要』第14巻 p.177
(30) 台東区史編集委員会（２００２）『台東区史　通史編Ⅰ下巻』東京都台東区 p.737
(31) 同書 p.738-744
(32) 前掲『台東区史　通史編Ⅲ下巻』p.597
(33) 現在はデザインを中心として活動をし、企業（メゾン）内の職人たちが靴を製作している。

第6章　倉庫街からモノづくり文化の香る街へ
――なぜ蔵街にクリエーターが集積したのか

1　倉庫街で静かだった蔵前

（1）「みんなを笑顔に」がモットーのアッシュコンセプト

現在の蔵前になる予兆が全く感じられなかった2002年頃に、蔵前に事務所を構えたのが、「デザインで社会を元気にする」というコンセプトのアッシュコンセプト（h concept）だ。h（アッシュ）は、「hello, happy, ha ha ha!」のhから由来している。デザイナーや産地、企業とともにモノづくりを行い、使う人へ繋ぐ企業として、早期の段階で蔵前に立地した企業の一つである。創業から10年後の2012（平成24）年には、直営店「KONCENT（コンセント）」を蔵前にオープンさせ、蔵前のモノづくり文化をアップデートする一つの企業となっているのである。

自社ブランドの製品も開発し、創業第一号の製品である「+dアニマルラバーランド」というシリコーン製の動物型の輪ゴムは、後にニューヨーク近代美術館で販売されることになり、現在では世界中で販売されている人気製品である。特筆すべきは、この「+d（プラスディー）」というブランドには、必ずデザイナーの写真と名前、製品に込められた思いが記載されている点だろう。

では、アッシュコンセプトがなぜ蔵前で創業することになったのだろうか。蔵前は立地的に東京藝術大学が近隣地域にあるため、写真家や建築家などの事務所などは立地していたようであるが、本企業が立地した当時の蔵前は、今のような若手のデザイナーやモノづくりの小売店舗などはほとんどなかっただろう。また、後述のセントラル・イースト・トーキョーのような動きも、まだこの頃にはなかった。

コンセント外観（出典：アッシュコンセプト）

そうした中で、下町の中でも、アッシュコンセプトが蔵前を選んだ理由は、浅草橋界隈などはモノづくりの企業が立地していたが、蔵前駅周辺はエアーポケットのように空き物件が多く、家賃も安かったことが挙げられる。もう一つの大きな理由は、蔵前が、創業者の地元エリア[1]であり、デザイナーやモノづくり企業の応援、街の活性化に貢献したいという思いがあったことが挙げられる。

こうして、早期に蔵前に立地していたアッシュコンセプトは、後述するモノづくり系のイベントや事務所でトークショーなどを定期的に開催するなど、人が集まり、面白いコトがはじまる場所を積極的に創りだしている。加えて、蔵前エリアのモノづくりの企業やクリエーター、そしてデザイナーとともに、蔵前のモノづくりの活動やその製品を発信し続けている先駆的な企業の一つになっている。

(2) 蔵前周辺と蔵前の動き――CETと台東区デザイナーズビレッジを中心に

蔵前が現在のような文化的なエリアに再生される以前の2003(平成15)年頃から、その周辺の東京東部では、アーティスティックな動向があり、それがセントラル・イースト・トーキョー(以下CET)であった。この動きによって、東京東部が注目され始めたきっかけとなったといえよう。そのエリアとは、東京・神田・馬喰町・浅草橋付近であり、丁度、蔵前の南部でそうした兆候があった。

CETは、問屋などが多く集積する東京東部の空き家物件を暫定的にギャラリーやアートイベントなどのアートスペースに利活用するイベントで、2008(平成20)年頃まで続いた。参加者の多くは、アーティストやデザイナー、建築家などのクリエーターで、こうした動向は世間に対して、東京東部が何かおもしろそうなエリアになりつつあるという認識に変化させたイベントでもあった。

実際に、２００６、７年頃には、馬喰町の繊維問屋だった建物をリノベーションし、利活用する動きが活発化していった。本書で取り上げているクリエーターや専門店は、古い問屋などのビルをリノベーションし、アーティスティックな洗練された空間が作られ、おもしろそうなコトが起こっているということを知り、東側への意識や関心へとつながったという人もいた。したがって、この頃から、ＣＥＴの動向を通じて、少しずつではあるが、蔵前という地域への認識に繋がっていったといえる。

また、ＣＥＴが始動して、まもなく台東区がものづくり産業の支援政策として「台東区デザイナーズビレッジ（以下デザビレ）」を２００４（平成16）年から実働している。この場所は元浅草エリアにある旧小島小学校があった場所で、その校舎などを利活用している。この事業で支援しているのは、主にファッションや雑貨などのデザイン関連のスタートアップ支援である。入居者は3年間入居でき、事務所兼アトリエとして利用できる仕組みになっている。また、広報支援なども積極的に行われている。ここの卒業生のブランドには、人気の高い陶器ブランドの yumiko iihoshi porcelain などが輩出されている。後述しているが、ここに入居していた人たちの一部は、台東区内にアトリエや事務所を構え、モノづくりを続けている。

こうした動向はあったものの、２００６、７年までは、まだ蔵前は静かな倉庫街であった。一方で、ＣＥＴなどの動向により、蔵前という地域にも、少しずつではあるが、同様なクリエイティブな空間や建物を求める人がやってくることになる。それは、デザビレ一期生が卒業した時にも重なる。このように、偶然ではあるが、２００７（平成19）年から２０１０（平成22）年にかけて、少しずつ、蔵前が変容していく兆候が見え始めてくるのである。以下では、それを考察していこう。

２　文化的空間へ変容する予兆――２００７年から２０１０年

(1)　蔵前変容のきっかけ――アノニマ・スタジオの表参道から蔵前への移転

現在の蔵前駅周辺エリアは、隅田川沿いの通りにレスランやカフェなどのお店が立ち並び、平日でもランチ時はどの店も行列を成し、賑わいのある様相に変容している。一方で、２００７（平成19）年当時の蔵前駅周辺は、現在のような洒落た店舗が立地するような街ではなく、マンションも何もないような倉庫街だったという。

実際に、唯一駅前にあった大手コーヒーチェーン店もすぐ撤退したほど人通りが少なかった。蔵前駅周辺に軒を連ねる人気カフェが併設されているホステルのNui（ヌイ）がある場所も、当時は玩具の倉庫であった。また、同じ通り沿いにある隅田川沿いのカフェがある辺りもガラス屋の倉庫だった。当時から変わらずあるのは、福祉施設や消防署、幼稚園などの公共施設などである。

そうした蔵前駅周辺のエリアが現在のような文化的空間へと変容するきっかけの一つを作ったのが、アノニマ・スタジオ（以下アノニマ）である。母体は愛知県にある中央出版（株）[2]で、

2003(平成15)年11月に「ごはんとくらし」をテーマにした新レーベルとしてアノニマ・スタジオを立ち上げ、東京の表参道に事務所を構えていた。その事務所が2007(平成19)年に蔵前へと移転してきたのである。これを起点として、蔵前が変わり始めた。

では、なぜ出版社の中の一つのレーベルであるアノニマが移転してきたことによって、蔵前駅周辺の様相を変化させる起点となったのか。現在の出版業界では当たり前に行われていることを先駆的に行ってきた点に起因している。それは、出版した書籍に関連するイベントをほぼ毎週末開催していたことである。アノニマは、当時、レシピ本を出版しており、著者が作ったものを食べる機会を提供する「週末食堂」やレシピ本に関連した「料理教室」などを開催していた。

当時、こうした書籍出版に関連するイベントを開催するような出版社はなく、珍しかった[3]。そのため、イベントの回数を重ねるごとに、集客数も増加し、表参道の狭いマンションの一室が毎週末10〜20人の人たちで一杯になっていたという。このアノニマによるイベントは、蔵前に移転してきてきた後の2012年まで継続された。その結果、人がいない倉庫街だった蔵前に、毎週末、人が訪れるようになっていたのである。これが蔵前の様相を変える起点の一つとなった。

加えて、週末だけではあったが、賑わいを創出していた背景には、アノニマファンの存在があったことが挙げられる。そのファンの特徴は、アノニマが作った書籍という理由で購入するという点だ。そうしたファンを作り出し、惹きつけているものは、アノニマ・スタジオという名称にも表現されている「匿名の、名前の無い」という意味に表れている。そこには、たとえば、レシピ本であるならば、万人が美味しいものを作れるコンテンツにすることが根底にある。レシピ本の通り作ったが、あまり美味しくなかったり、作る工程がわかりづらかったり、難しかったりすると、その本は使わなくなるだろう。そうしたことがないよう、スタッフが必ず試作する。また、料理などの写真も、自然光または部屋の明かりの下で撮り、ありのままの状態を写真として掲載しているという。

これは、読者に寄り添うという意味でも、著者の思いを読者に届けるという意味でも、ありのままを伝えるためである。こうしたことが、アノニマファンを作りだし、蔵前に賑わいを創出するきっかけの一つとなったのである。

では、当時、何もない倉庫街になぜアノニマが東京でも文化の最先端の街の一つといえる表参道から蔵前へ移転したのだろうか。移転先を探していた理由は、第一に、事務所の機能面であった。先述のように、週末のイベント開催や事務所でのカメラ撮影には、表参道の事務所では徐々に手狭になり、移転先を探していたという。そうした中で、知り合いのクリエーターが蔵前に事務所を構えていたこともあり、蔵前というエリアが移転先の選択肢に入ることになった。それは、アノニマが仕事を依頼しているデザイン事務所と当時台東区デザイナーズビレッジに入居していた後述するエムピウなどである。

こうした人の繋がりという偶然と物件の外観・内観・広さといった条件で蔵前の物件に決定したという。アノニマがキッチンスタジオやギャラリーイベント会場として使用していた1階はリノベーションを行い、大きな窓に白を基調とした明るい室内であった。現在、2階の事務所のみになっているが、当時はカリフォルニアにあるデザイン事務所のような開放感のある雰囲気の空間であった。

特筆すべきは、蔵前に賑わい創出のきっかけの一つを作ったアノニマによると、蔵前の良さは、蔵前に関係する人たちとの横の繋がりがある点だという。後述するエムピウやマイトなどとのゆるい繋がりがあり、コミュニティの一員として安心感があるという。近隣の人々にも色々な地域のことを教えてもらったり、みな顔見知りである。蔵前に移転してきた時もすぐに受け入れても

かつてのアノニマ・スタジオの内観（出典：アノニマ・スタジオ）

外観（出典：アノニマ・スタジオ）

イベントの様子（出典：アノニマ・スタジオ）

らえ、仕事もしやすい環境であるのが、蔵前の特徴であるといえる。こうしたことが、結果として、蔵前に根付くことに繋がっているのだろう。

（2）デザビレ出身のクリエーター企業の萌芽——若手が担うモノづくり文化（２００７年〜）

2-1　建築関連から転身の皮革製品ブランド・エムピウ（m+）

２００４（平成16）年に開校された台東区デザイナーズビレッジの第一期卒業生の一部が蔵前などにアトリエ兼事務所を構えはじめる。その企業の一つが２００７（平成19）年に卒業したエムピウ（m+）[4]である。エムピウは、卒業と同時期に、蔵前駅出口からすぐのところに事務所を構えた皮革製品の製造販売の企業で、蔵前を牽引してきた重要なモノづくり企業の一つといえよう。

エムピウの製品は、なるべく無駄なものを削いだ、シンプルで、他にはない製品を目指して、職人と共に試行錯誤を繰り返して完成する、こだわりのあるものである。一つの製品をつくるのに妥協はなく、試作品を何回も作るという。たとえば、ミッレフォッリエという財布に関しては、少なくとも20回も試作品を作り、1年かけて完成させた製品だ。こうした熱意は、職人にも伝わっており、二人三脚で作られている。現在も新しい財布を企画中で、何度かすでに試作品を作っているが、まだ完成はしていないということだ。このように、職人とコミュニケーションを取りつつ、真剣かつ実験的に色々試していく過程で面白い製品すなわち他にはない機能的にこだ

エムピウ商品（左）、内観（右）（出典：株式会社エムピウ（m+））

わりのある製品が生まれている。

こうしたシンプルさと機能性を極限に高めた製品を提供しているエムピウが蔵前に立地した背景には、台東区からのデザビレ卒業者に対する台東区内での創作活動継続の要望もあったことが挙げられるが、それだけではなかった。それは、蔵前エリアの当時の家賃が相対的に安価なことと、皮革の職人の存在や材料の企業が立地しており、モノづくりをする環境が整っていたことである。

加えて、蔵前に立地する魅力は、仕事を依頼する同業者の横のネットワークだけではなく、異業種のゆるい繋がりがあるということ。それは蔵前エリアの職人や他業種のクリエーターたちとの繋がりである。たとえば、製品を包装するための箱を新小岩の工場で作っていたが、高齢化で廃業してしまった際には、文具専門店であるカキモリに相談し、蔵前の紙を扱う工場を紹介してもらったという。そして、蔵前の皮革製造を販売していた若手クリエーターにも同じところを紹介している。こうしたモノづくり文化を基盤とした異業種のゆるい繋がりが、少なからず地域経済の循環にもつながっているのである。

元々モノづくりの基盤がある蔵前は、クリエーターにとって魅力あるエリアといえる。この頃から徐々にではあるが、少しずつ新たなモノづくり企業の立地が増えていったのである。

2-2 プロダクトデザインを手掛ける蔵前出身のシュロ（2008年〜）

エムピウと同様に、SyuRo（シュロ）もデザビレ一期の卒業生である。シュロは、2008（平成20）年に蔵前に店舗を構え、[5] モノづくり文化を基盤とした蔵前の再生を、エムピウなどと共に牽引してきた企業の一つであろう。

シュロの製品全体の約6割が自社製品で、化粧品から陶器や木工品、洋服など多様であり、日本文化として継承されている職人の技術や伝統を取り入れたモノをデザイン・企画・開発から販

シュロ外観（左）（著者撮影）

シュロ内観（右）（著者撮影）

売までを行っている。そのモットーの一つは、職人技術の伝承人としての役割を担っていくことである。その背景には、職人がそれら日用品を作っているにもかかわらず、購入者は職人のモノづくりへの思いを知らないまま消費されていることが挙げられる。蔵前の路地裏に店舗を構えた理由も、文化製品が単なるファッションとして消費されていく中で、わざわざ足を運んでくれる人との交流を通じて、職人文化を継承していくことを目的としているためであるという。

蔵前に立地した背景には、上述のことと関連するが、モノづくりの企業が立地しており、モノづくりの職人と横の繋がりを持ち、製品作りをすることができる点が挙げられる。それによって、製品そのものの裏側や内面的な本質がすこしでも感じられる製品を提供していくためである。

こうしたことは、空間づくりにも反映されている。現在のシュロが入居する建物は、元々段ボール製造工場やエレベーターの部品製造工場だったところであるが、モノづくりの片鱗が見える建物を残すため、リノベーションしたのは照明と塗装のみで、後は工場当時のまま使用されている。また、こうしたアトリエを開放することでも、来訪者（消費者）と作り手（生産者）との媒体の場やコミュニケーションの場としているのである。

こうしたものづくりが感じられる空間で、コミュニティでの繋がりや訪問者との交流などの中で刺激を受けつつ、モノづくりを行っていくことができるのであろう。加えて、シュロの理念と活動は、蔵前のモノづくりの職人たちと消費者との繋がりを創造しているだけではなく、伝統文化を継承する役割も担っているのである。

（3）街に賑わいをもたらした文具専門店・カキモリ（2010年〜）

カキモリは、2010年（平成22）に蔵前に出店した文具専門店で、「書人」と書いて「かきもり」と読む。同社は、万年筆やボールペンはもとより、自分で選んで作るオーダーノートなどが作れる文具店である。オーダーノートは、表紙や背表紙、ノートとなる紙、リング、留め具を自分の好みに合わせて選びカスタマイズできるノートで、若い人から人気が高い製品の一つである。現在のカキモリは、蔵前の人気店の一つであり、更なる蔵前の躍進を後押ししているモノづくり企業の一つであるといえよう。

カキモリ外観（著者撮影）

　オープンした当時は、周辺に専門店はほとんどなく、経営も苦戦した時期があった。立地している企業も企業間取引をする企業がほとんどで、小売店を持つモノづくり企業は、先述のシュロやエムピウなど数店舗が広範な蔵前エリアに分散して立地していた程度であった。そのため、当時は若い人たちが街歩きをするような現在の「蔵前」という街のブランドもなく、カフェなどの飲食店も立地していなかった。

　では、なぜ、当時まだ人の往来が少なかった蔵前を選んだのだろうか。そこには、三つ理由があった。まず、家賃が他の東京東部に比べても安かったことである。次に、２００８（平成20）年頃からＣＥＴが知られるようになっており、東京の馬喰町周辺の古い建物がリノベーションされ、新しい街の流れや動きが生まれ始めていたことである。こだわりのあるビンテージの家具屋などの個性のある専門店が分散して立地していたことが街として魅力的に感じたという。

そして、文具商品などは、手作業の細かい作業やモノづくりができる企業が必要であるが、そうした職人や企業が蔵前に集積していることである。一つの製品を製作する工程は、職人ごとの分業体制となっており、何人も何社も関わっている。そのため、封筒一つ作るのにも、印刷、断裁、合紙、抜き型の金型製造、実際にそれを使った型抜など、異種業が同じコンセプトの下で製品を作り上げていかなければならない。そうした際に、近隣に職人や企業がいることは大きな利点である。実際に、現在、カキモリは、蔵前周辺の企業だけでも約20社から30社のモノづくり企業と取引をしている。

蔵前には、よそ者で蔵前に入ってきても、地域に溶け込もうとする人や交流したいと思っている人に対して寛容に受け入れてくれ、そうでない人に対しても強制をしないビジネス気質や風土があるという。また、コミュニティや組合などの縛りもなく、自由に柔軟な形で社会経済活動ができる地域であるという。カキモリ自体も、こうして受け入れてくれた街にとって、意味のある店になることを目指しており、その中には、職人の技術を継承していくことも含まれているのである。そうした中で、蔵前の変化について、蔵前でビジネスをしている人だけではなく、昔から住んでいる地元の人々が喜んでくれていることを見聞きするという。

こうした中で構築された繋がりは、互いの企業や小売店同士を紹介し合うなどの協力体制が自然に生まれやすい環境を構築することに繋がっている。こうした日々の活動の中で、地域でのゆるやかな繋がりを感じることができるようになり、地域の一員としての自覚や愛着が芽生え、蔵前の企業として根付いていくことに繋がるのであろう。

3 2012年の転機——モノづくり系小売店立地の加速

2012（平成24）年になると、スカイツリーが開業したこともあり、これまで、アトリエや事務所のみを構えていたモノづくり系のクリエーターや企業が小売店舗を出店し始めるようになった。上述の企業よりも随分早くに蔵前に立地していたアッシュコンセプトも直営小売店であるコンセントを2012年に出店している。このように、偶然ではあったが、様々なモノづくり系の企業がこの年に続々と出店したことで、蔵前の洗練されたモノづくり文化を醸成していく基礎が構築され始めたのである。なお、2010（平成22）年12月には、JR東日本が秋葉原駅から御徒町駅間の高架下に2K540 AKI-OKA ARTISANというクリエーター系の店舗を中心とした商業施設を開業しており、以下で取り上げているマイトはそこにも入居をしているものづくり系企業のクリエーターである。

（1）丹後ちりめんの遺伝子を現代に継ぐ染物・マイトデザインワークス

マイトデザインワークス（MAITO DESIGN WORKS）（以下マイト）[7]は、草木染物のデザイン・企画・販売の企業である。蔵前にアトリエを持つ前に、御徒町の「2K540」で小売店を持ち、福岡を本拠地として活動していたが、2010（平成22）年に事務所とアトリエを蔵前へ移転し、2012（平成24）年には小売店をオープンしているモノづくり企業の一つである。

マイトのスカーフやセーターなどの文化製品は、自然素材から作られたものであるため、同じ色が一つもない。こうした製品は、多くの職人の手を経た手作りのものであり、生地を染める、生地を織る、糸を作る、仕上げるなど細分化されており、他のモノづくりと同様で、分業化されている。そのため、その過程には、様々な人の思いや技術が凝縮されており、それらを無駄にしないため、余すところなく使って製品が作られているのである。また、材料が天然の物であるため、環境や季節によっても全く異なるものが出来上がることから、デザインありきではなく、素材ありきでデザインされる。

では、なぜ福岡に拠点があったにもかかわらず、蔵前に移ってきたのか。それは、東京藝術大学出身であったことからも元々東京東部には馴染みがあったこと、蔵前周辺には、材料屋や道具屋が近隣に立地していること、蔵前がエアーポケットとなっており、家賃が安価だったことが移転につながったという。また、アッシュコンセプト、アノニマ、カキモリ、シュロやエムピウの人たちとはすでに知り合いで、蔵前で工房を探している旨を伝えていたところ、カキモリから連絡をもらい、現在の場所に移転できたという。

こうしたことにも表れているように、蔵前でモノづくりをする魅力として、創作活動やビジネス活動がやりやすい環境があるという。たとえば、地元のモノづくりの企業の人々は、よそ者でも快く受け入れ、新しい人や新しいものを吸収しようとしてくれる器の大きさや寛容性があり、ビジネスの街としての気質がある点だ。

マイト外観（著者撮影）

実際に、地元の職人たちもモノづくりなどの仲間たちも、技術はあるが、体面にこだわることもなく、デザインが好きな人や、飲むのが好きな人、作るのが好きな人、様々な人たちがいるが、互いを尊重し合っている。そうした彼らの共通点は、皆、好奇心が旺盛だということだ。

また、蔵前のモノづくり文化の基盤を通じた繋がりから、「蔵前展」や「月イチ蔵前」といったモノづくり系のイベントの開催にも繋がっている。それが蔵前の発信の一つにもなり、モノづくり文化の継承や現在の蔵前の街の文化的雰囲気にも繋がっているのである。

こうした気質が新しい人や物を受け入れたり、新しいことに挑戦したり、クリエイティブな製品を生み出していくことに繋がっているのだろう。

(2) 浅草から移転してきた自然素材を活かす皮革製品ブランド・レン

REN(レン)は、2005(平成17)年創業の皮革バッグの製造・販売を行っており、2012(平成24)年に浅草から蔵前に移転してきた企業の一つである。蔵前では、浅草時代と異なり、事務所だけではなく小売店を展開している。そこでの店頭販売の他に、セレクトショップなどで主に製品を販売している。

レンの商品(著者撮影)

レンのモノづくりも、先述のマイトと同様に、素材ありきでのデザインを行うということだった。そのため、装飾やプリントデザインなどはせず、皮の素材や傷さえもそのまま使用することもある。究極にシンプルなデザインは一番難しいといえるが、それを日々追求し続けている。そうした中で、転機をもたらしたバッグがピッグスキンを使用したランチバックSである。これは、大手セレクトショップで販売され、反響を呼んだ製品でもある。

では、レンがなぜ浅草から蔵前に移転してきたのか。大きな理由は次の通りである。それは、材料となる皮革などを扱う材料屋が近隣に立地していることと、家賃が相対的に他の地域よりも安価だったことである。したがって、家賃の安さやモノづくりの基盤が蔵前にはあったことが蔵前に惹きつけられた理由であった。蔵前に店舗を構えた後は、シュロ、エムピウ、カキモリなどの蔵前のクリエーターの人たちとの交流を持つようになったという。

(3) 身体にいい伝統食にこだわる・結わえる

結わえるは、「寝かせ玄米」というモチモチの食感と美味しさを追求した製品を中心として、生産・製造・販売と一貫して行っている企業である。結わえるの由来は、企業理念でもある「気持ちいい生活と気持ちいい世界を結わえる」、「伝統的な生活文化と現代の生活文化を結わえる」という意味から名付けられている。

その背景には、日本における食への問題意識があり、現代人の食生活を健康な伝統的な食文化に戻すことで、伝統的手法で製法された無添加の食文化の蔵元を再生し、伝統文化としての食文化を継承することを目標としていることが挙げられる。

そんな結わえるが蔵前に事務所兼製造所を構えた2009(平成21)年頃の蔵前周辺には、小売店もエムピウしかなく、土日も誰もいない寂しい街だったという。では、なぜ蔵前に店舗を構えたのか。その理由は、家賃の安さと御蔵前という歴史的背景であった。その後、小売店舗出店のため、2012(平成24)年に現在の場所に移転したが、この場所は、かつてアノニマがイベ

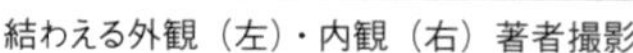
結わえる外観（左）・内観（右）著者撮影

ントに使用していた場所であった。結わえるが入居した時には、すでに同じ通り沿いにカフェなどが立地しており、同時期にバックパッカーのホステルも開業したことから、人の流れが出来ており、賑やかになっていた。

結わえるも他企業と同様に、蔵前でモノづくりをする魅力は、新規参入者に壁がなく、代々この地域で商売をしている人たちが温かく迎え入れてくれること、そして、そうした人たちとのゆるい繋がりの中で、情報交換や交流ができることだという。実際に、現在の場所に移転する際もそうした関係性を通じて情報を得ている。その後、様々な専門店が増えていき、そうした人たちとの横の繋がりが増えていったという。また、蔵前には、国内外で活躍している企業が立地し、それぞれが良いものを作り、お互い尊敬し合える人たちがいることも、また蔵前の魅力になっているのである。

4 文化サロンとしてのモノづくり系イベント

こうした早期に立地したものづくり企業（図6-1参照）や飲食店などのゆるい繋がりの中から、モノづくりイベントなども生まれている。例えば、２０１０（平成22）年から２０１２（平成24）年までは「スピーク・イースト」、２０１７（平成29）年からコロナ前の２０１９（令和元）年までは「蔵前展」、現在も開催されている「月イチ蔵前」などである。

２０１０年から２０１２年まで3回続いた「スピーク・イースト」というモノづくり系のイベントは、当時、20社ほどが参加していたという[8]。２０１０年当時では、先述のように、アトリエや事務所は構えているが、小売店舗は出店していない企業がまだほとんどなかった。そうした中で、モノづくりをしている人たちで集まって何かやりたいという話が持ち上がった。そこで、年に一度、アトリエやショップを一同にオープンし、ワークショップや製品の先行予約販売などを実施するイベントを開催するに至った。こうしたことは、先述の通り、ゆるい繋がりから生まれてきたものであり、倉庫街だった蔵前の頃には想像もつかない動向であったといえよう。

その後も、月イチ蔵前（Monthly Kuramae）というイベントをサルビア（salvia）が開催し始め、このメンバーにも、本章で紹介してきたモノづくり企業が参加している。毎月第一土曜日に開催され、その時限定のワークショップや製品の展示・販売が行われ、多くの人が訪れる蔵前のイベントに定着している。そのため、月一蔵前のメンバーのモノづくり系の店舗や飲食店が記載されたマップを作成し、蔵前を散策できるようにしたという。こうしたアイデアも、モノづくり企業のクリエーターたちが発案して出来たものである。そのため、これらのイベントとは関係なく、アッシュコンセプトやカキモリなどでも各々が制作した蔵前の散策マップが各店舗に置かれている。

最後に、２００８（平成20）年から始まった「モノマチ」がある。その範囲は、台東区南部エリア全体をカバーしており、本書での蔵前エリアはすべて含まれており、それよりも広範囲である。このイベントの時だけ、先述のデザビレも開放され、アトリエやクリエーターを直接訪問して交流することができる。その他、モノづくり系の企業や飲食店など様々な企業が参加し、モノづくりの楽しさや台東区南部の魅力を発信している。その中に、デザイナーが企画した皮革工場への職人ツアーなどもあ

図6-1　本章で取りあげた企業の分布図（出典：著者作成）

り、普段では見られない作業場や風景も見学できる多彩なイベントとなっている。

このモノマチは、一般の人びとがモノづくりに触れる機会を提供しているだけではなく、職人やクリエーター同士が知り合うきっかけにもなっているのである。また、これに参加し、蔵前の人と出会い、蔵前で起業することになったという人もいる。こうしたモノづくり系イベントを通じて、イベントではあるものの、様々な人びとの交流が実際に新たなものを蔵前で生み出し、サロンとして交流の場にもなっているといえる。こうした積み重ねがモノづくり文化をアップデートしているのであろう。次章では、引き続き、２０１３（平成25）年以降の蔵前の再生過程におけるダイナミズムを考察していこう。

註

（1）創業者の名児耶秀美は、アッシュコンセプト創業前に実家である「株式会社マーナ（墨田区・東駒形）」で、専務取締役企画室長として、経営や商品開発、マーケティング、デザイン戦略等に携わり、デザインの力で会社を大きく成長させた経験を持つ。

（2）中央出版株式会社は教育関連を中心とした名古屋が本拠地の企業であり、ＮＨＫの「その時、歴史が動いた」などの書籍もここで出版されたものである。

（3）現在は自社のイベントスペースは閉鎖。

（4）２００８年に株式会社になった。

（5）当初は、小売スペースはなかったが、蔵前内で移転をした際に小売スペースを設けた。

（6）本商業施設が、蔵前エリアのものづくり系企業の集積に間接的には影響を及ぼしたかもしれないが、大きく態勢は変わらないものであったようだ。

（7）創業者の生家は、江戸時代から続く、京都の丹後ちりめんを開発した、機織りであった。岩滝町の機織りの工場は、丹後ちりめんの発祥の地として、文化財に指定されている。当時の屋号は、山形屋や小室屋を使っていたという。

（8）アッシュコンセプト・名児耶氏インタビューより。

第7章　醸成される蔵前文化と外部性
――なぜ魅力的な専門店が集まるのか

1　食文化ムーブメントの始まり――文化的雰囲気が漂う蔵前に変容

(1) 蔵前最初の焙煎コーヒー専門店・ソルズ・コーヒー(SOL'S COFFEE)(2013年～)

飲食に関連する専門店が集積し始めたのが2013(平成25)年頃からである。その一つがソルズ・コーヒー・スタンド(以下ソルズ)であり、蔵前エリアに出来た最初の焙煎コーヒー専門店である。そんなソルズのコーヒーは、とてもフルーティーな香りのするコーヒーでありながら、こだわりでもある「毎日飲んでも体に優しい」コーヒーを提供している希少な店の一つでもある。そんなソルズは、蔵前の一息つける場所を提供している一つとして地域に根付いている。

先述のように、蔵前駅前に有名コーヒーチェーン店が、2007(平成19)年頃まではあった

外観（左）・ハンドピックで豆を一つ一つ剪定（右）（著者撮影）

が撤退し、昔ながらの喫茶店以外では、コーヒー専門店はなかった。そうした中で、ハンドピックで豆を選定し、本質にこだわった自家焙煎コーヒーを提供するソルズが蔵前に最初の店を2013年にオープンし、2015年には2軒目を開業している。

では、なぜ蔵前に焙煎コーヒーの専門店を開業したのか。蔵前に店を構えたのは偶然であったが、広く捉えると東京東部が創業者の地元エリアだったことが理由の一つであった。蔵前に根付くことができた背景には、モノづくりの企業やクリエーターたちが、「蔵前で起業している仲間」として迎え入れ、年齢や性別に関係なく同等に接してくれる環境があったことが挙げられる。また、蔵前には、困った時には相談に乗ってくれたり、助けてくれたりする同志がいることから、心強いという。実際に、2軒目の店舗を探していた際も、焙煎機の煙突の穴をあけることのできる物件がなかなか見つからなかった中、モノづくり文化を通じた繋がりから物件情報を得たという。

こうした互いにそれぞれの道で自立して高めあえる、そんな人たちが蔵前には存在している。そして、ゆるやかに繋がっている関係性の中で、モノづくり企業同士が成長していく文化や土壌が醸成されているといえよう。

(2) 一生産者だけの茶葉専門店・ナカムラ・ティー・ライフ・ストア（2015年〜）

蔵前の裏路地にありながら、ひときわ目立つ古いレトロな雰囲気のある特徴的な建物のナカムラ・ティー・ライフ・ストア（NAKAMURA TEA LIFE STORE［以下ナカムラ］）は、2013（平成25）年に日本茶葉のオンライン販売を始め、2015（平成27）年に蔵前に実店舗を構えた日本茶の販売専門店である。実店舗を構えた背景には、特に若者のお茶文化の後退を食い止めるため、直接消費者にお茶作りを感じられる場所を提供することが目的であった。

実際に、農林水産統計の「緑茶の引用に関する意識・意向調査結果（令和3年度）」によると、19歳から29歳までの回答者において、「普段どのような緑茶を飲むか（複数回答）」に対して、「緑茶飲料（ペットボトルや紙パックなど）」と答えた割合が一番高く、その層全体の67・6％を占めていた。次いで多かったのは、「ティーバッグでいれた緑茶」で38・1％、その次に「茶葉から入れた緑茶」で32・4％であった。こうした結果からも、特に若者世代において、日本茶を急須で入れる文化は習慣になっていないことが示されている。

では、ナカムラが立地した2015年頃は、小売店はカキモリぐらいしかなかったが、なぜ蔵前を選んだのか。ナカムラもソルズと同様に、蔵前に立地したのは偶然だったが、選んだ理由は、東京東部の馬喰町周辺が当時賑わい始めていたことや、東部の家賃は西部に比べて安かったこと

1955（昭和33）年の建物の外観（著者撮影）

内観（著者撮影）

が挙げられる。物件自体も、カキモリを目的として蔵前に来訪した際に、偶然見つけたものであった。そんなナカムラの建物は、１９５８（昭和33）年に建てられた、レンガ造りのモダンレトロな外観である。元々は、タイル製造場兼住居であったため、今でも1階にはかわいい手作りのデザインされたタイルが壁に貼られているものが残っている。そうした部分を含めて、ほとんどそのままの状態で店舗として利活用している。

　ナカムラも蔵前に根付いている企業の一つであるが、蔵前の魅力は、モノづくりの文化が根付いていることが感じられ、ゆるく水平的な繋がりがあることだという。この繋がりは、田舎のような強固なコミュニティの繋がりというより、都会的な距離感のあるゆるい繋がりである。また、人が皆温かいところもビジネスがしやすく、居心地もよいのだそうだ。たとえば、店をオープンした当初も宣伝などする余裕はなかったが、地元のものづくり系の人たちが口コミで広めてくれ、今では近所の人が声をかけてくれるようになり、地元御用達の店の一つとなれたという。

こうした街の文化や風土が継承・構築されていることが、蔵前に魅力的な専門店舗をひきつけ、面として蔵前という文化的雰囲気を作りだすことに繋がっているのである。

(3) ダンデライオン・チョコレートの出現で蔵前の認知度が向上(2016年~)

2016(平成28)年のオープン当日、蔵前に200人の行列を造り出したのは、2010年にサンフランシスコに創業したダンデライオン・チョコレートであった。知る人ぞ知る、クラフト・チョコレートの企業が蔵前に出店したことで、蔵前という街の認知度を向上させた専門店の一つである。

クラフト・チョコレートであるが、単なるチョコレートを販売しているのとは異なり、Bean to Bar(ビーン・トゥ・バー)という、100年以上前からある伝統的なチョコレートの製法で製造されているもので、カカオ豆からチョコレートを手作りで作っているものを指す[1]。特に、豆自体が持つ個々のフレーバーを引き出し、芳醇なチョコレートに仕上げるために、カカオ豆から選定し、焙煎機を改造しつつ、多くの人の意見を取り入れ、試行錯誤しながら、造られているのである[2]。

そんなダンデライオン・チョコレートが蔵前に立地した理由は、まず、ブルーボトルコーヒーが清澄白河という東京東部の下町で、新たな食文化として受け入れられ根付いたというグッドプ

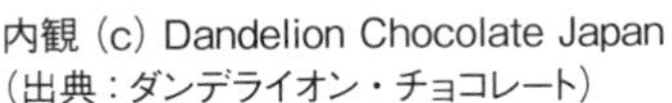

内観（c）Dandelion Chocolate Japan
（出典：ダンデライオン・チョコレート）

外観（c）Dandelion Chocolate Japan
（出典：ダンデライオン・チョコレート）

ラクティスがすでにあったことから、新しい食文化が蔵前の地域ブランドとして浸透していくと確信していたという。

次に、製造する工場とカフェのスペースを確保できるある程度広い建物が必要であり、そうしたスペースが丁度蔵前にあったことが挙げられる。現在の店舗は、元々工場だった建物であったが、むき出しのまま活用することで、蔵前というモノづくりの文化的空間をさらけ出し、洗練さを残しつつ、リノベーションされている。

そして、周辺の環境が挙げられる。蔵前の現在の場所に出店した当時は、周辺に先述のカキモリやコンセント[3]、ナカムラなどの専門店が立地しており、洗練さのあるクラフトが根付いた場所であった。それに加えて、目の前に公園があったことも決め手となったという。緑があれば、従業員も気持ち良く働け、そのことがダンデライオン・チョコレートの文化やブランドを浸透させる意味においても重要な意味を持っていたためである。

コミュニティや地域に根付いていくことを重視し、同じ通りに立地するナカムラの茶葉を使用した「蔵前ホットチョコレート」

という、ここでしか販売されていない地域限定の商品を開発し、オープン当初から販売している。

(4) 唯一無二の自家製チョコレートと焙煎コーヒー店・蕪木(2016年〜)

蕪木は、2016(平成28)年に蔵前に店を構えた、こだわりの自家製チョコレートと焙煎コーヒーを楽しめる専門店である。蕪木の顧客の約半分は近隣地域からの常連の人たちで、年代も30代から60代までと幅広い。店がオープンするのは11時からだが、毎朝7時から厨房でチョコレートを作り、9時から10時ごろまで豆の焙煎を行っている。蕪木は、最高のものを提供するために、毎日変化をし続けている専門店である。

そんな蕪木のモットーは、自家製のチョコレートや焙煎したコーヒーを提供することで人を幸せな気持ちにできるような、様々な感情や考えを咀嚼し、逃げ込めてゆっくりできるような時空間を提供することにある。

そうした空間の内観は、他のコーヒー店や喫茶店、カフェなどとは異なる空間になっている。一般的なコーヒー店や喫茶店は、窓や入り口のドアから中の様子が少しわかるようになっているだろう。一方で、蕪木では、中は全く見えず、家に入っていくような感じである。1階はチョコレートの厨房が奥にあり、手前には、焙煎豆とチョコレートが販売されているショーケースがある。2階へ上るとドアがあり、そこを開けると、飲食スペースになっている。

2階の空間は、自分が小説の1ページのシーンにいるような、そんな感覚になる異空間の雰囲

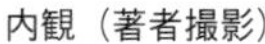

内観（著者撮影）

外観（右左）（著者撮影）

気を纏っている。その理由の一つには、アンティークの棚がカウンターの中にあり、置いてあるものは、椅子やテーブル以外にはない。また、二人席は一つしかなく、後は一人席のため、店内は静かで、本を読んでいる人たち、コーヒーを楽しんでいる人たちでいつも満席だ[4]。

では、なぜ蔵前エリアを選んだのか。それは、路地裏が多く、周りに何もないため、モノづくりに没頭することのできる街であったことが挙げられた。また、蔵前という街が、「こだわりのあるモノづくりに関連する新旧入り混じった店が多く、そうした人たちは自分たちの仕事を全うしていて、美しい街」であることも大きな理由の一つであったという。加えて、蔵前は、東京都内ではあるが、地方の感じが残っていることも、モノづくりをするには良い場所だと感じる場所であるということであった。

2　加速する蔵前文化の醸成

こだわりを持つ飲食専門店なども集積し始め、モノづくり文化を基盤とした文化的な雰囲気がさらに面として広がる時期が２０１７年頃からだろう。そうした時期に蔵前に立地した専門店のいくつかを見ていこう。

(1) 次々と人気店を展開するライトソース系列店

ライトソースは、２０１５（平成27）年から現在（２０２２年5月時点）までに、蔵前エリアに8店舗を出店している企業である。[5] まず、最初は、２０１５年に東駒形にオープンした from afar（フローム・アファー）という若者で賑わうカフェである。当店舗は２０１９年に現在の田原町に移転している。

次に、２０１７（平成29）年に、焼き菓子専門店の菓子屋シノノメを蔵前四丁目にオープン。２０１８（平成30）年10月には喫茶半月をシノノメの2階にオープンし、焙煎コーヒーとデザートなどが楽しめる空間になっている。続いて、同年4月に、食器を中心とした陶器やグラスなどの生活用品が取り扱われている道具屋 nobori を寿町にオープンさせた。

２０１９（令和元）年には、お茶（紅茶）専門店の茶室小雨、翌年には、洋服、小物、アクセサリーなどのファッションや雑貨などを取り扱う文月、２０２１年には半月焙煎研究所をオープンしている。そして、最新の店舗となるのが、２０２２年にオープンしたシノノメ製パン所である。ここはテイクアウトのみのパン屋で、オープンの際も多くの人で賑わっていた。

これらの店舗は、提供する商品へのこだわりだけではなく、古い建物をリノベーションし、趣

菓子屋シノノメ（著者撮影）

茶室 小雨（著者撮影）

のある雰囲気の外観や内装も、若い人たちを惹きつけている。こうした専門店の立地の増加は、２０１７（平成29）年以降の文化醸成の一端に少なからず影響を及ぼしていたといえるだろう。

（2）リーディン・ライティンブックストア（2017年～）

リーディン・ライティン ブックストア（Readin' Writin' BOOKSTORE）は、田原町の木材倉庫をリノベーションして２０１７（平成29）年にオープンした独立系の本屋である。蔵前という場所に立地したのは偶然であった。当初は、オーナーの家の近所で店舗を構えるつもりで物件を探していたが見つからず、電車で乗り換えなしで行ける蔵前エリアになったのである。しかも、現在の場所ではない所に決めようと思い、近所の喫茶店に入ったところ、そこのオーナーに、この場所が空いていると聞いた。家賃もかなり安かったことから、この場所に決めたという。

ここは元々倉庫だったため、オープンな中2階のスペースがある。そこは畳が敷かれ、壁際には、月３０００円で2枠借りられるレンタル棚が設置されている。また、コーヒーが販売されてお

外観（著者撮影）

内観（著者撮影）

り、ケーキなども持ち込みも可能であることから、来訪者が交流できるスペースとしても利活用されている。その他、トークイベントや古本市なども定期的に開催されている。

そんなリーディン・ライティンブックストアが蔵前に立地したのは偶然であったが、結果として良かったという。それは、街の雰囲気と、行ってみたくなる店があるエリアに自身の店もあるという点だ。また、先述のソルズや蔵前でアーティスト・イン・レジデンスを運営しているオールモスト・パーフェクト（almost perfect）のオーナー夫婦など蔵前の人たちともゆるい繋がりがあるという。

このように、たまたま蔵前を選んだが、蔵前のモノづくり文化を基盤とした街の一員となっていることが、結果的に良かったと感じられる要因の一つになっているのである。

（3）ポップな皮革製品を生み出すカーマインの蔵前への移転（2018年〜）

カーマン・デザイン・ファクトリー[7]（carmine design factory!）は、前章のシュロとエムピウから半年遅れでデザビレに入校した2・5期生で、2018（平成30）年に皮革製品のアトリエ兼店舗を蔵前にオープンさせたモノづくり企業である。

元々は、東京藝術大学の美術学部工芸科出身の2名と共に2004（平成16）年頃から渋谷でジュエリーなどの製造・販売をしていた。そうした中で、デザビレに入居した際に、蔵前エリアの製造業は技術力が高いにもかかわらず、衰退していると知り、デザインによって再生しようと、2008年から皮革製品を製作し始めた。また、先述の「モノマチ」にも参加し、職人ツアーを実施するなど、ローカルのモノづくり企業と共に蔵前を盛り上げている企業の一つである。

実際に、カーマインに携わっている現在の職人の年齢層は30歳から86歳まで幅広いが、特に高齢の職人などにとって、自分たちが作ったものが若い人たちに喜んでもらえることは、職人自身のモチベーションや活力に繋がっているという。こうした多様な人々の交流を通じて、地元の職人の人たちにも活気をもたらしているのである。

そんなカーマインの製品は、新たな挑戦や実験などを繰り返し、試行錯誤しながら作られている。初めて職人にデザインを持っていった際には、作れないと言われたこともあったが、現在では信頼関係を構築し、新たな作品づくりに取り組んでいる。こうした新しい製法で製作されたユニークでデザイン性の高いカーマインの製品は世界的にも評価され、ニューヨーク近代美術

カーマイン外観（著者撮影）

内観（著者撮影）

館（NYMOMA）やフランスの老舗デパートのボン・マルシェでも販売されていたこともあれば、ブルックリンの高級セレクトショップやバーニーズニューヨークなどでも取り扱われていたこともある。

現在は、職人との二人三脚で製品づくりをしているカーマインであるが、2018年になって、なぜ蔵前エリアに移転してきたのだろうか。それは、モノづくりをする環境がすぐ目の前にあることと職人の技術力の高さが挙げられる。モノづくりをするにあたり、「こんな宝箱のような場所はない」という。加えて、こうしたモノづくりの現場をモノづくり企業の一員として、なんとか再生し、蔵前を盛り上げていくためでもある。

3　レトロビルの再生とクリエーターの集積

蔵前の国際通りには、レトロモダンなビルが残っており、近年では、モノづくり系のアトリエ兼ショップなどが入居している。そうしたビルの中で、蔵前エリアにある一番有名なビルは、タイガービルだろう。ここは、国の有形文化財にも登録されている建物である。正式には「タイガービルヂング」であり、昭和初期に住宅として建設された地下1階、地上5階建ての歴史的な建造物である[8]。正面の両側にある丸い窓が印象的で、レトロモダンな外観の装いのビルである。この建物の1階には、ヴィンテージの家具専門店が入居し、上階は事務所として貸し出されている。

また、近年では、クラマエビルやウグイスビルとったモノづくり系のクリエーターが集積しているビルがある。クラマエビルには、かつて1階に先述のカキモリが入居していたこともあるビルだ。現在は、マイト・デザイン・ワークスやオリジナルの香水が作れる家香（kako OSAJI）が入居している。ここの上階にもモノづくり系のアトリエ兼ショップがいくつか入居している。

2020（令和2）年にも、国際通りに面した1955（昭和30）年頃に建設された古いビルがリノベーションされた。このビルは元々、ある企業の事務所兼寮で、最近まで事務所や塾の教室として使用されていたが、現在は、モノづくり系企業のテナントが集積しているビルとして再生され、ウグイスビルと命名された。「ウグイス」というビルの名前は、先述のタイガービルや馬喰町に立地するイーグルビルなど、この界隈の象徴的な歴史的建造物に付けられた名前が動物に由来するビルだったことと、当該ビルの目の前に長年自生する梅の木のように地域に根ざす建物になるように願いを込めて、ビルのオーナーとリノベーションを手掛けた株式会社ビル mo、コンセプト作りや管理などに関わっているR不動産などが話し合い、ウグイスビルとなったという。ビルの中の壁には、梅の木の枝に留まっている鶯が描かれている。

同ビルのテナント募集の際、モノづくり系企業を対象とした訳ではなかったが、結果的にモノづくり系企業やギャラリー、こだわりのある専門店などが入居し、アートや文化関連の企業が多く集積するビルへと変容した。２０２２（令和４）年7月時点では満室になっている。そんなウグイスビルの1階には、後述のフローベルグや先述の喫茶小雨、2階には、ヴィンテージのウェアや陶器・雑貨のセレクトショップや皮革製品などのショップ、3階には、雑貨やアクセサリーなどのアトリエ兼ショップとギャラリーが入居し、その他は企業の事務所として借りられている。

こうした新進気鋭のクラフトマンやクリエーターなどにとって、このスペースは、大きくもなく、挑戦するのにはちょうどよい価格や広さ、駅から近いなどの立地の良さだったことがモノづくり系や文化関連の企業が集積した背景の一つとして挙げられる。加えて、このビルの中は、新旧が混在した空間となっており、それもクラフトに従事する人たちを惹きつけた要因の一つだろう。

実際に、内装は、窓や階段などはレトロなままとなっており、入居者が使用できるミーティングルームなどは白を基調とした明るいモダンな様式となっている。また、入り口付近の外壁も茶色のタイルのレトロモダンな外装になっており、そこには金色のウグイスのエンブレムが貼られ、特徴的な鶯色のドアに仕上げられている。特筆すべきは、今後、グリーンビルディング認証4を取り、環境にも優しいビルのモデルケースとしていくための新たな取り組みに向けて始動していることであろう。

ウグイスビル入り口（著者撮影）

内観（著者撮影）

外壁（著者撮影）

入居者が使用できるミーティングルーム（著者撮影）

4　個性ある専門店の蔵前移転は続く

（1）異空間に誘う海外絵本の古本屋フローベルグ（Frobergue）（2021年〜）

フローベルグに一歩足を踏み入れるとアンティークの家具や雑貨、絵が飾られ、まるでイギリスの本屋にきたような異空間が広がっている。そんなフローベルグは、1800年代から最近までの海外の絵本を中心に、文学、詩、アートを取り扱っている洋書専門の古本屋である。

2015（平成27）年から洋書の古本のオンライン販売を行っていたが、2019（令和元）年から横浜で店頭販売も始め、次の移転場所として、当初は鎌倉や世田谷などを探していたという。そうした中で、たまたま紹介された物件が蔵前であった。この頃の蔵前は、すでに盛り上がっている職人の街であった。

そうした中でフローベルグが蔵前に立地することを決めた背景には、経営的な理由が大きかった。まず、現在の場所はウグイスビルの1階で大通りに面しているが、都内の他の場所に比べて相対的に家賃が高くなかったこと。次に、蔵前は多くの新規店舗が出店しているため、よそ者が入っていきやすい雰囲気があったこと。そして、ギャラリーなどもあり、アート系の人たちが潜在的にいること。加

内観（著者撮影）

えて、観光地である浅草が近いことから人の回遊性も高いことなどが挙げられていた。その他にも、建物が築60年の雰囲気のある外観と内装であったことも蔵前を選んだ理由の一つであった。中の高い天井がアーチになっており、レトロモダンな内装になっている。

フローベルグも、先述のソルズやナカムラ、リーディン・ライティンなどと同様に、偶然、蔵前に店を構えたが、情報発信基地として認知度は向上しており、蔵前に魅力を感じているという。また、蔵前の他店舗ともゆるく交流があり、そうした繋がりの中で、蔵前の清掃のボランティアを行ったりしている。ここにも、強固なつながりはないが、コミュニティ活動やイベントなどを通じてゆるい繋がりが存在していることがわかる。蔵前に立地して日は浅いが、すでに交流があり、コミュニティの一員としても、蔵前の企業としても根付きはじめているといえる。

(2) 渋谷から移転してきた人気店コーヒーカウンター・ニシヤ(2022年〜)

渋谷の人気店であったコーヒーハウス・ニシヤが屋号を新たに、COFFEECOUNTER NISHIYA(コーヒーカウンター・ニシヤ)として、2022(令和4)年2月中旬に蔵前に移店してきた。突然のことで驚く人もいたのではないだろうか。

渋谷で2013(平成25)年からカフェを経営し、その店は駅前でないにもかかわらず[11]、連日100人から200人が訪れ、行列の絶えない人気店になっていった。それにもかかわらず、店を閉めて、蔵前にカウンターとテイクアウトのみの狭小スペースで、イタリアンバル・スタイルの店を再オープンさせたのである。

　では、なぜ人気店を閉めてまで蔵前に移転・再開したのか。大きな理由の一つは、渋谷店は余りに多くの人が訪れるようになったため、一人一人に理想の接客が出来なくなったことが挙げられる。その結果、観光客的な人が増えてしまい、それまでの常連やリピーターの人たちは店から遠ざかり、大切にしたいと思っていた顧客とのコミュニケーションや接客ができなくなっていたのである。

　そのため、現在の蔵前店は、対面接客やサービスにこだわり、店内は細長いカウンター12席のスタンディング形式の店舗になっている。現時点[12]ではカフェ類の提供のみだが、コミュニケーションのとれる距離感とともに、内装もイタリアンバルの雰囲気漂う店内となっている。これは、イタリアの食文化であるエスプレッソなどをカウンター越しに対面接客で提供するバリスタのスタイルである。オープンして１カ月も経っていないが、一日当たり１００杯から１５０杯を提供しており、すでに常連の人もいるようだ。

外観（著者撮影）

　そんな同店が蔵前に立地した理由は、蔵前が職人気質な街であったことが挙げられた。蔵前や浅草エリアは、職人の街であり、その敬意も含めて、当初は出店することに少し躊躇してい

図 7-1　店舗の分布図（著者作成）

たが、伝統のある場所で、職人気質のこだわりのあるサービスを提供することに挑戦することにしたという。

以上のように、２０１３（平成25）年以降の蔵前は、多様な専門店が増え始めている。本書ではすべてを取り上げることはできないが、特に、飲食店だけではなく、ギャラリーやファッション産業といった文化産業の企業も蔵前に出店するようになってきている。

たとえば、２０２２（令和４）年６月には、オンテン（onten ~ondo branding park~）がオープンした。ここは、オンド（ondo）株式会社がブランディングを手掛けた商品の展示・販売はもとより、「リソアート（RISO ART）」体験ができる「リソ・アート・スタジオ（RISO ART STUDIO）」というアートスペースを蔵前駅近くの場所にオープンした。リソアートとは、リソグラフを使用したアート印刷のことで、版画のような雰囲気が出せる印刷技術であり、それを体験できるスペースとなっている。[13] また、８月には、アウバ・ジャコネッリ（AUBA JACONELLI）というオーダースーツとセレクトアイテムを取り扱う専門店が浅草橋にオープンしている。[14] その他にも数店舗飲食店がコロナ渦中にもかかわらず新規出店している。

約15年間で劇的に変容してきた蔵前であるが、蔵街の再生早期に企業を構えた企業同士が、モノづくり文化を通したゆるい繋がりの中で、個性を出しつつ切磋琢磨し合いながら、点から面へと徐々に広がり、現在の蔵前のモノづくり文化を基盤とした街の雰囲気やブランドを構築してきた（図７－１参照）。そして、それが正の外部性として、新たな個性ある専門店を惹きつけているのである。

註

(1) 創業の歴史については、ダンデライオン・チョコレートホームページを参照されたい。
(2) 同ホームページ
(3) カキモリとコンセント(アッシュコンセプト)の現在地は、蔵前内で当時の場所から移転している。コンセントは再度移転予定。
(4) コロナ禍でも満席であった。
(5) ライトソースホームページ
(6) 閉店したため、現在はない。
(7) 2004年にカーマインとして活動し、2008年にデザビレに入居。2011年に台東区に出店。
(8) 文化庁ホームページ
(9) グリーンビルディングとは、「建物のライフスタイル全体を通じて、エネルギーや水使用量の削減、施設の緑化など、資源効率が高く建物全体の環境性能が高まるよう最大限配慮された建築物を指し、持続可能な環境と生活の質の向上の実現を目指す取り組み」である(一般社団法人グリーンビルディングジャパンホームページ)。
(10) 蔵前の「自由丁」やウグイスビルに入居している4店舗、きみや商店などが掃除仲間である。
(11) 渋谷駅から徒歩10分ほどの学校、病院、オフィスがあるような場所であった。
(12) 2011年3月5日時点。
(13) オンドホームページ
(14) アウバ・ジャコネッリホームページ

第8章　モノづくりという文化装置
――なぜ蔵前は洗練した文化的空間に変容したのか

1　モノづくり文化が香る街への変容プロセス

これまでの蔵前の変容を整理しておこう。蔵前が変貌するきっかけがあった時期が２００７（平成19）年とするならば、そこから２０１２（平成25）年までは主にモノづくり企業に関連するデザインや企画、製造などの企業が蔵前にまばらに立地するようになっていた。２０１２（平成24）年になると、スカイツリーの開業の年でもあり、それまでアトリエしか構えていなかった企業も蔵前に小売店舗を出店するようになっていた。その後は、こだわりを持つ飲食店などが立地するようになり、２０１７（平成29）年以降はそれが加速した。それを年表に表したものが、表８‐１である。

具体的には、まず、蔵前駅近くの隅田川沿いの様相が劇的に変わったのは、２００７年に、出版社のアノニマ・スタジオ（以下アノニマ）が立地したことから始まっていた。特に週末には人のいない倉庫街に毎週末、人流が出来始めたのである。その後２０１１（平成23）年に、アノニマと同じ通りの隅田川沿いにカフェが、その翌年に結わえるが移転してきたと同時にバックパッカーのホステルとカフェ・バーが併設されたヌイ（Nui）がオープンした。

この界隈に、これらの店が次々と立地したことで、倉庫街から洗練されたカフェやレストラン、バーなどが立ち並ぶ通りとなった。コロナ渦中でも、ランチ時はどこも行列ができているほど人気のリバーサイドエリアとなったのである。アノニマの蔵前への移転がこの界隈の劇的な変容の始まりとなったといえよう。

同時に、２００２（平成14）年からすでに蔵前で起業していたアッシュコンセプトの存在やデザビレ第一期卒業生のエムピウやシュロなどが２００８（平成20）年にアトリエ兼店舗をオープンしたことも、ものづくりの街として復活する始まりであっただろう。その復活には、彼らやアノニマ・スタジオとの間に交流があったことも、チェーン店のない現在の洗練された蔵前がモノづくりの街として再生する始点となっている。

２０１０（平成22）年になると、カキモリが蔵前駅近くにオープンし、その数年後には、カキモリ目当てで蔵前にやって来る人たちも増えていた。２０１２（平成24）年以後は、先述のように、こだわりのあるモノづくり企業の小売店や職人気質な飲食店が集積し始め、現在の文化的な香り漂う蔵前の基層になったといえる。たとえば、コンセントやマイト、レンなどである。２０１３（平成25）年には、蔵前にこれまで無かった焙煎コーヒー専門店であるソルズコーヒー、そしてアメリカからやってきたダンデライオン・チョコレートなどの個性ある飲食店がオープンする。ダンデライオン・チョコレートのオープンは蔵前という地域を知らなかった人にも蔵前を知らしめたといえる。

その後も、蔵前にしかない、こだわりを持った蕪木などの様々な業種の専門店が多く集積するようになる。こうした動向は今日まで続いている。加えて、こうした人たちの一部は互いに対してリスペクトし合い、ゆるい繋がり中で、自分が好きなモノづくりに集中し、そして、それを提供することで街や人びとの生活をより豊かにすることに繋がっているといえるだろう。

元々モノづくり企業が多く集積していた蔵前であったが、ものづくりのデザインや商品開発などを担う新規参入者が蔵前に立地するようになり、ローカル企業を巻き込みつつ蔵前のモノづくり企業の活力を再び取り戻したといえよう。若手のモノづくり関連の企業が蔵前に増え、小売店舗を出店し始めたことで、蔵前の基層を形成してきたモノづくり文化が広く人びとに認識されるようになり、飲食店などもこだわりのある専門の個店が集積するようになっていったのである。

こうして、蔵前のモノづくり文化がアップデートされて醸成し、街のブランドになったといえる。そうした蔵前のモノづくり文化が現代の若者に受容され、広く発信されていった。その結果、モノづくり文化が香る蔵前を求めて来訪する人たちが近年増えているのである。こうした蔵前にわざわざ来訪する人たちは、蔵前にしかない個店や専門店で商品やサービスを購入・消費し、蔵前でのモノづくり文化を基盤とした文化的雰囲気を体験するためにやってくる。そのため、蔵前エリアには、コンビニなどは多少なりともあるが、ほとんどチェーン店は進出していない、近年では珍しいエリアといえる(1)。そうしたことも蔵前の固有性を特徴づけている一つの要素であり、文化的なものづくりの街の香りや雰囲気、様相を醸成することができたのである。

つまり、蔵前に魅了されている人びとは、モノづくり文化を基盤とした企業・専門店が集積してい

年	企業名・店舗名	業種
2002	アッシュコンセプト（h concept）	デザイン・企画・販売
2007	エムピウ（m+）	皮革製品製造・販売
	アノニマ・スタジオ	出版
2008	シュロ (SyuRo)	プロダクトデザイン・企画・販売
2009	結わえる	飲食・販売
2010	カキモリ	文具
	サルビア（salvia）	雑貨・生活用品
2011	リバーサイドカフェ・シエロイリオ（Riverside Cafe Cielo y Rio）	飲食
2012	結わえる（現在の場所に移転）	飲食・販売
	コンセント (Koncent)	アッシュコンセプトの小売
	ヌイ・ホステル&バーラウンジ（Nui. HOSTEL & BAR LOUNHGE）	ホステル・飲食
	マイト・デザイン・ワークス（MAITO Design Works）	染物製品のデザイン・制作・販売
	レン (REN)	皮革製品製造・販売
2013	ソルズコーヒー（SOL'S COFFEE）	自家焙煎コーヒー
2014	カメラ（camera）	飲食・革製品小売
	デイリーズ・マフィン（Daily's muffin）	飲食

表 8-1　蔵前における専門店の立地年表

年	企業名・店舗名	業種
2015	ナカムラ・ティー・ライフ・ストア（NAKAMURA TEA LIFE STORE）	茶葉販売（日本茶）
	ソルズコーヒー２軒目	飲食
	フローム・アファー（from afar）	飲食
2016	ダンデライオン・チョコレート	チョコレート製造・販売
	リーブス・コーヒー・アパートメント（LEAVES COFFEE APARTEMNT）	飲食
	蕪木	飲食
2017	ペリカンカフェ（ペリカン運営）	飲食
	リーディン・ライティン・ブックストア（Readin' Writin' BOOKSTORE）	独立系本屋
	菓子屋シノノメ	飲食
	Coffee Wrights 蔵前	飲食
2018	道具屋 nobori	生活用品・雑貨
	喫茶半月	飲食
	カーマイン（carmaine design factory）	革製品製造・販売
2019	茶室小雨	飲食
2020	文月	衣類洋品
	ウグイスビル	モノづくり系の店舗兼アトリエやギャラリー、事務所などが入居
2021	フローベルグ（Frobergue）	古本屋（海外絵本専門）販売
	エシカル・スピリッツ	飲食
	Kako（家香）OSAJI	フレグランス・化粧品
	半月焙煎研究所	飲食
2022	コーヒーカウンター・ニシヤ（COFFEECOUNTER NISHIYA）	飲食
	シノノメ製パン所	飲食
	コーヒー・アンド・バー・ジーニー（COFFE & BRA gg GENIE）	飲食
	onten（オンテン）	商品の展示・販売及びアート印刷体験
	Auba Jaconelli（アウバ・ジャッコネッリ）	衣類洋品

（出典：著者作成）
注：本書取り上げた専門店を中心に記載。この他にも新規参入した店舗は多数存在する。

るものづくり文化の空間という文化装置を通して蔵前を見ているのだろう。したがって、モノづくり文化が文化装置となり、賑わいを創出しているといえる。

2 モノづくり文化のアップデートと蔵前の再生

(1) なぜクリエーターは蔵前を選んだのか?——点から面へ

蔵前がものづくり文化を継承する街として、再生する早期の段階では、日本橋や馬喰町といった東京東部での古い建物をアートスペースなどに利活用する試みが始められたことや、台東区によるものづくり支援政策の一つとして、蔵前にデザビレを開校し、若手のデザイナーやモノづくりに関わる若手育成を支援し始めたことがまずは関連する動きとしてあった。

その後、先述のように、出版社のアノニマやデザビレの卒業生たちの一部、カキモリが蔵前に店や事務所を構え始めたことから、現在の蔵前のモノづくり文化の街としての再生の物語が始まった。勿論、それ以前から、藝大が近いこともあり、デザイン系や写真、広告などの事務所は立地していたが、大きな動きや流れを作り出したという意味において、本章で取り上げたモノづくり系企業の動きが現在の蔵前への変容に影響を及ぼしたといえる。[2] その後、2012年頃からモノづくり関連企業の小売店が続々と出店することによって、蔵前の様相が変容し始めた。

こうした新たなモノづくり関連の企業が蔵前に集積した背景には、モノづくり系の材料や製造の職人企業が立地していることと、浅草や馬喰町・日本橋の間にあるにもかかわらず、蔵前だけがエアーポケットのようになっており、家賃が安かったことが挙げられる。これらは大きな要因になっていた。

加えて、特筆すべき重要な点は、これらのモノづくり系の企業が蔵前という土地に根付いていることである。その主な要因として挙げられるのは、まず、元々の蔵前のモノづくり企業が、新規参入者を快く受け入れ、ビジネスに協力してくれたことである。ローカルの人たちは、新しいモノ好きで、興味・関心をもってくれるという。

次に、強制的ではない、自由なゆるい繋がりが元々のモノづくり企業の人たちやクリエーターの人たちの間であったことが挙げられる。こうした蔵前の気質という文化基盤が、人や情報が集まる機会を作り、自発的なイベントの開催や困った時には助言してくれる仲間がいることで安心感のある空間にもなっていることが挙げられる。そして、元々蔵前に立地していたローカルのモノづくり企業とともに蔵前を盛り上げていきたいと思っている企業が存在している。こうしたことが、蔵前の再生に大きく影響を及ぼしているといえるだろう。

こうした環境が、早期の段階において、モノづくり文化を通じた蔵前のローカル企業や新たな企業とのゆるい繋がりが生まれ、その結果として、クリエイティブなアイデアや製品・イベント（コト）を生み出していた。それぞれの企業が個性を出しつつ切磋琢磨し合いながら、モノづくり文化をアップデートし、継承していったといえる。実際に、そうしたことも互いに話をして、認識しているという。こうしたモノづくり企業が蔵前の路地裏に点として分散し、それが面とな

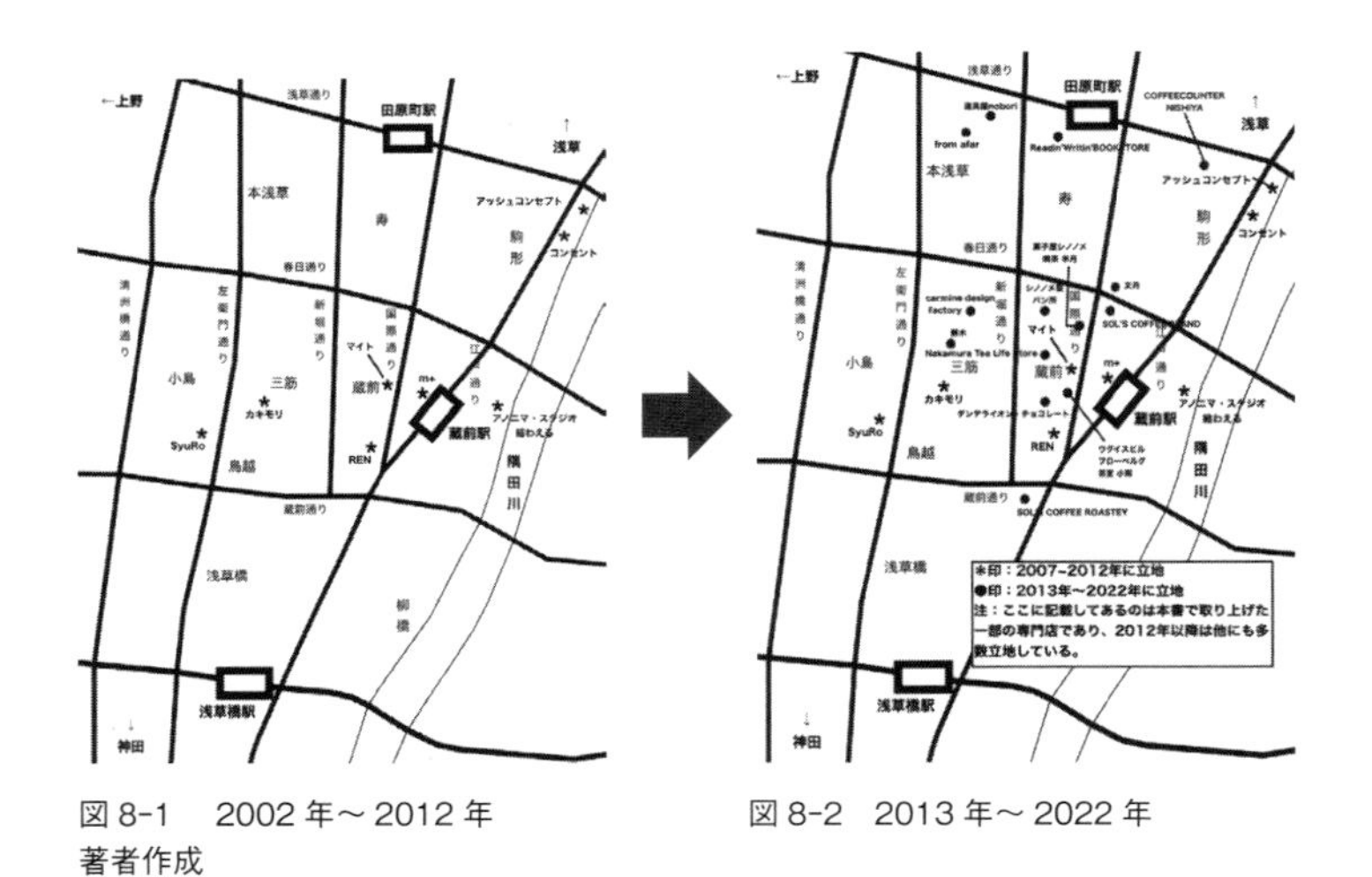

図 8-1　2002 年～ 2012 年
著者作成

図 8-2　2013 年～ 2022 年

ることで、蔵前のモノづくり文化がアップデートされ、現在の蔵前文化として醸成されてきた。

こうした過程を経て、モノづくり文化を基盤とした洗練された街へと変容していったのである。それを表したのが図8－1と図8－2である。図8－1は2012（平成24）年までに立地していた本書で取り上げたモノづくり関連の企業で、図8－2は、本書で取り上げた2013（平成25）年以降に立地した企業である。本書で取り上げた企業は、先述のように、蔵前に立地しているすべての企業や店舗ではないが、これらを比べてみても、店舗数が増加しているだけではなく、面として広がっていることがわかるだろう。

（2）モノづくり文化の醸成による正の外部性

2013（平成25）年以降になると、先述の通り、モノづくり関連の企業だけではなく、飲食店をはじめとした異業種の専門店が新規出店し始める。これらの専門はそれぞれこだわりを持つ店が多く、蔵前でしか体験できない店がほとんどである。こうした店が蔵前に立地した背景には、共通して、相対的に都心の西側と比べて家賃が安いことや浅草に近く、人の回遊性があるという経営的な理由が挙げられる。本書で取り上げた２０１３（平成25）年から２０１６（平成28）年に創業した一部の企業は、先述のモノづくり関連の企業との繋がりがあり、同様に、それが蔵前の魅力と感じていた。

また、醸成されたモノづくり文化の正の外部性も確認できたといえる。それは、こだわりのある専門店は、職人気質の土壌であることが理由で蔵前に立地する理由として挙げていた。また、蔵前に偶然に立地した専門店も、結果として、こうしたモノづくり文化で個性ある専門店が犇(ひし)めくエリアで、その一員であることが利点となっていると感じていた。

２０１３（平成25）年以降に立地したこうした専門店は、昔のままの古い倉庫やビルをリノベーションして利活用しているところがほとんどである。こうした動向がさらに蔵前のモノづくり文化としての街の風景を醸成し、専門店やクリエーターだけではなく、そこに魅力を感じる若者を中心とした来訪者を惹きつけているのである。

3　路地裏でアップデートされるモノづくり文化

このような蔵前のモノづくり文化の醸成の要素となっている専門店のほとんどは路地裏であっ

た。その背景には、先述の家賃が安かったことやものづくり企業が近隣に立地していることが、大きな理由として挙げられていたが、それだけが理由ではなかった。特に、早期に立地していたものづくり系企業の一部は、メジャーなモノや消費文化に対するカウンターカルチャー的な考え方やモノづくり企業や職人及びデザイナーに対する尊敬があったといえる。

その背景には、蔵前のモノづくり企業が皆の眼にふれる雑貨などの文化製品を制作していることが多いが、職人やデザイナーは全面に出てこないため、作り手の思いは消費者に届きにくいことが挙げられる。実際に、材料の購入や製造・制作の依頼は東京東部で行い、アトリエや小売店舗は東京西部に持つ企業も多い。そうしたことに疑問を感じるクリエーターや職人の技術に対するリスペクトのあるクリエーターたちが、ものづくり文化の根付いていた蔵前の路地裏で、元々のモノづくり企業と共に、互いに尊敬しあい、時に助け合いながら、モノづくりを始めたのである。そうしたことが、モノづくり文化をアップデートする基盤となり、蔵前のモノづくり文化を醸成させていくきっかけとなったといえる。

そして、そうした場所のほとんどが路地裏に分散して立地していた。メジャーな文化はメジャーな場所で生まれる一方で、カウンターカルチャーはメジャーではない路地裏などのような場所から生まれる。そのため、ストリート・カルチャーといわれる文化はストリート（路地裏）から生まれるのである。ラップやポップミュージックなどの音楽もスケートボードも、日本の原宿文化などのポップカルチャーやサブ・カルチャーもそうであったように、蔵前で生まれている新たなモノづくり文化も、そうした文化と同様なプロセスで生まれてきたといえる。

そうした路地裏では、蔵前の元々のモノづくり文化を担ってきた職人と新たに流入してきたクリエーターたちとが関連づく（交流する）ことで、新たな蔵前のモノづくり文化としてアップデートされていったのである。そのプロセスには、蔵前に広範に点在していたクリエーターや企業が、繋がりを持つことや点在する点が増えることで、面として機能し、さらにモノづくり文化の基盤をより強固にしたといえる。なぜなら、モノづくり系企業が集積していることだけが、蔵前を再生させたのではなく、そこには、先に触れたように、ローカルの人を含めた様々な人々が出会い、交流が生じていたからである。

蔵前には、そうした「サロン」的機能のある社交場が点在し、そこでのゆるい繋がりが重層的に存在していたことが挙げられる。そのことが、点を面として機能させ、それまで続いてきたモノづくり文化をアップデートする大きなエネルギーとして波及したのだろう。それによって、新たなモノづくり系企業のクリエーターたちは、コミュニティの一員としての自覚が芽生えたり、安心してビジネスを遂行したりすることができ、居心地の良い環境がそうした新規参入企業を蔵前に根付かせることにつながり、蔵前のものづくり文化だけではなく、経済自体を担う重要なプレイヤーの一員になっているのである。

一つ一つのモノづくりに関連する企業が互いにゆるく繋がり、さらに、それぞれの専門店でも客と客、客とモノづくりに関連している人々が交流する場となっていた。たとえば、シュロやカキモリ、カーマインなどは、路地裏にあり、周辺は住宅などしかない、何もない場所に立地しているが、そうした場所をあえて選んでいた。それは、そこにわざわざ探して来てくれる人たちを大切にしたいという思いがあるためである。

このような空間では、来訪者が直接、企画や製作した人との交流が可能であり、モノづくり文化を通じたコミュニケーションとも捉えられるだろう。また、こうしたスペースは時に、交流できるイベントスペースなどにも利用され、さらなる活発な交流が可能である。実際に、アッシュ・コンセプトなどは定期的にトーク・イベントを開催し、アクタスなどの関係者を招き、普段では聞くことのできない貴重な話を聞くセッションなども催されていた[3]。

同様に、モノづくり企業同士でのゆるい繋がりの中で始まったモノづくりのイベントも、クリエーター同士、クリエーターと消費者、間接的ではあるが職人と消費者が交流できるサロンの一つとして機能している。先述の２０１０（平成22）年から２０１２（平成24）年まで開催されていた「スピーク・イースト」も、クリエーターの一人が発案し、蔵前のモノづくり企業の仲間と始めたものであった。こうしたイベントは、他の「蔵前展」などのクリエーター発のイベント誘発にもつながっていたといえよう。蔵前の気の合う仲間などでイベントを自由に開催し、楽しんでモノづくりやその情報発信を行っていた。そして、そこにも職人の思いを届ける使命や思いが詰まっている。

その背景には、日常的に、地元の職人と新たなクリエーターたちがインフォーマルな場で交流を重ねていたことが挙げられる。それは強制力のあるものではなく、自由意思の下での交流であり、そこで様々な情報が交わされていた。そのため、特に早期に蔵前に立地した新たなクリエーター企業は、「個々の専門店や企業はそれぞれ頑張り、蔵前を盛り上げていく」という共通認識を持っていた。ここには、それぞれの企業が自律性を持ちつつ、頼れる仲間もしくはモノづくりコミュニティの一員として存在していることが表れているだろう。

こうした異業種の交流から、新たなアイデアや面白いコトが地域の人から生まれ続け、本当の意味でのクリエイティブな空間になっていく。こうしたエネルギーは個々のモノづくり企業が集積していただけではなく、モノづくり文化という基盤を通じたゆるい繋がりによる交流から生まれたものである。そして、そこには、路地裏から生まれたカウンターカルチャーとして、新たなモノづくり文化がアップデートされてきたのである。

つまり、クリエイティブなコトやモノ（商品）が路地裏で生まれているのが、現在の蔵前のものづくりコミュニティなのである。そのコミュニティでは、新旧の職人気質を持ったクリエーターや職人たちの柔軟な連携がある。彼らが、モノづくり文化を介してコミュニケーションを取り合っていることが、歴史ある蔵前のモノづくりを継承し、それをアップデートすることが出来ているのである。

これまではなかった新進気鋭のクリエーターと長く蔵前でモノづくりをしてきたローカルの職人との交流が、蔵前に新しい風を吹き込み、クリエーターたちが新たな街の一員として歴史のある文化的な雰囲気や街を共に形成しているのである。それが正の外部性を生み出し、さらに新たな専門店や来訪者を呼び込み、点が増え、それが面として、街に活気を与え、賑わいを創出していた。そうした地域の歴史や文化を受け継ぎながら伝統と新しさとを交差させ、洗練された文化的な街へと変容してきた。

したがって、蔵前の再生には、蔵前の人たちが受け継いできたモノづくり文化を新たな人たちと共に継承し、モノづくり文化の基盤をアップデートすることによって、実現してきたといえる。それはモノづくりに限らず、飲食店においてもそうした気質を持った人たちが初期に集積したことが、大きくこの地域の方向性を形づけたといえるだろう。それが、文化的な街の新たなイメージを形成している。まさにそうした風土や文化が現在の蔵前の基盤となり、新旧の文化的な香りを感じられる川沿いのまち・蔵前の魅力は、そうしたところから生まれ変わったといえる。

終章でも触れているが、クリエイティブな空間形成に関連する研究においても、地域経済学者のアナリー・サクセニアン氏は、「開放的な風土」や「水平的なネットワーク」が「アイデアの発見」や「自由なコミュニケーションを促す」とし、それが地域経済やある特定の産業の発展に繋がるとすでに分析・実証している。

蔵前の再生過程にも、そうした要素が確認できたといえよう。

註

（1）2022年4月時点

（2）ここで取り上げ切れていないクリエーターやデザビレ卒業生一期生なども、この動きの原動力の一部である。

（3）コロナ禍中は休止。

第三部

浅草——民衆による文化創造の街

第9章　浅草における文化的求心力

――なぜ浅草には人が集まるのか

1　浅草の象徴・浅草寺

歴史を感じられる街は色々あるが、江戸期からの風情や歴史、有形・無形の文化、人びとの気質などが現在に継承されている代表的な街の一つは浅草だろう。今日まで、浅草は、参詣、行楽、歓楽、エンターテインメントなどを楽しむ場所として、人を惹きつけている。

特に、江戸期には、浅草寺はもとより、遊廓や歌舞伎の三座が集積していた芝居街、寄席、花街などの遊芸地区として、近代化の変遷においても当時最先端の映画館や劇場など多くの芸能・文化が集積する地区であった。それらの一部は、浅草の人びとによって現在も継承され、今日の浅草文化を構築している。こうした歴史的街並みや文化的な風情や人情が、今日でも国内外の人

浅草寺　宝蔵門（出典：宗教法人 浅草寺）

びとを魅了しているのである。第三部では、そうした浅草の盛衰を文化創造の側面から見ていくことにしよう。

(1) 浅草における外国人観光客の動向

浅草は、今も昔も人気観光地の一つである。そんな浅草は台東区に属しており、浅草の他に上野や谷中などの観光地を有する地域である。近年では、日本のインバウンド振興とともに、外国人観光客も増加し、２０１９（令和元）年のコロナ以前までの観光客数は、台東区全体においても増加傾向にあった。

実際に、台東区の２０１８（平成30）年度の観光客数は約５、６００万人に達し、そのうちの約17％は外国人観光客が占めるようになっていった（図９‐１参照）。２００８年度における台東区の外国人観光客数は１９１万であった

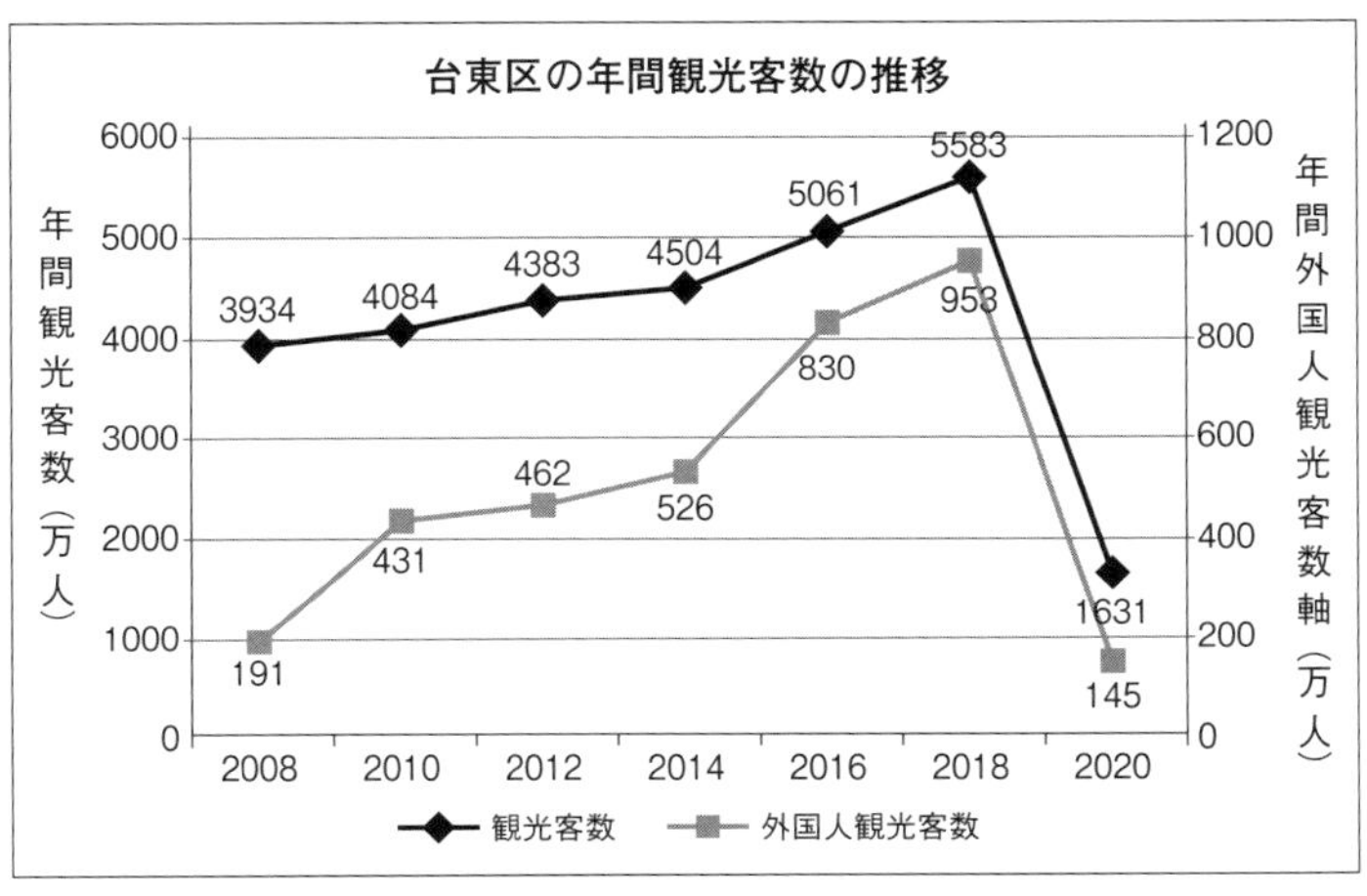

図 9-1　台東区の年間観光客数の推移（2018 年）
（出典：『台東区観光統計分析』令和２年度）

が、２０１８年には約５倍の９５３万人にまでに増加している。その中でも、中国・台湾・香港・韓国の東アジア諸国からの観光客が全体の40％以上を占め、次いで、欧州からが20％以上、東南アジアが14％、北米が11％を占めていた。

　その中でも浅草は外国人観光客の訪問地として、東京23区内の中でも相対的に人気が高い傾向がこれまで続いている。２００７（平成19）年度に東京都が行った『平成19年度東京都観光客数等実態調査概要』(1)によると、最も満足した東京23区内の地域は、新宿と答えた割合が最も多く、全体の約19％を占め、次いで、銀座が10・4％、渋谷が6・9％、お台場が5・1％、原宿が4・5％、秋葉原が4・1％、そして、浅草が3・9％であった（表9−1参照）。浅草は全体では6位となっていたが、欧米諸国からの観光客の満足においては、3位の銀座よりも上位の2位に位置していた。

同様な2013(平成25)年度の調査では、2007年度と比較して、順位を上げた。具体的には、実際に訪問した場所で最も多かったのは、新宿・大久保で全体の55・6%を占め、次いで、銀座48・4%、浅草が47・3%であった。期待していた場所として一番回答の多かったのが、新宿・新大久保で全体の13・2%を占め、次いで、銀座が13%、浅草が11・3%という結果であった。また、最も満足した場所は、新宿・大久保で全体の約13・8%を占め、次いで、浅草が12・7%、銀座が12・5%となり、近年の浅草はどの項目においても、上位を占めるようになっていることが示されている。その中で、浅草で行った活動で最も多かった回答は、「歴史的・伝統的な景観、寺・神社、日本庭園」が全体の64・8%(複数回答)を占めていた。

2019(令和元)年度の調査では、実際に訪問した場所の順位は、2013年度と同様で、その割合も大差がなかった。一方で、一番期待していた場所では順位に変化があり、最も多いのは、銀座(11・1%)で変わりはないが、次いで多かったのが秋葉原となり、次いで、新宿・大久保の順で、浅草が上位3位から姿を消したが、満足した場所では3位に入っており、銀座(11・5%)が最も多く、次いで、新宿・大久保(10・7%)、そして浅草(9・5%)であった。実際に行った活動・行動についても2013年と同様であり、浅草を訪れた人の約70%が寺社仏閣や歴史的な景観を観光していた。

したがって、浅草の歴史的な景観は外国人観光客を惹きつけているといえよう。実際に、浅草

	訪れた場所 (%)		一番期待していた場所 (%)		一番満足した場所 (%)[1]	
2007					新宿	19.1
					銀座	10.4
					渋谷	6.9
2008					新宿	16.9
					浅草	10.1
					銀座	7.5
2013	新宿・大久保	55.6	新宿・大久保	13.2	新宿・大久保	13.8
	銀座	48.8	銀座	13.0	浅草	12.7
	浅草	47.3	浅草	11.3	銀座	12.5
2018	新宿・大久保	55.4	銀座	11.1	銀座	11.5
	銀座	48.9	秋葉原	10.6	新宿・大久保	10.7
	浅草	45.0	新宿・大久保	10.0	浅草	9.5

表 9-1　外国人観光客の訪問場所等ランキング（%）

（出典：東京都都『平成 19 年度東京と観光客数等実態調査概要』、『平成 20 年度東京と観光客数等実態調査概要』、『平成 25 年度国別外国人行動特性調査』、『平成 30 年度国別外国人行動特性調査』 から著者作成）

は、満足した場所として、期待したより良かったということが示されている。

(2) 国内外からの浅草への訪問目的

浅草は、旧所や名所などを目的として、国内外の人たちが多く訪れる場所となっており、上野周辺は美術館や博物館が多く、それらを目的に訪問する人が多い傾向にある。まだインバウンド観光が現在ほど盛況でなかった２００８（平成20）年度の台東区のアンケート調査からもそれが示されている。浅草地区への来訪目的（複数回答）は、観光と寺社への参拝が上位となっており（図９‒２参照）、活動目的も、寺社参拝（複数回答）が全体の88％以上、次いで、食事、買物、散策が続いており、これらも70％以上を占めていた（図９‒３参照）。

これは現在もかかわらず、２０１８（平成30）年度の台東区のアンケート調査結果においても、台東区に観光目的の中で、最も高い割合を占めていたのが、名所・旧所巡りであった（図９－４参照）。名所・旧所を巡りと回答した人の中で、浅草寺を目的地としている訪問者が全体の約78％を占めており、最も多かった（表９－２参照）。実際に、浅草寺の寺伝によると、コロナ以前には年間約３０００万人の人が訪れていた。

これらのデータからも、浅草寺などの歴史文化が浅草の魅力となっており、特に浅草寺が人びとを惹きつけていることが示されている。浅草寺の歴史的・文化的威光が浅草の現在の街の雰囲気を一気に江戸やレトロな場所に引き込んでくれる大きな引力となっているであろう。今日の浅草寺は、宗教的な場所であることはもとより、浅草文化の象徴といえる場所なのである。

こうした結果からも、現代において、国内外の人びとを浅草に惹きつけているのは、江戸が香る景観や雰囲気、そして、そこに現存する浅草の象徴である浅草寺などの寺社仏閣や仲見世など文化的・歴史的な景観や雰囲気であるといえる。

２　過去・現在・未来との繋がり――歴史・文化になぜ人は惹かれるのか

歴史文化を継承してきた浅草に、なぜ人は惹き付けられるのか。現代社会に生きる私たちはなぜ歴史文化が味わえる街やレトロな雰囲気に惹かれるのか。

時空を超えて存在している有形・無形の歴史文化に触れられることは、歴史の中で自分が繋

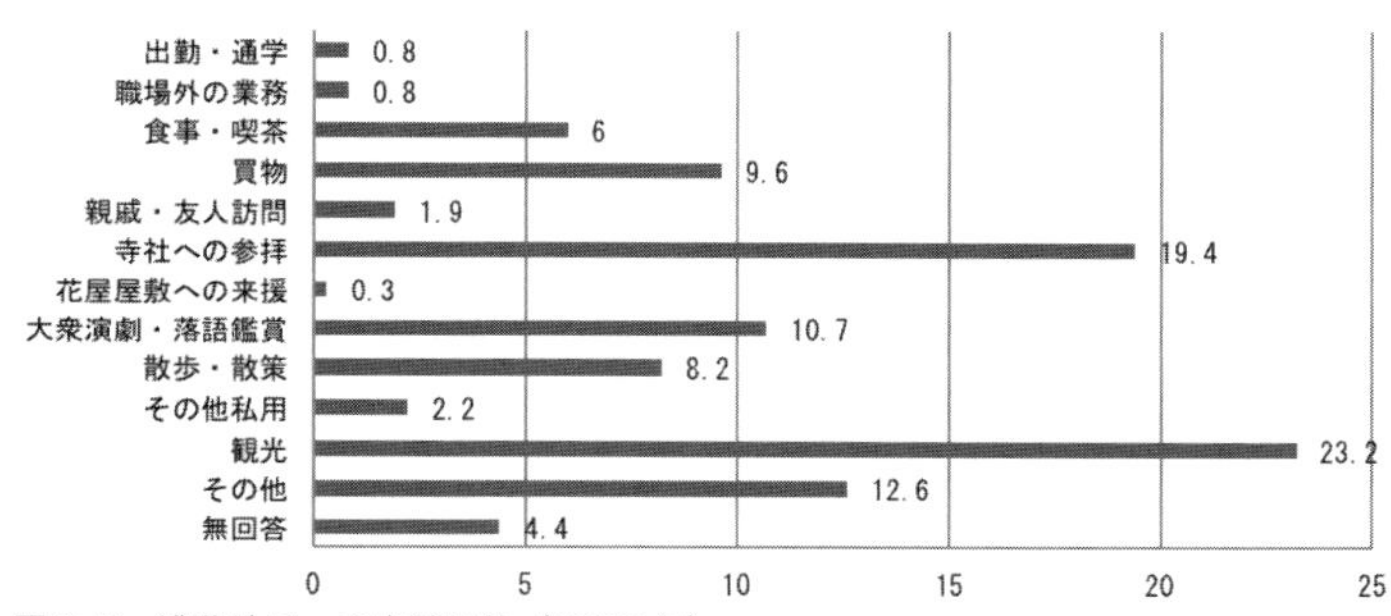

図 9-2　浅草地区への来訪目的（2008 年）
出典：『平成 20 年　台東区観光統計・マーケティング調査報告書』

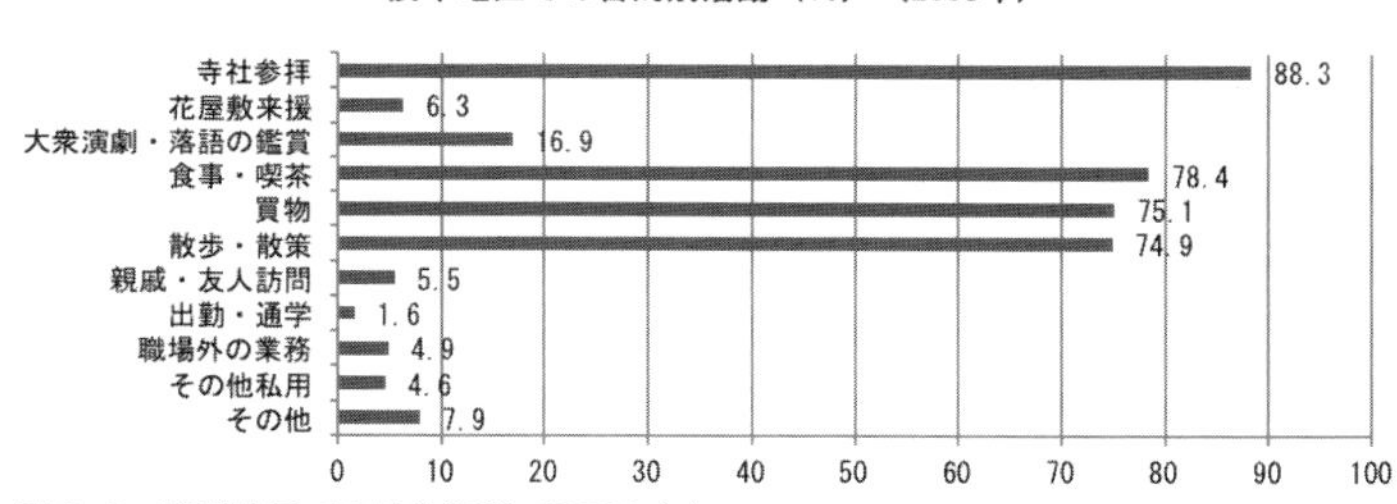

図 9-3　浅草地区での目的活動（2008 年）
出典：『平成 20 年　台東区観光統計・マーケティング調査報告書』

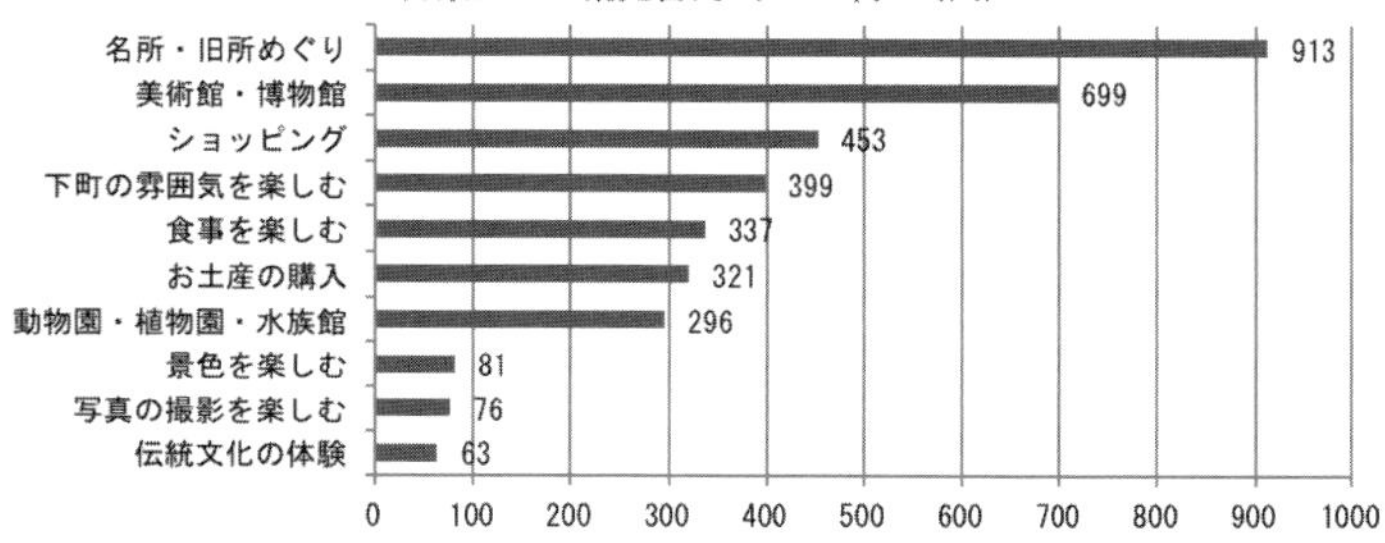

図 9-4　台東区への観光目的（2018 年）
出典：『平成 30 年度 台東区観光統計・マーケティング調査報告書』より著者作成

目的１位		名所・旧跡めぐり	
目的地	1	浅草寺（雷門）	740
	2	谷中銀座商店街	34
	3	清水観音堂	30
	4	その他谷中エリア	28
	5	台東区朝倉彫塑館	25
	6	仲見世商店街	18
	7	その他上野エリア	13
	8	東京都恩賜上野動物園	10
	9	国立西洋美術館	8
	10	谷中霊園	7
合計			913

表9-2　台東区の名所・旧所めぐりの目的地ランキング（2018年）（人）
（出典：『平成30年度　台東区観光統計・マーケティング調査報告書』）

がっている、またはその歴史の一部の中で生きていることを認識できるだろう。そのことは、当時のことを体験できることでもあり、様々な想像を駆り立てるといえる。つまり、浅草はそうした体験ができる場所の一つという訳だ。

実際に、観光に訪れている若い人たちが着物や浴衣をレンタルし、街を闊歩している姿をよく見かける。大学生に浅草の魅力を尋ねると、レンタル着物を挙げる人が多く、若い世代にも認知度が高いことが覗える。コロナ渦中でさえも和装の若者たちが歩いている光景が普通にみられたのは魅力のあるコンテンツであるということだろう。これにも示されているように、新旧混在した浅草の街で昔の雰囲気を味わえるのが昨今の浅草人気につながっている一つの要因といえよう。

そうした歴史的なモノやコトを体験できるのが、浅草寺や江戸以降の食文化であろう。例えば、歴史的な食文化を体験できるところであれば、1801年に創業された泥鰌鍋の店・駒形どぜう、江戸銘菓の「雷おこし」や現代に合わせた「ブラックサンダー」が人気の常盤堂、1837（天保8）年創業で日本最古といわれる天ぷら屋・三定、1800年代前半に創業されたといわれる鰻駒形前川、1854（安政元）年創業の栗ぜんざいが有名な甘味処・梅園、1880（明治13）年創業の「デンキブラン」と洋食が味わえる神谷バーなどがあり、他にも数多く歴史的な飲食店が浅草には現存している。実際に、食文化は人々を惹きつけ、訪問先での楽しみの重要な要素の一つになっている。先述の『東京都観光客数等実態調査概要』や『台東区観光統計・マーケティング調査報告書』でも、食事は高い割合で活動目的や楽しみの一つになっていることが示されていたことからも明らかである。

加えて、浅草は現在においてもコンテンツの舞台となることが多い。それは長い歴史の中で象徴的な場や建物があった、または現存しているからであろう。そうした随筆、小説やマンガ、アニメ・映画などの様々なコンテンツを通じて、これまでとは異なる想像が駆り立てられることで、自分だけの小さな楽しみを得ることもできる場所の一つでもある。

たとえば、コロナ渦中にもかかわらず、当時の邦画の興行収入の歴代1位となった『鬼滅の刃』でも、テレビアニメ版の第7回や第8回放送回では凌雲閣などが描かれており、大正時代の浅草が舞台になっていることがわかる。その中で、主人公の竈門炭治郎は、夜でも明るく多くの人が行き交い、賑わっている浅草の発展ぶりに驚きつつも、人の多さに疲れ果てるシーンが描か

浅草寺 雷門（風雷神門）（出典：宗教法人 浅草寺）

雷門の「提灯の底に施されている龍の彫刻」（出典：宗教法人 浅草寺）

仲見世（出典：宗教法人 浅草寺）

れている。

　また、『鬼滅の刃』の劇場版では、炎柱の煉獄杏寿郎というキャラクターが物語の主要な人物として登場している。彼の実家は物語の中では現在の東京都世田谷区とされているが、もし煉獄杏寿郎が当時の浅草に行ったことがあるとしたら、浅草文化や美味しいものを堪能したのだろうか、何を食べただろうかと想像をする。これを連想したのには、煉獄杏寿郎が蒸気機関車（無限列車）の中で牛鍋弁当をおいしそうに「うまい、うまい」といって10個以上も食べているシーンが劇場版ではとても印象的だったことが挙げられる。

　劇中で、煉獄杏寿郎は闘って亡くなってしまうのだが、彼の台詞は多くの人の心に触れる感動のシーンでもあったため没入した人も、多くいたのではないだろうか。現実社会でも、大正当時、浅草行きの電車もすでに開通しており、江戸時代から今日まで続く歴史や文化、老舗の食事処がそのまま現存しているため、上述のような連想につながった。同時に、ぜひ煉獄杏寿郎には浅草を堪能し、楽しい時間を過ごした時間があって欲しいと彼の生き様や人生観を様々な台詞から感じられたのである。

同様に、ネットフリックスで放映された『浅草キッド』も邦画名の通り、昭和の浅草（六区）が舞台になっている。これは六区が輩出したビートたけしの自叙伝である『浅草キッド』を映像化したものである。こうした作品が生まれるのも、浅草が元々芸能文化の発信地だったことが深く関係している。そうした過去の文化基盤が現在へと再生され、語られることで、当時の浅草文化に触れることができるのである。

こうしたマンガやアニメ、小説、ドラマ、映画など様々なコンテンツはもとより、それ以前の江戸期の歌舞伎や近代の永井荷風をはじめとした作品にも、当時の浅草の文化や賑わいが描かれ、浅草の魅力は時代を経ても語り続けられている。そして、それは、無形・有形の文化やそれを創造している地元の人びとを含めた文化基盤に依拠しているといえよう。

このように現存している歴史や文化やそれらが残る場所は、私たちにこうしたコンテンツを通しても様々な想像を膨らますことや貴重な体験を提供してくれる。つまり、浅草文化は、過去・現在・未来へと繋がっていることを実感させてくれる媒体でもある。それは、もしかしたら、実在する人物かもしれないし、コンテンツの中の架空の人物かもしれない。それらの人たちは現在には生きていなくとも、それに触れる当時の風景や建物がその町の文化として継承され残されている。それらを通じて、その当時の人やモノと同じ時を感じたり、体験したりすることができるのである。

東京にも、浅草だけではなく、他にもたくさんの地域ごとの歴史や文化が存在している。本書で取り上げている東京の下町といわれる地域も、それぞれ違った固有性があることに気づくだろう。地域に蓄積された文化やそうしたものを土台とした文化的な習慣や風土は、その地域の人を作り、その人たちがそれらを継承し、私たちに新たな発見や自分なりの楽しみ方を与えてくれ、当時の文化に触れさせてくれる貴重な資源として継承されているのである。

3 浅草復興から見た文化基盤の重要性

このように地域固有の文化は観光の要になっていることはもとより、私たちと過去を繋げてくれ、様々な体験や新たな想像を提供してくれるものであったが、それだけではない。なぜ文化が私たちにとって必要なものであるのかは、固有文化を共に継承し創造するためのコミュニティにおける文化的習慣や意識、結束、そしてシビックプライドの基盤となっているためである。つまり、そうした文化的な基盤は災害や何か課題が直面した際に復興や克服する原動力にもなる。

実際に、江戸時代から様々な文化に彩られ賑やかだった浅草界隈であるが、関東大震災（1923年）や東京大空襲（1945年）で大きく被災した地域の一つでもある。その際、浅草寺に続く仲見世や浅草界隈のほとんどの建物が崩壊したり、破壊されたりしてきたが、浅草寺に関しては、被災しつつも、観音堂への被害は他よりも少なく、人びとの避難所として復興の中心になった場所であったという。今も昔も、人びとが避難所や参詣、観光など様々な目的で人びとが集う場所として、歴史を目撃してきたのが浅草寺といえよう。

また、戦後最初に復興したのが、先述の浅草寺と六区や商店街であった。大空襲で商店街は全滅したという。そうした中で、六区が興行をし始め、詳しくは後述するが、1945（昭和20）年半ばには14の映画館が集客を始め、ひと月に約66万人もの人で賑わったという。浅草の遊芸地区である六区は人びとに一時の安らぎや憩いの場を提供し、恐怖や不安という日常から一時避難できる場所を提供していたといえる[2]。これは、江戸期の盛り場だった浅草と同様な機能を果たしていたと捉えられる。

そして、浅草花街も関東大震災の際に被災したが、すぐに復興している。戦争が始まる前の昭和初期以前までに、芸者数は約750名、置屋も約300軒、料理屋も37軒までに回復したといわれている。その後の太平洋戦争により、再び浅草界隈は大きく被害を受け、それまで浅草のシンボルだった凌雲閣も関東大震災で半壊したが、浅草花街は翌年には活動を再開している。当時の芸者数は40名ほどだったが、復興に向けていち早く動き出したのも花街であった。

現在、毎年約200万人が集まる浅草の一大イベントである三社祭（正式名称：浅草神社例大祭）にも、この頃から参加するようになり、今日の祭の奉納舞踏に繋がっている。近年は、お座敷遊びをする人が少なくなる中、芸者衆が自ら英語や中国語で「お座敷おどり」の演目を説明し、お座敷遊びを無料体験できるものを外国人観光客に提供する新たな試みも行われている。

　このように、浅草の歴史文化が現在まで続いているのは、浅草文化を担う地元の人びとがそれぞれの技や精神、そして誇りを持って受け継ぎつつ、困難に直面した際には、浅草文化を担う人びとが中心となり、イニシアティブを取って地域や文化の復興に取り組んでいることが挙げられよう。そこには同じ地域文化を基盤としたコミュニティとしてのアイデンティティやシビックプライドがあり、それが復興する際の基盤となっているのだ。そのため、地域復興に文化基盤が重要な役割を果たすのである。そして、それは、普段の生活において蓄積されているものである。

　そこで、浅草がどのように創造的に文化的な街を形成し、盛衰を経験しつつも、現在の賑わいのある浅草を形成してきたかについて、見ていくことにしよう。

註
（1）2007年及び2008年の選択肢（銀座、丸の内（皇居・東京駅周辺）、日本橋、赤坂、六本木／麻布、新宿、青山、渋谷、上野、浅草、お台場、汐留、品川、秋葉原、両国、池袋、その他）。2013年及び2018年の選択肢（銀座、東京駅周辺・丸の内・日本橋、六本木・赤坂、新宿・大久保、原宿・表参道・青山、渋谷、上野、浅草、お台場・東京湾、新橋・汐留、品川、秋葉原、墨田・両国、池袋、秋葉原、築地、恵比寿・代官山、吉祥寺・三鷹、八王子・高尾山、伊豆諸島・小笠原諸島、その他）
（2）森田新太郎（1997）『浅草繁栄の道』浅草観光連盟 p.22–23

第10章　浅草の盛衰からみた文化創造のパワー
——どのように今日の人気観光地・浅草になったのか

1　浅草の人びとと浅草寺——民衆文化が根付いた街だった

浅草寺は、約1400年以上の歴史を持つ寺院で、奈良時代にはすでに建立されており、浅草には、寺を建造する高い技術や信仰を開く文化があったという[1]。こうした文化的な地域であったことは、鎌倉時代に源頼朝が鎌倉の鶴岡八幡宮を建立する際に浅草の大工を呼んで造らせていることからも、浅草には、当時から宮大工のような技術の高い職人がいたことが示されている。その後の北条全盛期の際も浅草は、楽市が開催されている場所の一つにもなっていた。この時には、すでに、浅草村から浅草町へと改名されており、コミュニティが街として発展していたことがわかる[2]。

『台東区史Ⅰ』によると、浅草寺建立の由来が事実かどうかははっきりしないが、『浅草寺縁起』には、漁師だった兄弟とその世話役の三名が深く関係していることが記されているという。628年に、檜前浜成・竹成という兄弟が現在の隅田川で漁をしていた際に、観世音菩薩像が網にかかり、兄弟は主人の土師中知(はじなかとも)と相談し、その屋敷内に草庵を建て、そこに祀った[3]。これが浅草寺の創立の由来であるとされ、無名の一般市民から始まり、民衆へと信仰が広がったといわれている。

この由来の信ぴょう性はどのぐらいのものかは計りかねるが、これがもしそうであるならば、浅草寺は、ローカルの人たち（民衆）によって建立され、民衆によって信仰されて今日にいたっているといえる。また、この話が作られたものだったとしても、こうした物語（ストーリー）があること自体が民衆による浅草文化の創造を体現しているといえるだろう。つまり、地域の人びとが自分たちで地域文化を開発・開拓し、それを基盤として発展してきたといえる。

実際に、浅草寺の創立の三名は、浅草寺の本堂東側に立地する浅草神社（三社権現）の主祭神とされ、1312（正和元）年から今日までそれを祭る三社祭が行われている[4]。元々は、観音様を引きあげた3月17日と18日に行われていたが、現在は5月の下旬に行われるようになっている。三社祭は、浅草神社に神として、一般の人が祀られ、それを一般の人たちが今日まで継承している、700年以上も続く、歴史ある礼祭である。

また、浅草寺の27世貫首・清水谷孝尚によると、享保期に江戸幕府の財政がひっ迫し、寺社への助成金がほとんどなかった際にも、人びとによって浅草寺は存続されたという。当時、浅草寺では10万人講[5]というものが作られ、それを構成していたのは大名だけではなく、多くが一般市民であり、浅草寺の修理費の半分以上である約２５００両が講によって賄われたといわれる[6]。つまり、多くの一般の人たちによって、支えられ、これまでの繁栄を維持していたのである。

したがって、浅草寺は、浅草ローカルの民衆によって開かれ、民衆によって信仰され、鎮守の祭（三社祭）を地域の人びとが絶えず継承してきた。このことは、浅草の人びとが自分たちで開拓してきた、そして昔から文化の香りある誇り高き地域であるという浅草の江戸っ子としてのシビックプライドを醸成させる文化基盤にもなっているのだろう[7]。そして、それは、浅草寺や三社祭という民衆信仰の場が、地元住民が集まって話す文化サロンの場として、機能し、浅草文化の基盤を構築し、これまで継承・蓄積してきたといえる。

このように、浅草寺の創立から浅草を見ると、浅草という街の発展は浅草寺が大きな役割を果たしており、それは、地元の3名から始まったものであった。それが地域の人びとに信仰として広まり、その後、様々な外部要因からの影響も少なからずあっただろうが、広く浅草以外からの参拝者によって賑わいが齎されたといえる。

同じ台東区にある上野の寛永寺が徳川将軍家の菩提寺である一方で、浅草寺は一般市民が開いた民間信仰の寺社としてスタートしている。浅草の文化が地元の人たちによって創られ、振興され、繁栄し、それがこれまで継承されてきたことを示しているといえる。このことは、少なからず、浅草の人びとにとっては、浅草という地域をこれまで継承し、形成してきたという自負やプライド、そして愛着を確認できる媒体でもあり象徴でもあるだろう。これが、地元の文化を創り、支えてきた。そして、それは、今も垣間見られる下町の精神や粋といった江戸っ子のプライドを持つ人びとの文化基盤となっているのであろう。

2 江戸期から大衆に人気の参拝スポット

浅草では、浅草寺を中心としたコミュニティがすでに江戸期以前の奈良や平安時代に形成されており、宮大工のような技術のある大工が存在する集落だった。その後、室町時代から安土桃山時代にかけて、名だたる武将たちが浅草寺を祈願所としたため、全国に知れ渡るようになった。そのため、徳川家康が江戸に入った1590年頃には、すでに門前町として街を形成し、賑わっていた。江戸期には「江戸三十三札所」が作られ、その一番札所が浅草寺になっていた[8]。幕府の祈願所となると、江戸以外からも多くの人が訪れ、賑わうようになったのである。

江戸期は、巡礼や湯治といった目的の旅が一般庶民にも許され、多くの人びとが伊勢神宮などをはじめとした全国の寺社仏閣へ巡礼をし、そのついでの買物や食事などの観光を楽しむようになっていた。実際に、幕府の祈願所となった頃の浅草は、江戸市中に編入されていなかったにもかかわらず、浅草寺界隈にはすでに恒常的に多くの人で賑わっていた。それに伴い、浅草寺門前には、町屋（町家の集合体）が建設され、多くの商人が住むようになったのである。

その後、江戸が都市として社会経済的にも発展するにつれて、都市部の範囲も拡大し、承応の頃には、浅草も江戸市中に編入されることになる。当時、江戸市中では火災が多く発生していたため、明暦の大火以後は多く寺院が江戸の周縁部であった浅草に移転してきた。『台東区史Ⅰ下巻』によると、明暦1657（明暦3）年には69もの寺院が浅草へ移転し、その半数が神田や八丁堀などの江戸の中心部からであったという。また、各寺院の信仰者・参拝者やそれに付随する店や宿も一緒に門前町ごと移転してきたため、浅草は寺町としても町人の街としてもさらに隆盛していったのである。(9)実際に、1732年に発行されていた『江戸砂子』という地域誌には、浅草寺雷門に続く仲見世(10)が17世紀初頭に現れたことが記されている。(11)

元禄期になると、浅草寺界隈は盛り場の一つになっていた（図10-1参照）。盛り場とは、毎日のように何万・何十万人と集まる場所のことである。(12)日本最初の盛り場は18世紀中ごろ以降の隅田川を含む両国界隈であり、18世から19世紀初頭においては、浅草寺界隈や上野などが盛り場とされている。(13)その盛り場は、浅草寺境内から発展していた。

その背景には、境内に、稲荷や七福神、不動尊などの神仏を信仰する霊場スポットだけではなく、小芝居や曲ごまなどを披露する芸人や水茶屋などの軽食を取れる場所があり、歓楽スポットとなっていたことが挙げられる。また、この頃になると、表参道には、現在の仲見世のように、床店がならんでいたという。(14)

実際に、江戸期の参勤交代で江戸に単身赴任していた武士たちが記したものには、勤務日が少

図10-1 「東都名所 浅草金龍山年之市群衆」(江戸期:1815(文化12)～1842(天保13)年頃)
(出典：台東区立図書館デジタルアーカイブ)
注：毎年開催されていた「歳の市」に群衆で賑わう様子

ないため、江戸各地の名所などを日々訪れている様子が書かれている。その中に、浅草観音や蔵前などを歩き、餅や団子、すしなどを立ち食いして、楽しんでいた様子が書かれている。文化・文政期のころには、武士だけではなく、女性も行楽や歓楽を楽しむようになっていたそうだ[15]。

したがって、浅草寺は民衆信仰の場所であったことが、歓楽や観光のスポットとしても発展していったといえよう。特に、身分制度などがあった江戸期においては、身分に関係なく、一般の市民が息抜きでき、楽しめる空間の一つが浅草であったといえる。こうした人が集まる空間として発展することで、民間信仰の文化も隆盛し、浅草の社会や文化を益々発展させることになったのである。

3 浅草寺とビジネスの発展

浅草寺領には、商売人や職人が多く住んでいたことからも「町人の町」もしくは「民衆の町」であったといえよう。元々、寺町として発展してきたことからも、現在も元浅草や寿町などの浅草通り付近には江戸期から続く歴史ある仏具店や問屋も多く立地しているように、江戸期も同様、浅草寺などを初めとする寺院関連と取引をしている町人がこの界隈には多く住んでいた。

寺の修繕などを担う大工もその一人である。『台東区史』によると、当時の大工の棟梁となると、浅草寺領の儀式などにも出席していたという。例えば、1686（貞享2）年当時の棟梁の「鈴木太郎左衛門と鈴木源右衛門は、寺領をもらい、浅草寺の修復を行って」いた大工であった。彼らは、「本堂の御釿初めのさいに、祝儀をつとめ、駒形堂の建立の棟上げもおこなっている[16]」この儀式に参列する棟梁もいれば、玄米などを毎年支給されていた棟梁もいたという。このように、寺町である浅草では、浅草寺に関連する寺院の仕事を請け負っており、多くの大工が寺院周辺に住まいを構え、暮らしていたのである。

江戸が発展するまでは、浅草寺は寺町屋であった花川戸町、山之宿町、材木町の3町が浅草寺領の管理・運営を主に担っていた。江戸が発展すると、浅草寺領の運営が難しくなり、江戸街奉行所の管轄になることが1659（万治2）年に認められた。場所によっては、年貢を浅草寺と町奉行所と両方に払う必要のある門前町があったという。浅草寺領の町は、年貢を納める町もあれば、何かしらの役割を担当している町、両方を負担している町と、寺領としての負担を背負っていた。[17]

浅草寺領の町として、そうした様々な役割を担うことが義務化されていた一方で、浅草寺領内でのビジネスが認められていたという。先述のように、特に江戸が発展すると共に、浅草寺は巡礼や行楽のメッカの一つとなっていたことから、浅草寺周辺は大変賑やかで、参道や街道沿いには飲食店や土産物屋などが立ち並んでいた。こうした様々なビジネスが展開され、経済的な発展にも寄与していたのである。

そうした中で食文化も発展した。江戸市中においても、この頃になると居酒屋なども生まれ、食文化が発展したが、同様に浅草ブランドの品物も生まれていた。たとえば、浅草海苔である。浅草海苔は、浅草寺の仲見世などの表参道付近で販売されていた江戸の名産品でお土産品だった。その由来は、確かではないが、江戸期より以前は浅草まで入江になっており、漁民が海苔を採っていたという。[18]

その後、江戸の発展により、庶民からの需要が高くなったが、江戸の市街地化によって海は退化し、18世紀初頭には、品川や大森などから海苔を取り寄せて浅草で乾海苔を製造したものや、品川や大森などで製造したものが浅草海苔として販売されていた。[19]当時、浅草海苔は、最上品とされ、ブランド化されていたという。

また、「京都の着倒れ、大阪の食い倒れ、江戸の呑み倒れ」といわれたように、浅草寺周辺でも、「隅田川諸白」という清酒が作られ、販売されていた[20]。当時の隅田川は近代以降のように、汚染されておらず、とても澄んだ清らかな川であったことから浅草にあった酒屋が製造・販売し始めた。他の酒屋でも、薬名酒などが販売され、効能書付きで販売されていたりした。

酒だけではない。餅屋、蕎麦屋、料理屋や煮食酒屋、菜飯屋、すし屋、茶商、鰻屋、どじょう屋、菓子屋など多種多様な飲食店が浅草寺領に集積していた。そうした店の中には現存している店もある。たとえば、先述の雷おこしや梅園院の門前で開業した梅園、仲見世の人形焼き・梅林堂、七味唐辛子のやげん堀、金龍山浅草草餅などである[21]。

江戸後期になると、料理を提供する飲食店が大きな割合を占め、繁華街として発展していった[22]。当時のミシュランガイドのようなものであったと思われる「料理屋番付」では、1844年から1853年における江戸の有名料理屋178軒が紹介されており、掲載されていた飲食店のうち台東区に立地する店が50軒あったという。台東区であるため、浅草だけではなく、上野や蔵前・下谷も含まれているが、浅草をはじめとして、この頃の台東区は歓楽街として隆盛していたことがわかるであろう。

このように、浅草寺の周辺には多くのビジネスが成り立っており、浅草ブランドといわれる商品まであった。こうしたことから、浅草寺に関連づいた産業が多く生まれ、盛り場として栄えていたのである。

4　近代も継承される浅草寺界隈の賑わい

(1)　浅草寺の公園化と六区

江戸幕府が終焉し、近代に入った１８７１（明治４）年に、浅草寺境内が公園に指定された。それが解除される１９５１（昭和26）年１月まで、公園という公共空間となったため、宗教活動には不自由があった一方で、浅草寺界隈の賑わいはそのまま維持されていた[23]（図10-2・10-3参照）。

１８８９（明治22）年７月17日の朝日新聞では「藪入りで賑ふ上野、浅草」とあり、浅草仁王門には多くの人が詰め掛け、午後２時ごろまでに１万人が訪れていたという。こうした記述からも大変盛況なことが覗える。それは20年後も続いていた。１９０７（明治40）年の朝日新聞には次のように浅草寺周辺の観覧スポットの案内がされており、浅草界隈が歓楽地であったことがわかる。

浅草公園は市内遊覧地の中心なり花屋敷をはじめとして水族館、昆虫館、幹線鉄道、千束館の大蛇と大虎、江川の玉乗（夜は源氏節）、青木の玉乗（夜は剣舞）、清遊館の浪花踊、共盛館娘美園の少年踊、佐倉宗五郎一代記人形、三友館のキネオラマ、木馬館、珍世界、電気館の活動写真、丸市の太神楽、パノラマ館、清明館の加藤剣舞一座、日本館の都踊、雲龍閣の

図10−2　「浅草仲店通り（東京）」（明治・大正）（出典：台東区立図書館デジタルアーカイブ）

外の劇場としては新劇の常盤座、旧劇の宮戸座あり一日にてはともて見切れぬほどなり。

『台東区史』によると、浅草寺の公園指定後に寺領は七区の機能別に分けられた。一区が浅草寺本堂周囲、二区が仲見世、三区が伝法院の敷地、四区が公園の林泉地、五区が奥山とよばれていた場所、六区が興行街、七区は公園の東南部とされた[24]。

六区が興行区と指定された背景には、浅草寺の堂宇から離れた場所に店を移すことが目的としてあった。江戸期の浅草寺の奥山（裏手の北西の小高い場所）には、先述のように、飲食のできる掛茶屋や水茶屋、土産物屋、曲芸や珍しい動物の展示などの見世物が人気で賑わっていた。当時、250軒もの店が商売をしていたというが、火事が多かったため、防火の面や風紀の面から、こう

図 10-3　「繁劇雑踏を極むある浅草観世音仲見世夜の盛況」(昭和戦前)
(出典：台東区立図書館デジタルアーカイブ)

した措置がとられたのである。[25]

興行区に指定された六区は新たな近代化した施設と共に進化を遂げ、賑わいを増していた(図10-4、10-5参照)。それには、江戸期からの興行や飲食などの様々なビジネスも継承され、加えて映画などの西洋からの新しい進化した劇場や遊園地などの施設が多数立地した点が市民の娯楽の需要を吸収していったことにつきるだろう。

例えば、歌舞伎専門の劇場「常盤座」などでは、浅草オペラが上演されていた。そして、1890(明治23)年には「日本パノラマ館」、1903(明治36)年には「電気館」が開館している。後者は、日本最初の映画館であり、日露戦争などの映画などを放映し、市民の間で映画の人気に火が付き、映画産業が活況となっていった。その結果、六区には映画館が集積するようになる。

当時、映画館は六区だけではなく、上野や鳥越にもあったが、六区の映画館は、都内で最初に上映される映画館が集まっていたため、子どもから大人まで多くの人で賑わっていた。また、それらの映画館の外観も人びとを惹きつけていた。それは、アーチ型の屋根など、新たなデザインのものばかりで、西洋的な新しい建物であったためである。[26] 他にも、昭和後期には子どもの間で流行ったローラースケートもできる遊園地のルナパークや木馬館などもあり、多様な層が楽しめる施設が集積していた。

また、浅草寺の奥の西側に位置する奥山でビジネスをしていた町人たちは六区へと移転させられたのは先述の通りであるが、その後の奥山エリアも以前と同様に賑わいは維持されていた。多くの商店が移転した後には、今も現存する花屋敷が作られた。花屋敷は、1853（嘉永6）年に植木商の森田彦三郎が作ったもので、当時は遊園地ではなく、鉢植えの桜などの四季折々の花を文芸人たちが鑑賞するための場所であった。その後、花の細工物で評価を得て、園内に茶亭、小劇場、プール、動物園、水族館らしきものを併設し、賑わいを増していったという。[27] 1880（明治23）年6月7日の朝日新聞にも、「浅草公園の水族館」と題して水族館開館の記事が掲載されており、その注目度が覗える。1887（明治20）年には、楼閣を移築して、当時「奥山閣」と呼ばれていた建物もあった。

花屋敷から一つ道を挟んだ西側には、凌雲閣がパノラマ館と同年の1890年に開館され、

「富士も筑波も一望 六区に十二階の凌雲閣」と朝日新聞（1880年10月28日）で紹介された。この新聞記事の通り、建物は12階建ての眺望塔で、当時は眺望目当てに多くの人が訪れていたが、明治末期には客も遠のいた[28]。その後、1923（大正12）年の関東大震災で半壊し、経営不振でもあったため、解体された（図10-6参照）。

そんな六区もテレビが台頭してきた1950年代後半になると、映画産業が低迷し、映画館の集積した六区も衰退していった。現在は、「ロックフラワーロード」や商業施設「ROX（ロックス）」や浅草ビューホテルが立地しており、前者は地元の小中高生が立ち寄る場所になっている[29]。現在のロックス周辺は地元や観光客の人通りが多いところでもあり、六区だった場所は飲食店などが多く集積している場所となっている（図10-7参照）。

このように、明治政府の政策として、六区が興行地と指定され、浅草寺に加えて、西洋的な施設の立地や芸能文化のセンターという方向付けが明確になされたことと、浅草で江戸期から商売をしている地元の人びとも継承されたことにより、混乱もなく、浅草がその後もしばらく、賑わいを創出し続けていた。実際に、それ以前の六区や当時最高層ビルであった凌雲閣の地帯は、田んぼが広がっていた地域であったことからも、当時の浅草の発展地域を広げ、大きな様変わりを遂げたといえる。変わらなかったものは、依然として、庶民の憩いの場であり、歓楽の場であったことである。

特筆すべきは、浅草で創造された民衆文化であろう。それは浅草の文化を基盤としているとい

図10-4　「(大東京)浅草六区の賑ひ」(明治・大正)(出典:台東区立図書館デジタルアーカイブ)

図10-5　「(大東京)浅草公園六区」(昭和戦前)(出典:台東区立図書館デジタルアーカイブ)

図 10-6　現在の六区周辺（著者撮影）

図 10-6 「東京浅草公園高塔凌雲閣十二階乃図　高サ三十六間余」
（出典：台東区立図書館デジタルアーカイブ）

える。たとえば、西洋のオペラや大衆娯楽演劇（レヴュー）が日本に入って来た際には、それを浅草オペラという和製のオペラやレヴューにアレンジされた点につきる。その他にも、軽演劇やストリップまで浅草の六区などで上演されていた西洋から輸入されたものは、すべて浅草文化へと醸成されていったといえよう。

つまり、浅草の文化は当時の多くのローカルの人びとはもとより日本の大衆の熱いまなざしやエネルギーによって造られたものであるといえる。そこには、浅草ローカルの西洋のものを受け入れる寛容性と浅草文化に変容する柔軟性、そして社会制度に関係なく万人を受け入れる土壌があった開放性、それらによって、多様な人びとが集まるエネルギッシュな都市として江戸期から発展を遂げてきたといえる。その文化基盤は、庶民が創造してきたものであるといえよう。

5 戦後における浅草文化の衰退と復興——なぜ有名観光地として復活できたのか

(1) 浅草文化の盛衰の中での課題——衰退へ向かった要因とは

江戸期から浅草寺周辺を中心として隆盛してきた浅草であったが、昭和に入ると、文化の中心地が東京西部へと移動しつつあった。1926(昭和元年／大正15)年6月20日付の朝日新聞では「犯罪や人気のうづは今や浅草から銀座へ」の記事が掲載され、そこには「……特に夏の夜の銀ブラこそは『東京』の東京らしさを掃きよせている。特に復興途上の銀座はいよいよ鮮明な色調で飾られ始めた。浅草の人気はもう銀座にさらはれてしまっている」と表現されている。

1945年以降の戦後は再び賑わいを取り戻す時期も一時期あるが、治安や生活環境の悪化など様々な社会的な背景により、衰退した時期が訪れ、特に1964年に開催された東京オリンピック後は、六区にも活気がなくなったという。そうした戦後の浅草の衰退した過程とその背景について見ていこう。

戦後の1945年には、浅草の商店街が全滅していた。一方で、仲見世や六区では鉄骨本体が残っていたため、戦後直後の混乱期の中で、仲見世の商店街には、勝手に露天業者が出店していたり、その権利を狙う者も現れたりして、従来の仲見世の人たちが復帰するのが難しい状況が生まれていた。このような状況は、仲見世だけではなく、浅草の各所で見られたという。[30]

戦前から露天商はいたが、一般市民に迷惑をかけることはなかった。その背景には、「浅草は昔から義理人情に支えられた任侠の街で……全国でも名だたる博徒、露天商の親分衆が集まり、たくさんの子分、若衆もそれぞれ威勢をほこっていたことは事実であるが、カタギの衆には絶対に迷惑をかけないという任侠の掟も固く守られていた」[31]ことが挙げられる。一方で、戦災後は、暴力団まがいの組織が彼らの意のままに活動し、喧嘩、おどし、インチキ商品の販売、悪質なポン引き、客引きなどが横行していたという。特に六区に面した東側の小高い所の裾野の広場では、盗品売買がなされており、一時期は盗品市場のようになっていたほどである。[32]

戦前には、すでに街の賑わいが銀座などの東京西部へ移りつつあったにもかかわらず、浅草にこうした状況が生まれたのは、戦後都内で早期に店などが復興を始めたことが挙げられる。こうした戦災での秩序が混乱する中で、元々商店を営んでいたローカルは地方へ疎開して不在となり、暗黙知として継承されていた地域内でのルールや浅草文化ともいえる秩序が崩れ、浅草の治安が悪化したのである。

浅草の治安の悪さは、戦後9年経っても解消できていないままであった。それは、戦後復興ということもあり、皮肉にも戦前に増して賑わっていたことに起因する。そうした中で、顕著に躍進したのが、洋服店、喫茶店、バー、そしてキャバレーであり、後者2者のような風俗営業が乱立していたという。その中でも六区周辺で行われている女給（女性の給仕者）に客引きをさせ、法外な料金を請求する店が多く立地し、強引な客引きが社会問題となっていた[33]。こうした状況下で、かつて賑わいのあった特に六区周辺は戦後治安の悪い場所へと様変わりしたのであった。

そして、蔵前や千住と同様に、明治中頃から始まった殖産産業政策の実施により、隅田川沿岸では工業関連企業や工場が立ち並ぶようになる。その結果、江戸期には清酒の原料として使用されるほど澄んでいた川が、昭和期になると工業用水や生活排水などによって汚染され、年々水質が悪化し、異臭を放つようになっていた。

当時東京都内では名物のイベントだった隅田川での寒中水泳も、工場からの汚水による隅田川の環境汚染により、1953(昭和28)年1月15日の開催を最後に中止となった。また、柳橋などの料亭でも、窓を開けたいが、開けられないほどの異臭だったという。そして、寒中水泳の中止が隅田川浄化運動のきっかけとなったのである[34]。

こうした近代化に伴い、水運から工業目的となった隅田川の機能の変容は、浅草だけではなく、本書で取り上げている千住や蔵前の風景も社会経済構造も変容させた。川の周辺は、人びとの憩いの場や娯楽の場ではなくなっただけではなく、環境汚染など負の面が現れるようになり、人びとの健康面を含む文化的な生活の質を低下させていったのである。

さらに、1980年代になると、経済のグローバル化を背景に、工場が海外へと流出し、産業の空洞化が進行した。同時に、サービス産業や情報産業が台頭し、産業構造も転換し始め、バブル経済の崩壊などもあり、失業者が増加した。その結果、こうした工業関連企業が集積していた地域では浮浪者などの姿が現れるようになり、治安も悪化していったのである。実際に、墨田公園には、ホームレスの人たちが集まるようになり、占領するようになっていたが、それが街中にも広がりを見せていた。蔵前のところでも触れているが、浅草エリアに隣接する台東区デザイナーズビレッジに隣接する公園にも、創業時の２００４年頃でもまだ浮浪者などを見かけていたという。

こうした社会経済的な状況を背景として、浅草の隅田川沿いは、暗くて、汚い、危険な場所というイメージがついてしまったのである。

こうした長引く不況の時期においては、浅草のコミュニティにおいても、繋がりが希薄になっていたといえることがある。１９６０（昭和35）年頃には、戦前からの住民は減少し、地方からの住民が多くなっていた。そのため、下町の生活文化を継承しづらい状況にあったという。[35]加えて、環境悪化などにより人口が郊外へ流出したと同時に、14歳以下の人口も減少し、高齢化していった。[36]こうした時期には、民衆から生まれた文化である三社祭の担ぎ手不足という問題が生じるようになる。

このように、近代に入ると、隅田川沿岸の下町から銀座や新宿、渋谷などの山の手へと経済や文化、そして観光の中心が移り、さらには浅草の環境の悪さからイメージも低下すると同時に、地域文化を担う若者までも同時に減少していた。

では、どのように浅草は再び魅力ある地域へと再生したのだろうか。江戸期から明治期に移行する時期は、明治政府による六区の興行区に指定したことでさらに賑わいを増した時期もあったが、そうした江戸期の浅草寺界隈の行楽・歓楽を楽しむ空間や浅草文化自体の連続性が昭和期に一端途絶えそうになっていた。それには、戦災や震災などはもとより、社会経済構造が変わり、市民の娯楽や憩いの場となっていた文化的空間から工業を中心とした経済（市場）空間に変容したことが要因の一つとして挙げられるだろう。

（2）浅草文化の復興と地域再生——浅草の人びとの思いと行動

こうした経済（市場）空間から、再び文化的な空間を復興し、歴史文化を基盤としたまちづくりに転換できた背景には、地域住民、自治体、地元団体・組織、地元企業といった地域一体での取り組みが挙げられる。現在の隅田川は、異臭もなく、東京スカイツリーが見えるウォーターフロントとして開発・整備され、明るく開放感のある市民の憩いの場にもなっている。

まず、戦後直後のおどしやポン引き、客引き、違法品の販売などの犯罪対策である。警察による取り締まりはもとより、浅草観光連盟も協力をし、防犯ポスター2000枚を作成、浅草商店街組合もこの活動に協力するなど、コミュニティ全体で浄化に取り組んだ。こうした活動は継続され、1947（昭和22）年に浅草盛り場明朗化推進連盟に発展し、さらに運動や活動が推し進められた。また、女給の強引な客引きに関しても、浅草観光連盟が警察に陳情を申し立て、警察の方でも取り締まりを厳しく行い、徐々にそうした暴力的な飲食店は姿を消していったという。[37]

次に、隅田川汚染の問題に関しては、1955（昭和30）年に浅草観光連盟が住民大会を開催して、隅田川清浄化既成同盟を組織し、環境運動を展開していった。それと同時に、台東区議会でも隅田川正常化特別委員会が設置され、地元団体と自治体が協力し合い環境再生に取り組んでいる。こうした地元の人びとの行動により、工場排水の処理場を1969（昭和44）年に建設し、環境再生の方向へと進むことになったのである。[38]

その結果、それまで水質悪化や交通問題などから1962（昭和37）年から中止されていた隅田川の花火大会が16年ぶり（1978年）に再開され、今日に至っている。この復活も地元浅草の住民からの要望が強かったことが背景にある。当時の東京都知事の美濃部氏がその熱意にこたえるかたちで関係各位と協議が始まり、実現に至った。開催当日は予定していた20万人をはるかに上回る80万人が参加したという。[39]

また、ホームレス対策に関しても、1993（平成5）年頃から隅田川公園沿いの花川戸一丁目町会がホームレス対策に取り組み始めた。具体的には、店舗の店頭や戸口にロープをはり、立ち入り禁止の警告板を掲示したり、町会で警察官と同伴で巡回を行ったり、道路や花壇などの清掃を積極的に奨励し、家庭や商店にもゴミ出しなどに関するルールを設けたりするなどして、町内美化に取り組んだ。[40]

そして、昔のような文化的で賑やかな街に復興しようと、1970年代からこれまで、観光関連の組織や団体、商店街、浅草おかみさん会協同組合、三社祭関連の団体、地元企業などが様々な取り組みを行ってきた。

特筆すべきは、「浅草おかみさん会（現・協同組合浅草おかみさん会）」の積極的な浅草活性化の取り組みであろう。ちなみにこの名付け親は故・井上ひさし氏だったという。おかみさん会は、浅草が衰退していた1968（昭和43）年頃に、浅草の異業種に従事する女性数十名で構成された組織として、浅草を盛り上げる目的で立ち上げた会で、1993年に「協同組合浅草おかみさん会」として正式な組織になり、現在でも活動は続いている。

活動の一部を紹介しておくと、上野と浅草を観光する「2階建てバス」や「浅草サンバカーニバル」、「浅草ニューオリンズフェスティバル」などは浅草おかみさん会のアイデアである。2階建てバスの走行は、日本で最初の試みで、浅草寺開祖1350年記念事業として、浅草から上野間を1987（昭和53）年の10月15日から11月16日まで運行するというものであった。これには、全国から来訪者が殺到し、関東運輸局から運行中止の要請があったほど話題となったという。[41] 1981（昭和56）年には、上野広小路から浅草雷門・浅草通りを毎日運行されるようになり、1996年には乗客数が累計800万人に達した。[42] その後、2001（平成13）年に廃止されている。浅草サンバカーニバルの方は、1982年に最初に開催されてから、今では浅草の名物となって定着している。

こうした取り組みには、おかみさん会だけではなく、浅草の旦那衆や台東区商店街連合会の青年部や企業などが協力して成し得たものであり、浅草文化を担う浅草ローカルが一体となって取

「三社祭」（昭和戦後）（出典：台東区立図書館デジタルアーカイブ）

り組み、地域に根付かせたことによって、浅草名物のイベントとして継承されているといえる。

　このように、現在の浅草の賑わいの背景には、浅草ローカルの人びとのイニシアティブによる復興に向けた取り組みがあった。加えて、近年の日本における観光政策[43]の方向性がインバウンドを重視していたこともあり、その相乗効果もあったといえよう。特に、アジアなどに対する観光旅券（ビザ）の条件緩和などによる政策は中国大陸などからの観光客を多く日本に誘客し、訪日外国人観光客数は２０００（平成12）年以降急激に増加した。コロナ感染症が蔓延する直前の２０１９（令和元）年12月までに、その数は約３８００万人までに達していた。こうした政策的な外部要因との相乗効果もあり、外国人観光客に有名観光地として、浅草にも、多くの人が訪れるようになっていたといえよう。偶然ではあったが、それまでの衰退した状態から復興までの地元浅草の人びとの地道な取り組みがあったからこそ、相乗効果が創出されたといえる。そうした取り組みの蓄積が今の浅草の活気をもたらしているのである。

註

（1）台東区史編集委員会（２００２）『台東区史　通史編Ⅰ下巻』東京都台東区 p.463
（2）同書 p.464
（3）同書 p.463
（4）台東区史編集委員会（２００２）『台東区史　通史編Ⅱ下巻』東京都台東区 p.630
（5）講とは、「仏教の信者が集まり、仏の徳を賛美する法会（ほうえ）（広辞苑）」である。
（6）台東区史編集委員会（２００２）『台東区史　通史編Ⅰ上巻』東京都台東区 p.398
（7）同書 p.374、p.396
（8）同書 p.370
（9）同書 p.587
（10）その後、明治期なるとレンガ造りになり、１８８５（明治18）年には、22軒１３９戸の店舗が軒を連ねるほど隆盛していた。１９２３（大正12）年の関東大震災で倒壊するが、コンクリート造に建て替えられ、現在も仲見世という形態が現存している（前掲『台東区史　通史編Ⅰ下巻』p.899）。
（11）池享・桜井良樹・陣内秀信・西木浩一・吉田伸之編（２０１８）『みる　よむ　あるく　東京の歴史５地帯編２中央区・台東区・墨田区・江東区』吉川弘文館 p.66、竹内誠・古泉弘・池上裕子・加藤貴・藤野敦（１９９７）『東京都の歴史』山川出版社
（12）西山松之助・郡司正勝・南博・神保五彌・南和男・竹内誠・宮田登・吉原健一郎編（１９９４）『江戸学辞典』弘文社 p.7
（13）前掲『江戸学辞典』p.17

(14) 前掲『江戸学辞典』p.122-123、前掲『台東区史Ⅱ下巻』p.624
(15) 台東区史編集委員会（２００２）『台東区史　通史編Ⅱ上巻』東京都台東区 p.23–24
(16) 前掲『台東区史　通史編Ⅰ下巻』p.899
(17) 同書 p.873-886
(18) 前掲『江戸学辞典』
(19) 太平洋戦争後は海水汚染や東京都による漁業権の取得により浅草海苔の人気は失速した。
(20) 前掲『台東区史　通史編Ⅰ下巻』p.894-898
(21) 同書 p.894-898
(22) 前掲『台東区史　通史編Ⅱ下巻』p.718
(23) 一部は貸付地として、東京市は地代を取っており、浅草公園では３１５０もの借地人がおり、市の公園全体の収入の約77％も占めていたという
(24) 台東区史編集委員会（２００２）『台東区史　通史編Ⅲ上巻』東京都台東区 p.147-148
(25) 前掲『みる　よむ　あるく　東京の歴史５地帯編２中央区・台東区・墨田区・江東区』p.64
(26) 同書 p.66–67、『台東区史　通史編Ⅲ下巻』p.467-468
(27) 台東区史編集委員会（２００２）『台東区史　通史編Ⅲ下巻』東京都台東区 p.468
(28) エレベーターなどの不具合などが多かったことも原因の一つ。
(29) 前掲『台東区史　通史編Ⅲ下巻』p.468
(30) 森田新太郎（１９９７）『浅草繁栄の道』浅草観光連盟
(31) 同書 p.31–32
(32) 同書
(33) 同書 p.55
(34) 同書 p.53
(35) 同書 p.449

(36) 同書 p.450
(37) 同書 p.56
(38) 同書 p.60
(39) 同書 p.120
(40) 同書 p.202
(41) 同書
(42) 同書 p.227
(43) 2012年から2016年度の観光立国推進基本計画では、目計画最終年度を待たずに、外国人訪問客数の目標値とされた2000万人を達成し、次の計画では、2020年度の目標を4000万人として設定していたが、奇しくもコロナ感染症蔓延でその目標は達成できなかった。

第11章　遊芸地区の聖地
——なぜ遊芸文化が集積したのか

1　吉原の繁栄と消滅

浅草は、先述のように、寺町・門前町として発展してきたという特徴が挙げられるが、それだけではない。特に、江戸期の浅草には、当時唯一の政府公認の遊廓の吉原や歌舞伎三座が集積している芝居街、落語など演芸を中心とした寄席、そして、芸者のいる花街がある江戸の遊芸文化のエピセンターであったといえる。本章で、それらを簡単に振り返ることにしよう。

まず、吉原の盛衰から見ていこう。遊廓とは、遊女屋が立ち並ぶ地区のことで、江戸の幕府公認[1]の遊廓は吉原だけであった。元々は、現在の中央区日本橋人形町周辺の江戸城に近い江戸市中の一角に約40年間存在していたが、１６５６（明暦2）年に幕府からの移転の命が下り、翌年、浅草日本堤（現・台東区千束町）に移転し、新吉原と称された。移転後も、そのまま吉原と呼ばれていたという[2]。本書でも、浅草日本堤を吉原、人形町の方を元吉原と呼ぶ。

では、当時、田んぼしかないような、何もない農村地帯であった日本堤に、なぜ遊廓は移転されたのか。それは、江戸市中が発展し、都市部が拡大してきたため、幕府は「悪所」としていた元吉原を江戸の周辺部へ移転させることにしたためである。元吉原町の年寄たちは、遊廓の移転先を本所か日本堤かのどちらかを選ぶように奉行所から言い渡されたという。年寄たちは、相談の上、経営上のことを熟考し、浅草の日本堤に決めた。日本堤を選んだ理由として、どちらの場所も江戸市中から距離はあるが、日本堤の方がまだ市中に近く、当時から賑わっていた浅草寺の裏手だったことが挙げられる[3]（図11-1参照）。移転する際の移動では、宣伝を兼ねて、わざと人目に着くように、遊女たちが浅草寺に寄って参拝したり、屋形船で移動したりしたという。実際に、多くの群衆が遊女たちを一目見ようと集まった[4]。それを反映するように、人形町にあった頃よりも、時代とともに形態は変化していくものの、吉原自体はより一層隆盛していった（図11-2参照）。

その吉原を利用する際のシステムであるが、客は、まず揚屋に入って遊女を指名し、遊女を待つ間、揚屋で芸者と幇間（男性の芸者）の宴席で待つようになっていた。そのため、そうした費用も必要経費として含まれており、揚屋での宴席の費用、芸者や幇間への祝儀、揚屋への料金（仲介料）、遊女への料金、酒代、遊女のお供への祝儀など多くの費用がかかった。そのため、こ

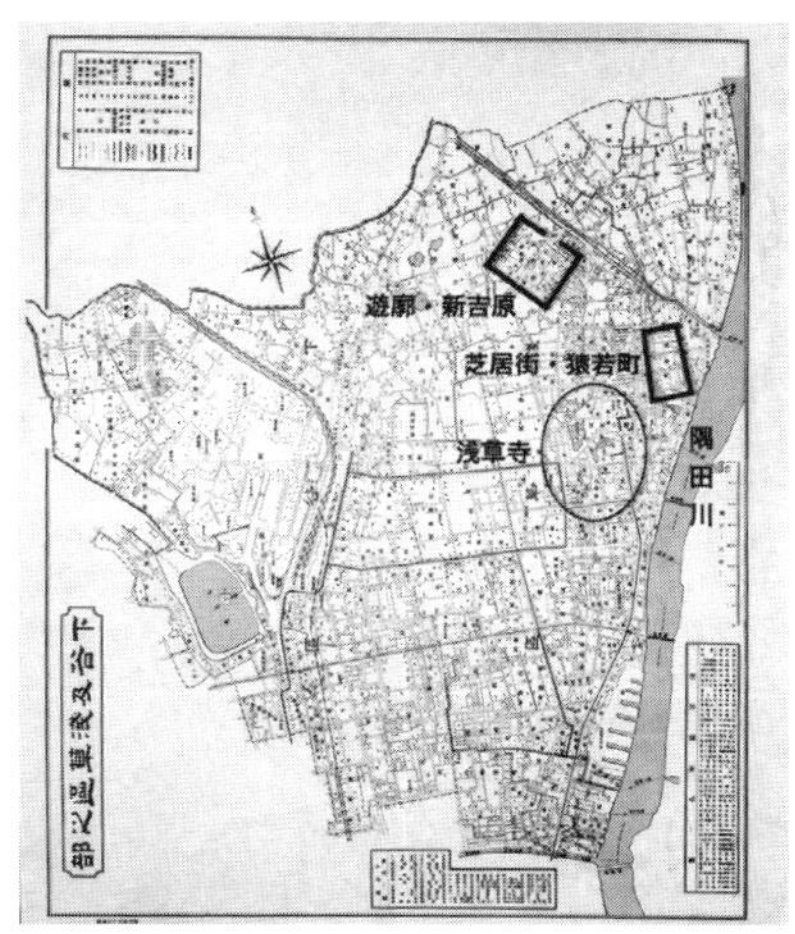

図11-1　「明治三十九年区分図 下谷及浅草区之部」
（台東区立図書館デジタルアーカイブより）一部改変
（出典：台東区立図書館デジタルアーカイブ）

図 11-2　「北廓月の夜桜（ほっかくつき よざくら）」歌川国貞（三代豊国）筆
（出典：国立博物館所蔵品統合検索システム（https://colbase.nich.go.jp））
注：新吉原の出入口となる大門とそこから伸びる「仲の町」というメインストリートに移植された夜桜見物で賑わい人々の様子が描かれた１枚

の頃の客層は、こうした高い費用が支払える大名や豪商であったという[5]。加えて、格の高い遊女を相手とする客は高い教養が必要とされた。こうしたことからも、必然的にそれ相応の人が客層として存在していたという。特に、先述の揚屋を通じて指名する遊女の格は高く、太夫や格子と呼ばれる遊女であった。そのため、客の方が見定めをされたのである。客は遊女と会えても、初回では手も握れず、2回目にやっと会話ができ、3回目には馴染みの客として認められるというものであった[6]。加えて、吉原内でのルールとして、遊廓内では、仮想の夫婦でもあり、他の遊女と遊ぶことは許されていなかった。このことからも吉原遊廓が現実世界とは異なるもう一つの別の異空間だったことが覗い知れる。

こうした格の高い遊女は、美しい容姿はもとより、教養や芸能面でも一流の技術を身につけていた。その遊芸は、三味線から琴・小弓・手まり・はねつき・古歌の知識を要する歌かるたや歌文字鎖、能書家としての技量、小歌・浄瑠璃などの音曲、絵・和歌・俳諧・囲碁・茶湯など多岐に渡る。さらに、気立てや立居振舞、言葉づかいなどまで求められたという[7]。

特に、1734（享保19）年頃の吉原の太夫や格子は特別で、大阪や京都とは比較にならないほどの費用がかかったことはもとより、誘客や遊女の様（さま）や特性が江戸の文化を象徴していたという[8]。それが「意気」や「はり」であった。そんな遊女たちからは流行も生まれていた。たとえば、当時、緋（あか）のゆもじが流行っていたそうだが、それは遊女が身に付けていたもので、それが茶屋の女性の間で流行し、そこから町の女性へと広がったといわれる[9]。

また、江戸研究家の田中優子氏によると、吉原という空間は、当時の社交の場としても捉えることができると述べている。実際に、当時江戸で流行っていた狂歌を楽しんでいた天明狂歌の連（グループ）が江戸には8つあり、連全体のリーダーは、本書の蔵前や千住のところでも出てくる大田南畝であった。そのうちの一つが吉原連であった。この連は町人で構成され、吉原の妓楼「大文字屋」主人の加保茶元成とその妻の秋風女房、そして喜多川歌麿や『吉原細見』を出版していた蔦屋重三郎が名を連ねていた。[10] これらの連は職業に関係なく、狂歌を皆でセッションするような、当時、創造的な文化活動であったといえよう。多くの人で賑わう吉原は、こうした異業種の人との繋がりや文化活動が自然に生まれる自由な出会いや交流の場でもあったといえる。

この頃の吉原は大衆化していた。その背景には、大名などの財政がひっ迫し、町人が客として台頭しはじめると、費用も高く、手続きも面倒なシステムだったことなどもあり、明和の頃には、技芸に長けた太夫や格子がいなくなり、面倒なシステムが消滅していったことが挙げられる。[11] 実際に、元吉原の時代には太夫や格子がいた遊女屋は18軒、吉原への移転後の１６５８～60年は19軒、１７１７年には14軒、１７２２年には11軒、１７３６年には半分以下の５軒、１７５１年には１軒となり、宝暦の頃には０軒となり、廃業していることがこの数値からも明らかである。[12]

このように、吉原は、時代によって、客層も遊女の様相も変容し、定額の料金で提供され、大衆化されていったのである。大衆化された吉原では、土地柄が寺町だったこともあり、僧侶が変装して通っていたという記述もある。このように、町人などを中心として、浅草内外の多様な人たちが通うようになっていた。後述するが、芸事に長けた技能をもった太夫などが消滅し、客も大衆化すると、娼妓と芸妓とに明確に線引きされ、後者は芸者になっていったものもいたという。特に、政府公認の遊廓があった浅草では、その線引きが明確にされた。

1872（明治5）年には、明治政府から「娼妓解放令」が発令された。その背景には、国家の承認の下で、娼妓が存在し、人身売買や売春が行われていることに対して諸外国から批判があったことが挙げられる[13]。しかしながら、解放令は遊女の解放に繋がらなかった。なぜなら、この解放令では、娼妓も遊女屋も鑑札を受ければ、営業を継続できたため、名称を遊女屋から貸座敷に変えて営業が続けられていたためである。

東京府に関しても、この解放令が出された翌年に、「貸座敷渡世規則」、「娼妓規則」、「芸妓規則」を発布している。そこには、東京が許可する貸座敷渡世の場所として、江戸期からの四宿である品川・内藤新宿・板橋・千住が加えられ、吉原を含めた公認の5郭となった。その2年後には根津も加わり、吉原は東京で唯一の国公認の遊廓ではなくなったのである[14]。

1880（明治20）年代後半になると、廃娼論の機運が高まった。それには、「東京日日新聞」や「女学雑誌」の一部のメディアがキリスト教の宣教師と共に、売春が社会悪であるという思想を広め始めたことが挙げられる。加えて、キリスト教団体は娼妓廃業後の支援のための婦人ホームを設立し、廃娼運動を全国で展開し、吉原でも行われていた。そうした動向の中で、娼妓が自由廃業を申し出、裁判で勝利するケースも少なからず出てきた。1889（明治29）年には「娼妓取締規則」が制定され、廃業の自由が保証されて以後、1909（明治42）年までに自由廃業をした者が2559人にも達したという。そして、1953（昭和33）年に「売春防止法」が施行され、遊廓・吉原は消滅することになったのである。[15]

2 ファッション文化の発信地だった芝居街・猿若町

江戸期における歌舞伎[16]の人気は非常に高く、大名から町人まで多様な階層の人びとの遊興であり、江戸市中には芝居小屋が点在していた。[17]そうした中で、幕府の財政が悪化していた時代の老中・水野忠邦が行った天保の改革により、1842（天保13）年に歌舞伎や操座（人形操芝居）が強制的に浅草寺の東側裏手（現・浅草町六丁目の南東の一部）に移転された。（図11-1参照）それまでは江戸市中の繁華な場所で興行を行っていたが、江戸の周縁部への移転となったのである。

江戸周縁部へ移転させられた理由としては、水野から幾つかの問題点が指摘されていた。まず、火事の多かった江戸期において、芝居小屋の興行場所が江戸市中の賑やかな場所であると同時に、大きい小屋が多かったため、大火事になる恐れがあること。次に、歌舞伎役者が高給のため、桟敷代や料理代が高くなり、結果として観劇料金が高くなり、多様な人たちが鑑賞できなくなっていること。そして、淫奔な作品が多いことが挙げられていた。

歌舞伎三座への通達書には、歌舞伎役者などが身分を忘れて、大名や町人と交流することや、それが市中の社会生活の品行を乱すことに繋っていること、そうした芝居から流行が起こっていることが江戸市中の風紀上良くないことなどが通告されたという[18]。

実際に、男女関係なく、ファッションなども歌舞伎役者から流行していた。なぜなら、婦人や町娘などの娯楽の一つが芝居鑑賞であり、多くのファンが存在していたからだ。加えて、ファッションは、自由に自己表現や自己解放ができるものの一つであったという。それは江戸期も現在も変わらないものといえよう。たとえば、婦人や町娘は、自分のお気に入りの役者の紋章を簪（かんざし）に彫ったものや役者を真似て「いき」な縞（しま）や柄ものの着物を着たりしていた。また、弘化期から嘉永期にかけては、8代目団十郎が舞台で着用していた海老色の石持紋付が団十郎色として江戸中で大流行し、若い女性から婦人まで、多くの人が同じ色の紋付を羽織っていたという[19]。

男性であれば、蔵前の部でも述べたが、1750年前後の歌舞伎演目で助六という役が頭に巻いていた鉢巻の色「江戸紫」や手に持っていた「蛇の目」傘は、代表的な江戸の流行品であった。さらに、浅草移転後の1850（嘉永3）年以降は、「田之助髷」、「田之助襟」、「田之助下駄」というものも流行した[20]。まさに頭からつま先までのファッションの流行といえる。

このように歌舞伎が江戸の市民に絶大な影響力を持っていた背景から、江戸の周縁部で悪所とされていた吉原の近くへと移転の命が出されたのである。これは、幕府が歌舞伎の監視・管理をし易くし、改革をしようとしたことが背景にある。こうした歌舞伎改革の執行により、歌舞伎三座の市村座・中村座（猿若座）・森田座（河原崎座）と人形操芝居の名門である薩摩座・結城座が同時に町屋ごと移転をし、芝居小屋と茶屋、住居などが立ち並ぶ芝居街として、猿若町と名付けられた（図11-3参照）。移転後から5年間は、歌舞伎役者の絵の出版なども禁止されたりしたが、民衆に支えられた歌舞伎の人気とそこから生まれる流行の勢いは衰えなかった。1857（弘化14）年に水野が罷免されると、規制改革も終わりを迎えた[21]。その後も、歌舞伎三座は猿若町に残り、明治初期まで江戸における芝居文化を担う拠点として機能していた。このように、浅草にかつて存在した猿若町は、芝居街として30年余り、浅草寺や新吉原と共に隆盛していたのである。その賑わいは、当時描かれた絵の様子からも盛況であることがわかる（図11-4参照）。

その後、1865（慶応元）年から68（明治元）年の間に、操人形芝居の2座が移転し、1872（明治5）年に森田座、1884（明治17）年に中村座（猿若座）、最後の市村座が1892（明治25）年に次々と移転し、奥浅草から芝居街は消滅した[22]。

一方で、六区が興行区に指定されたため、先述の常盤座や吾妻座（後の宮戸座）といった新たな小規模の劇場が集積するようになっていく。そうした小劇場では浅草オペラが台頭し、映画館（電気館）が集積するなど、演劇の素地がある浅草に、新たな西洋スタイルの演劇が台頭した。宮戸座は人気の小劇場となり、常盤座からも若手の人材が輩出された。

時代や演劇のスタイルは異なるが、浅草寺周辺は、江戸後期から明治・大正、昭和初期の高度成長期前までは少なくとも、演劇のエピセンターだったといえる。残念なことに、現在の浅草には歌舞伎三座の跡碑は建てられているが、吉原同様、当時の芝居街としての面影はほとんど見る

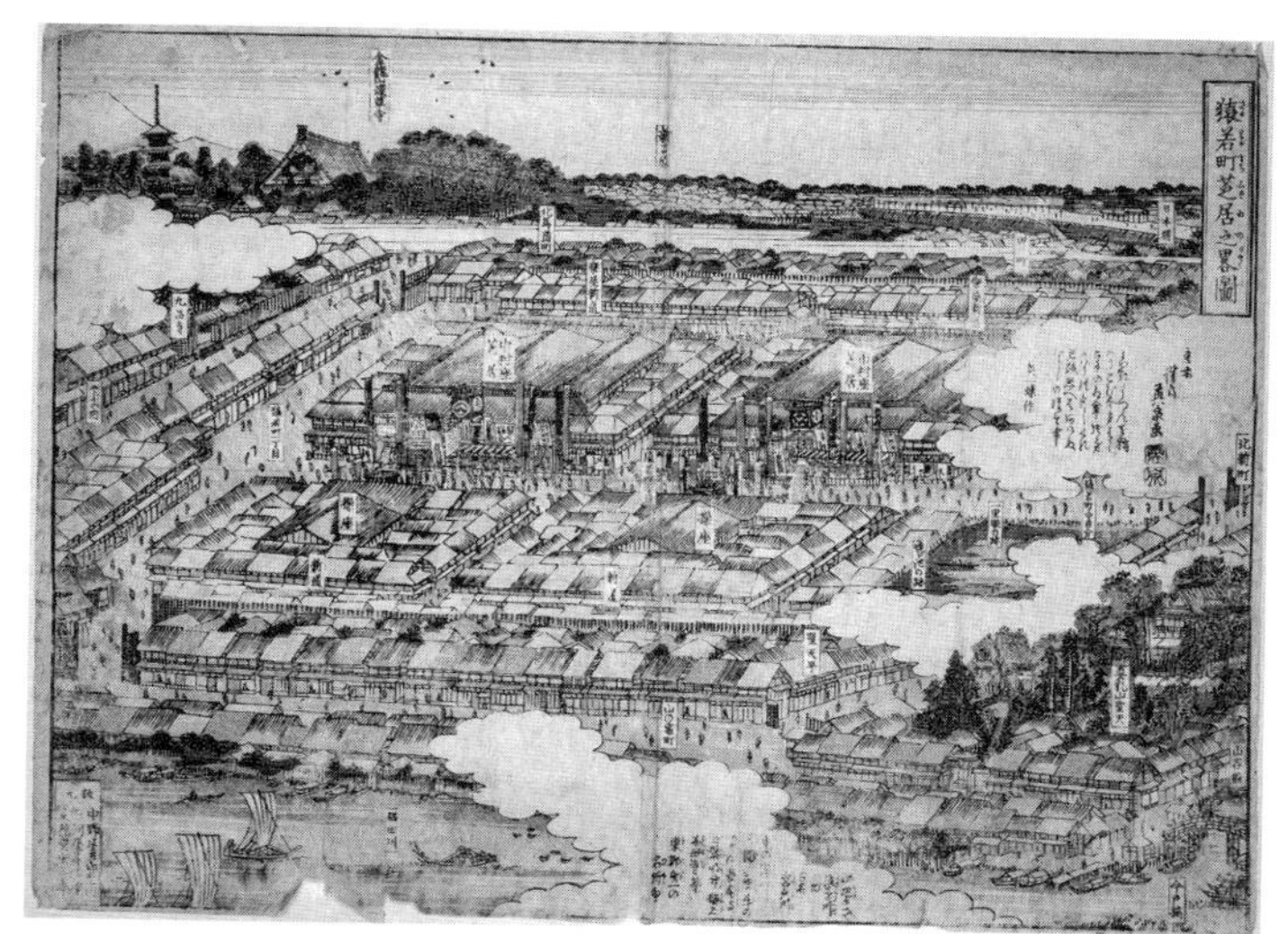

図 11−3 「猿若町芝居之略図」（出典：台東区立図書館デジタルアーカイブ）

図 11−4 「江戸名所　猿若町芝居顔見世繁栄の図」（出典：台東区立図書館デジタルアーカイブ）

ことはできない。

3　今でも演芸が息吹く芸と笑いの空間

当時の六区で現在も継承されている寄席は、第10章で触れた通り、２００８年の浅草への活動目的としても全体の約17％を占めていた。そんな寄席が始まったのは、１７４５（延享２）年頃であるが、起源はそれよりも遡るという。当初の寄席は、浄瑠璃が上演されており、その後、江戸において初めて落語の寄席が開催されたのが台東区の下谷柳の稲荷神社であった。寄席の早期の段階では、開催場所も茶屋などの2階を借りて行われていたという。そんな中で、１８０７（文化４）年には、５００通り以上のレパートリーを持つ職業としての噺家が現れ、江戸期には落語の寄席の人気が高まっていった[23]。

寄席では、落語をはじめとした演芸が上演されていたが、当時の寄席の件数は増え続け、人気があった様子が覗える。その数の推移は、文化末頃には75軒、文政末頃には１２５軒、天保の改革の直前は２１１軒、その後は天保の改革のため、市中15カ所に規制されて一時的には減少するが、それが解禁された１８４６（弘化２）年12月には再び２７１軒に達していたという。明治12年頃には、浅草における寄席の数は、東京市内で神田の23軒についで2番目に多い21軒であった[24]。

江戸期における職業としての落語家は、師弟制度のもとで修業を積み、現在の前座・二つ目・真打などの制度もおおよそ整っていた。また、興行形態も制度化されていたようだ。聴衆はどのような人たちであったかというと、地方の人、参勤交代で江戸に来ていた侍・武士や隠居した人、番頭など老若男女であったという[25]。

特筆すべきは、天保の改革の間、寄席も規制されていた訳であるが、こうした寄席興行を支えていたのが、職人や町人だったという。その後、安政の大地震などもあり、経営自体を彼らが担うようになった[26]。また、寄席は浅草寺内でも上演されていたが、これも同様に改革による規制の対象となり、寄席の件数を減らされたが、寄席担当以外の時には水茶屋を営業するという担当制とする方法で、廃業に追い込まれないように、協力し合って対処していたのである[27]。

このように、江戸期における娯楽空間を提供していた寄席も、浅草寺同様に、町人や職人が支え、明治になると前章の六区が興行区となり、それ以降の昭和初期まで隆盛した。その後、テレビが台頭した時代背景もあり、現代になると、かつて人気を博していた映画館が姿を消し、ここで芸を磨いた人たちも、テレビの世界で活躍するようになる。そうした人気者が演芸場から去っていくとその賑やかさも低迷していったのである。

そうした中で、1977（昭和52）年には、「浅草を心のふるさと」とする芸能人たちが六区を活気づけようと、「浅草芸友会」を設立し、「浅草芸能人祭」を浅草で開催していた[28]。また、芸人や落語家たちは、浅草フランス座演芸場東洋館や同一建物にある姉妹館・浅草演芸ホールで浅草演芸を披露し続けて、継承し続けてきた。前者は漫才や漫談などを中心とした演芸場で、後者は落語を中心とした寄席となっている。その軌跡は、1951（昭和26）年に浅草フランス座が開館し、ストリップ劇場であったが、1964(昭和39)年に一旦閉鎖され、1階が東洋劇場、4階と5階が浅草演芸ホールとして運営されていた。フランス座は再び1982(昭和57)年に再開するが、5年後に閉館し、浅草東洋館として2000(平成12)年に開館した。現在は、浅草東洋館と浅草演芸ホールとして賑わっている(図11-5参照)。

先述のように、東洋館の発祥は、当時のフランス座で、ストリップの合間にコントなどを上演し、これが評判となり、東洋劇場が作られ、人気コメディアンを次々と輩出したのであるが、後に、ここのエレベーターボーイとして働いていたのが、ビートたけし(北野武)である。実際に、戦後の昭和期には、「かつて六区を通過しない芸能人は一人もいなかった」という程、ここから芸能に長けた人たちが集まり、スターになっていったのである[29]。

たとえば、劇作家の井上ひさし、由利徹、東八郎、坂上二郎、萩本欽一、浅香光代、渥美清、脱線トリオ、ビートたけし(北野武)、泉ピン子、牧伸二、コント赤信号なども浅草から輩出されている。また、寄席を中心とした演芸ホールでは、今は亡き林家三平に立川談志や、若き日の五代目三遊亭円楽も高座に上がっていた[30]。

こうした人材を輩出してきた背景には、劇場での演者と客との距離が近く、芸人は客の反応や一体感を直接感じることができるのが劇場の良さであり、そのことが、芸や技術に磨きをかけていくのであろう。一方で、テレビなどのマスメディアではそれが受け取りづらい。だからこそ、劇場でのそうした客とのコミュニケーションを通じて、芸はもとより演芸文化がアップデートされ、継承され続けていくのである。加えて、観客も同様に、直接演芸文化に触れることができ、先述のように、人材育成や文化の継承にも直接的ではないが、少なからず影響を及ぼし、演者と共に、演芸文化のアップデートをしているのである。また、漫才や落語など様々な演芸のタイプがあるが、それらの芸人や噺家たちが垣根を越えて、刺激し合うことでも、さらに芸を磨くことができよう。また、近年は、漫才コンビのナイツやU字工事などの若手芸人たちのイニシアティブもあり、東洋館を中心として活動している漫才協会の会員は、以前よりも若手漫才師が増えている。実際に、２０２１年度の「M-1グランプリ」[31]で優勝した錦鯉や若手芸人コンビのカミナリなども新規加入するなどし、再び活気が出てきたといえよう。こうしたメディアでも活躍している勢いのある若手芸人たちが浅草の劇場に根付くための取り組みが、演芸の地としての文化を継承することにも繋がっていくのであろう。

したがって、浅草では、こうした演芸を披露する場が江戸期から継承されていることはもとより、そこでの客と演者とのコミュニケーションや演者同士の異種交流が、浅草演芸界の発展において重要な役割を担っていたといえるだろう。実際に、ジャンルは異なるが、サンフランシスコの映画やアートなどの若手人材が育成される土壌には、市民が若手や学生の作成した映画を大学やコミュニティセンターで鑑賞できる機会が日常的にあり、そこで感想や批評などのコミュニケーションを通じて、質の高い映像を作り出している環境があった。

こうした人材育成の場にもなるショーケースの存在とともに、浅草芸人というブランドが確立

図 11−5　現在の浅草フランス座演芸場東洋館の様子（著者撮影）

され、演芸の地として継承されていくのだろう。最盛期のような勢いはないかもしれないが、今なお浅草に演芸の場と演芸が生き続け、若手に継承されている演芸の歴史的な聖地の一つといえよう。

4　花街の盛衰——インフルエンサーだった芸者たち

(1) 浅草・花街の成り立ち

浅草見番[32]によると、花街での芸者とのお座敷遊びとは以下のように表現されている。

> あでやかな芸妓衆をお座敷に呼び、磨かれた会話……極上の日本料理とお酒を、凝った拵えの中で楽しむ「芸妓遊び」江戸の昔から続く「粋な大人の遊び」

芸者とは、「元来は一芸に秀でた者を芸者といい、元禄期には、かぶき役者も芸者といった。元文ころより、花街の発達に伴い、音曲や舞踊などの芸をもって酒席を取り持つのを職業とする者を称するようになる[33]」東京では芸者、関西地方では芸妓という呼び方をする傾向があるという。
　また、花街は、「芸妓衆の屋形である置屋」、「遊びの場を提供する料亭（江戸期は待合茶屋）」、「料理を提供する割烹料亭」という三業で成り立つ街とされ、「三業地」と呼ばれている。[34]この三業がシステム化することにより機能しており、これらに関わる店や人を含めて花柳界という。花柳界がある街を花街という。江戸期から、浅草の芸者は先述のように、同じ浅草エリアにあった遊廓・吉原とは異なるものとされ、浅草花街は、特に他の花街よりも両者の線引きが明確にされていた。
　そんな花街が浅草に誕生したのは江戸期である。江戸期における最盛期は宝暦から寛政の改革ごろまでとされている。[35]その後も、大正期には、芸妓（芸者）が約１０６０名、料理屋が約50軒、待合所が約２５０軒もあり、浅草花柳界の歴史の中で最も数が多かったという。その後、戦災などにもあったが、終戦後には浅草花柳界は最盛期を迎えた。その後は縮小していき、現在の浅草の花柳界の芸者数は20名程度、料亭は6軒になっている。[36]そうした中で、浅草花街の特徴は、現在はここにしかいない男性の芸者「幇間（ほうかん）」が在籍していることであろう。[37]
　現在の浅草花街は、浅草寺の裏手、浅草三丁目から四丁目に位置し、歴史の長い浅草文化を継承、形成している要素の一つである。その発祥は、浅草見番によると、浅草寺門前の広小路に菜飯田楽などの料理を提供する田楽茶屋ができ、その「田楽茶屋の酒客のお相手に生まれた……田楽芸者の愛称でも知られた広小路芸者」であるという。

その後、遊廓・吉原が浅草寺裏手北側に移転してくると、その「大門外の田町山谷堀あたりの編笠茶屋や船宿を出先に、ここに山谷堀の芸者、俗にいう堀の芸者が生まれ」、天保の改革で奥浅草に歌舞伎三座が移転し、芝居街が形成されると、芝居茶屋に猿若町芸者が誕生したという。この芸者を「芝居櫓の下にいるので櫓下芸者」と呼んでいたそうだ[38]。

江戸期に浅草寺周辺の3カ所で派生した芸妓衆が存在していたことになる（図11-6参照）。先述の吉原や芝居街と共に、江戸における遊芸の集積地区として隆盛していた。明治期に入ると、遊廓・吉原が衰退し、歌舞伎三座も移転し、浅草寺の公園化に伴い、3カ所に分かれていた芸妓衆の一部が浅草公園周辺に集まり、公園内の料理屋を出先とした公園芸妓が生まれたという。その結果、以前の勢いを取り戻したそうだ。1869（明治29）年に、公園見番が作られ、花街が運営されていた[39]。

そして、都市部の拡大に伴い、現在の奥浅草のエリアに花街は移った。その間の大正末期には、先述のように、大きな花街を形成したが、関東大震災や戦争などでは多くの犠牲者も出し、衰退した時期も経験している。昭和初期（1926年）頃には、歌手デビューし、日本レコード大賞特別賞を受賞したり、女優としてテレビや舞台でも活躍する芸者が現れるようになった[40]。

終戦後の1946（昭和21）年には、復興のために、三社祭などの行事に参加するようになり[41]、また、1950（昭和25）年に、第一回浅草会をスミダ劇場で開催し、いち早く復活を遂げた。その後は場所を変えて開催されていたが、1995（平成7）年には、その会が「浅草おどり」として、東京浅草組合と浅草観光連盟との共催となり、定期的な催事として開催されるようになったのである。[42] こうして、今日まで「浅草おどり」は続いている。

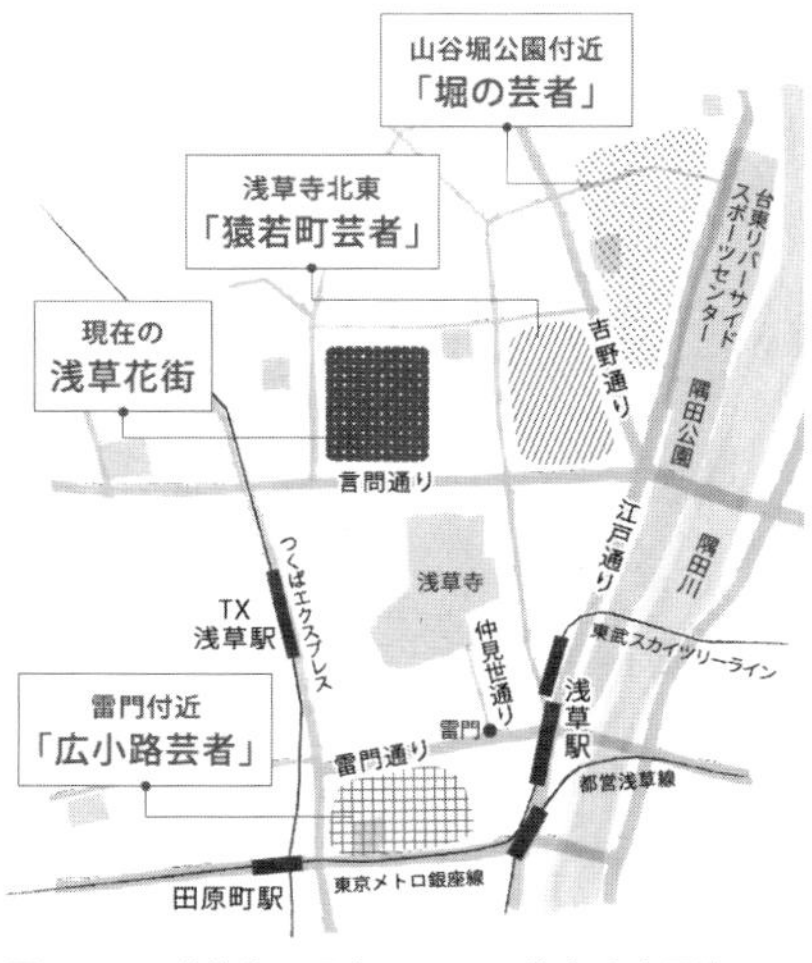

図 11−6 「花街の歴史における芸者分布図」
© 東京商工会議所
(出典：東京商工会議所台東支部)

現在の浅草見番（著者撮影）

(2) インフルエンサーだった芸者たち

『芸者と遊び』によると、江戸期には、芸者自体が流行り、下町・山の手関係なく、容姿が少しでもよいと芸者になってしまうような時代があった。その時は、町芸者が増加し、武家屋敷などの宴席で芸者に酌をさせることが流行ったという。[43] また、芸者は今でいう、ファッションリーダーもしくはインフルエンサーでもあったといえるだろう。芸者の身なりは派手ではなかったため、町娘がそれを真似て、流行を作り出しやすかったのかもしれない[44]。こうした傾向は昭和初期まで続いていたようだ。

江戸後期においては、江戸研究家の田中優子氏によると、人びとで賑わう芝居街の芝居茶屋に街芸者が出入りしていたため、町の人びとに影響を及ぼし、流行を作り出していたという。町芸者が青い日傘を使っていたところ、それが流行り、女性だけではなく、男性も青い傘を持つようになった[45]。また、浅草の芸者ではないが、明治後期に新橋芸者衆の間で青緑の着物が広く流行し、「新橋色」として流行り、その色の着物が広く流行したという。このように、町の人びとは、彼女たちに憧れて、持ち物を真似るだけではなく、行動なども真似ており、洗練された様相に憧れていたと捉えられる。そのため、ファッションだけではなく、生活文化の流行や食文化にも影響を及ぼしていた。

たとえば、今若者にも人気の昭和レトロなクリームソーダの前身のソーダ水である。資生堂パーラーの広報によると、ソーダ水は、1902年（明治35年）に、現在の資生堂パーラーの前身である資生堂薬局の一角に、ソーダ水を製造する『ソーダファンウンテン』を設置し、アイスクリームと共に、スタンド方式で販売していた。このソーダ水は、当時人気を博し、「銀座の一大名物」になっていたという。

その背景には何があったのか。元々、当時の資生堂薬局では、1897年から高級化粧水「オイデルミン」を販売しており、そうした薬や化粧品を販売していた強みを活かし、ソーダ水1杯につき、化粧水「オイデルミン」1本を景品としてつけて販売したところ、資生堂薬局への来訪客が大幅に増えたそうである。

加えて、当時の資生堂薬局の場所が、新橋の芸者衆の踊りの稽古場に近かったこともあり、彼女たちが休憩時間や帰りによく立ち寄っていたそう。当時珍しかったソーダ水やアイスクリームなど洋風の飲食を提供していたことはもとより、ハイカラで、華やかな芸者衆が通う資生堂薬局は、当時、流行を発信する場所であったといえる。当時のハイカラな女性たちにとって、芸者は憧れの的だったことからも、少なくともこうした生活用品や食文化の流行に少なからず影響を及ぼしていたといえる。

現在でも、資生堂パーラー銀座本店サロンド・カフェでは、毎年5月開催されている新橋花柳界のお祭り「東をどり」の期間中には、限定のスペシャルメニューとして、「東をどりパフェ」や「新橋色のアイスクリームソーダ」が提供されている。「新橋色」は、先述の通り、明治後期に新橋芸者衆の間で青緑の着物が流行り、それが広く流行したことから、その色にちなんだアイスクリームソーダになっている。

他にも、芸者が影響を及ぼしたものがある。現在でも私たちが食しているカツサンドである。その発祥は、東京の下谷にある1930（昭和10）年創業のとんかつ屋「井泉」といわれている。井泉は、昔も今もかわらない人気店で、戦前は1日当たり約600人、バブル期は約600人から700人、コロナ前でも約550人が来店していたという。

初代店主の石坂一雄氏の孫でもある現在の三代目・女将（代表取締役）によると、かつをパンにはさむという発想は、初代女将ならではだったという。祖母にあたる初代女将は明治の生まれだったが、朝食はパン食に紅茶で、サンドイッチを好み、銀座の資生堂フルーツパーラーにもよく通っていたそうだ。

そんなハイカラな初代女将は、ハムサンドから現在のかつサンドを思いついたのである。初代店主がトンカツを揚げているのを店でいつも見ていた際に、ハムサンドのように、パンに挟んだら、おいしいのではないかと思ったそうだ。当時、井泉のオリジナルソースもかつサンド用に考案された。また、特筆すべきは、通常のパンよりも小さいパンを特注して、かつサンドが作られたことである。

井泉のかつサンド（出典：井泉）

その背景には、「井泉」がある下谷（台東区）は当時花街として栄えていたため、多くの芸者衆が「井泉」にとんかつをよく食べにきていたそうだ。芸者衆との交流があった初代女将は、芸者衆の口元が汚れたり、口紅が取れたりしないように、かつサンドのパンは、小さいサイズに特注した。また、芸者衆は、お座敷にいる際は食事を取れないため、その合間につまめるようにという思いもあったそうだ。

こうした初代女将の芸者に対する思いやりから生まれた「井泉」のかつサンドは、口を大きく開けなくても食べられるサイズになっており、今も当時のままである。

当時の華やかな芸者衆の存在や動向が多様な社会関係性の中で、生活文化や食文化の流行や形成に少なからず影響を及ぼしていた。つまり、現代でいうインフルエンサーの一人であったといえよう。

このように、浅草の遊芸地区形成の歴史的な過程からも、他にはない特異なエリアだったといえる。そして、それが浅草へと人びとを惹きつけたのであろう。

註

（1）元々は幕府の許可を得て営業している分けではなかった。

（2）西山松之助・郡司正勝・南博・神保五彌・南和男・竹内誠・宮田登・吉原健一郎編（1994）『江戸学辞典』弘文社 p.546-548

（3）台東区史編集委員会（2002）『台東区史　通史編Ⅰ下巻』東京都台東区 p.620

（4）同書 p.623

（5）同書 p.636-638、前掲『江戸学辞典』p.551

（6）前掲『台東区史　通史編Ⅰ下巻』p.636

（7）同書 p.647-650

（8）台東区史編集委員会（2002）『台東区史　通史編Ⅱ上巻』東京都台東区 p.194

（9）台東区史編集委員会（２００２）『台東区史　通史編Ⅱ下巻』東京都台東区 p.616
（10）田中優子（２００８）『江戸はネットワーク』平凡社
（11）前掲『台東区史　通史編Ⅰ下巻』p.636-638、『江戸学辞典』p.551
（12）前掲『台東区史　通史編Ⅰ下巻』p.636
（13）台東区史編集委員会（２００２）『台東区史　通史編Ⅲ下巻』東京都台東区 p.682
（14）前掲『台東区史　通史編Ⅲ下巻』p.686-687
（15）同書 p.718-719
（16）歌舞伎などの興行は元々吉原で興行が行われていたという（前掲『江戸学辞典』p.446）。
（17）前掲『江戸学辞典』p.446
（18）前掲『台東区史　通史編Ⅱ上巻』p.159-165
（19）前掲『台東区史　通史編Ⅱ下巻』p.616
（20）同書
（21）池享・桜井良樹・陣内秀信・西木浩一・吉田伸之編（２０１８）『みる　よむ　あるく　東京の歴史5地帯編2中央区・台東区・墨田区・江東区』吉川弘文館、前掲『台東区史Ⅱ上巻』
（22）前掲『台東区史Ⅱ上巻』p.165-168
（23）同書 p.114-115、『江戸学辞典』p.527
（24）前掲『台東区史Ⅱ上巻』p.114-115、『江戸学辞典』p.527
（25）前掲『江戸学辞典』p.527-528
（26）同書
（27）前掲『台東区史Ⅱ上巻』p.130
（28）森田新太郎（１９９７）『浅草繁栄の道』浅草観光連盟 p.105
（29）同書
（30）同書・浅草演芸ホールホームページ・東洋館ホームページ

(31) 毎年12月下旬に開催されている漫才(2人以上の漫才師対象)のショーレースの一つで、吉本興業と朝日放送テレビの主催で開催されている。
(32) 見番とは、芸者衆にとっては「事務所のような役割を果たす重要な場所」であり、「芸者衆が舞踏、三味線等のお稽古をする場所」でもある。
(33) 前掲『江戸学辞典』p.323
(34) 浅草見番ホームページ、加藤政洋(2005)『花街』朝日新聞社 p.6
(35) 田中優子(2016)『芸者と遊び』角川ソフィア文庫
(36) 六区が賑やかだった1878(明治11)年から現存する割烹家一直もその一つである。その他、都鳥、瓢案、割烹あさくさ、草津亭、割烹八がある。
(37) 東京商工会議所台東支部産業政策委員会(2019)『浅草花街いろは』東京商工会議所台東支部 p.2-5
(38) 同上
(39) 同上
(40) 前掲『浅草花街いろは』
(41) 同書 p.5
(42) 浅草見番ホームページ
(43) 前掲『芸者と遊び』p.38-39
(44) 同書 p.39-40
(45) 同書 p.24

第12章 奥浅草の潜在的可能性
——浅草はなぜ人びとを魅了してきたのか

1 「聖」「色」「芸」「食」の文化から見る盛衰

これまで考察してきた浅草における主な誘引力は、浅草寺に加えて、遊芸文化（吉原・芝居街・花街・寄席）の集積地であった点にある。これらは食文化も発展させ、文化的にも経済的も浅草は発展していたといえる。本節では、浅草の誘引力を文化的な機能の変容を時間軸とともに、整理して再確認することにしよう。

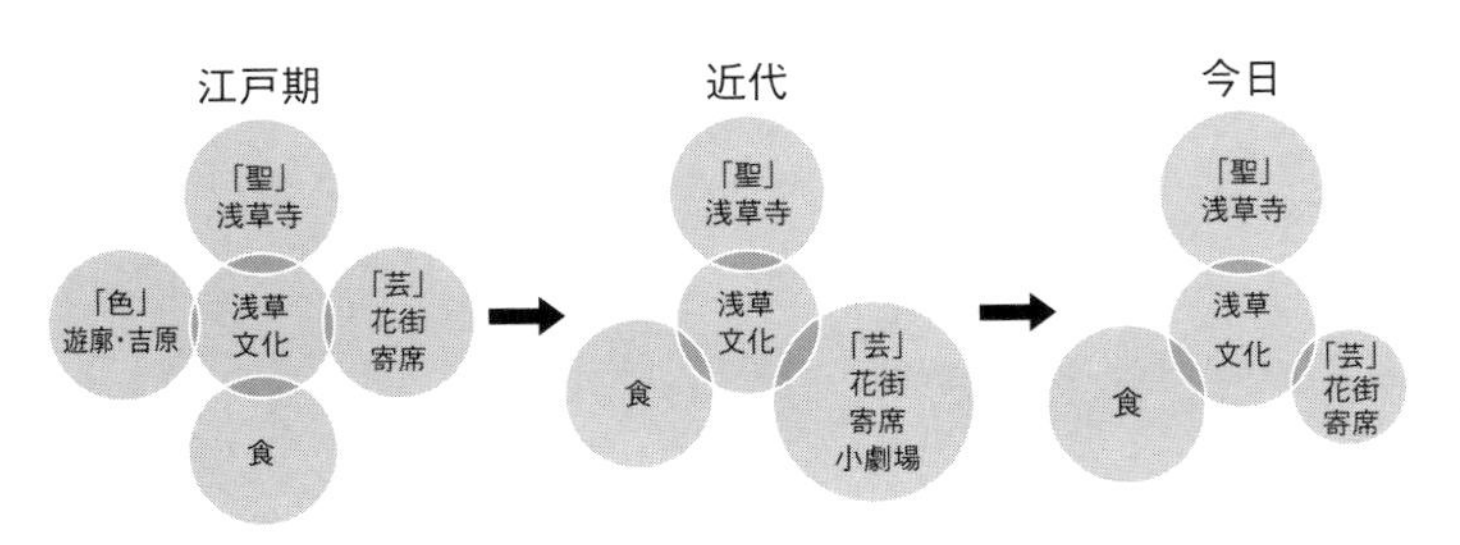

図 12-1　浅草文化の盛衰（著者作成）

江戸期は、主に四つの魅力的な文化を持ち、それが文化装置として機能し、人びとを惹きつけていた都市であったといえよう（図12–1参照）。江戸期には、浅草寺という「聖」なる領域と、それと相反する欲望の「色」を売る領域の吉原、そして、歌舞伎や寄席、花街などの「芸」の領域が共存し、遊芸が集積した地区として繁栄していた。この背景には、先述の通り、幕府公認の遊廓は吉原のみであり、また歌舞伎の三座も猿若町に集められていたことが挙げられる。加えて、「食」は、浅草へ来た際には様々なものを食べていたことが大名などの日記にも記されていたように、その昔から浅草という空間で魅力的な要素の一つとなっていた。

したがって、この頃の浅草には、一般の大衆や民衆が日常生活から離れ、ストレスや不満を解消し、楽しめる場所が集積していた「民衆のための街」として捉えられる。実際に、民衆信仰の浅草寺、唯一の幕府公認の遊廓・吉原、歌舞伎街、花街、寄席などの演芸、食（その他土産屋など）が集積していた。つまり、江戸において、ここでしか味わえない、見られない、体験できない民衆のための娯楽や文化が浅草に集積していたといえよう。

こうした場所には、多くの人びとが行き交い、そこには交流も生まれ、様々な異業種が関連づいて都市として発展していったといえよう。実際に、これまで見てきた浅草の発展では、浅草寺が民衆信仰で繁栄し、人が多く訪れるようになり、食文化や演芸などの娯楽の店が増え、門前町として隆盛していた。また、遊芸の集積地区としても、吉原の遊廓大門外や芝居街の入り口やその周辺には、花街や食文化が花咲いていた。本書ではほとんど触れていないが、出版や印刷といったメディアもこの時代に台頭し始め、歌舞伎役者や遊女などの絵が人気を博しており、現在のアイドルのブロマイド的な役割を果たしていた。したがって、江戸期の浅草の最盛期の賑わいは、ここでしか体験できないような「聖」、「芸」、「色」、「食」という民衆信仰の文化や遊芸文化が集積していた場所になっていたことから、創出されたといえるだろう。

しかしながら、明治期に入ると、遊廓・吉原は政府公認の唯一の遊所ではなくなり、商売上の特権も消滅し、昭和期になると、姿を消したことは述べた通りである。同時に、歌舞伎三座も浅草から移転し、芝居街も消滅した。つまり、この頃は、遊廓・吉原の「色」の機能は表向きには無くなった。「芸」は、歌舞伎三座が他地域に流出した後の明治・大正期には、六区に、新たな西洋の近代化された浅草オペラなどの小演劇や映画館などが立地し、その繁栄は続いた。また、花街も幕末から昭和初期にかけて隆盛していたし、寄席などの演芸も同様であった。こうしたことから、「芸」の遊芸文化の空間は、吉原や江戸の芝居街が消滅しても隆盛していたといえる。

同様に、「食」の空間も、地元の人はもとより、浅草寺への参拝客や六区の遊興の来訪者でこの頃も賑わいを見せていた。実際に、1935（昭和10）年頃になっても、浅草雷門商店街は人で賑わっていたという。浅草寺雷門商店街とは、浅草寺周辺に広がる、浅草仲見世から東は松屋デパート、西には浅草六区がある辺りの商店街のことである。この商店街の総店舗のうち約30％は飲食店で占められており、この頃には、カフェやバーなどが立ち並び、浅草内外の人が立ち寄る場所となっていた[1]。この頃は、六区や公園見番から奥浅草へ移動した花街が遊芸の地として最盛期であったであろう。したがって、明治期から昭和初期頃までは、「色」は消滅したが、「聖」、「芸」、「食」の空間として賑わいは以前よりも増していたといえる。

1950年から60年代に入ると、高度成長期の時代となり、テレビなどが普及し、若者文化の聖地が東京西部の銀座や渋谷に移っていく時期となる。こうした時代背景により、映画館や劇場などが次々と閉鎖し、六区も衰退していった。同様に、花柳界の規模も縮小していった[2]。こうして、近代化されるにつれ、徐々に文化的な活動空間が縮小され、経済的にも低迷する時期になる。先の章でも述べたが、昭和には隅田川は汚染され、治安が悪化し、1970年頃の浅草は、夜の人通りも少なかったという。

この頃の浅草は、「聖」、「芸」、「食」は存在しているが、六区の「芸」も衰退し、花街も以前のような繁栄はみられなくなった。それに伴い「食」も少なからず以前よりかは低迷した時期だと推測できる。したがって、この頃の浅草は「芸」の機能が以前よりも縮小し、浅草の総体的な魅力が低減した時期といえるのだろう。

そうした低迷期が続いていたが、先述の浅草の地元の人びとの積極的な地域の環境再生活動や近年のインバウンド振興政策により、浅草には国内外から多くの観光客が訪れるようになり、賑わいを取り戻した。その一方で、現在の浅草の魅力は浅草寺と食に集約されていることが先のアンケート調査でも明らかである。

つまり、現在の浅草には、花街や寄席などの劇場もあり、「芸」の空間はあるが、「聖」と「食」とが浅草の顔、つまり文化装置となっている。また、多くの来訪者にとって浅草寺は、「聖」という信仰文化としての機能よりかは歴史的または文化的な建造物の歴史的価値や存在価値が文化的な機能として全面に出ているといえよう。つまり、観光対象または観光文化としての浅草寺である。

したがって、現在の浅草の大部分の魅力は浅草寺やその界隈の歴史的及び文化的な雰囲気を味わうことであり、それに関連づいて食の空間の魅力があるといえる。実際に、近年の浅草は、国内外の食文化が味わえる専門店が出店しており、歴史的な食文化だけではなく、国際的な食文化を体験できる空間になっている。

浅草を考察してきた訳であるが、江戸期から現在までの時間軸と空間的な機能を通じて、江戸期からの浅草の魅力とは、「聖」、「色」、「芸」、「食」といった多様な文化的な魅力が重層的に存在している点にあり、これらの要素が相互に関連づいて文化的空間として機能し、地域経済も繁栄していたといえる。つまり、多様性のある象徴的な文化的領域が共存し、人との実質的な交流や文化活動がここには存在していた。それが文化装置として機能することによって、それが魅力となり、浅草の賑わいを齎していた背景の一つとして挙げられるだろう。

一方で、近年の浅草は、アンケート調査からも明らかであったように、浅草寺が主な文化装置として機能し、人びとを誘引しており、現存している花街や演芸は浅草を彩る伝統文化の一つではあるが、その存在感は最盛期よりも薄くなっているといわざるを得ない。かつての浅草の歴史を今に語り、表現することのできる遊芸文化を持つ花街や演芸の文化は、浅草の今後の創造的なまちづくりにおいて重要な役割を果たしていくことが今後求められるだろう。

2 浅草の魅力はどこにあったのか

(1) 浅草における空間的な魅力——「聖」と「世俗」とのコントラスト

これまで見てきたように、浅草の誘引力は浅草寺と遊芸地区に依拠してきたといえよう。浅草寺は所謂、歴史的価値を含めて文化的価値の高い、浅草における真正性のある民衆信仰文化の聖地であり、浅草の発展に重要な役割を果たしてきた。こうした真正性は浅草の歴史的街並みという風景だけではなく、ローカルの精神的な主柱にもなる重要な文化であることは、これまで述べてきた通りである。そうした浅草寺や遊芸文化地区のいずれか一方しかなかった場合、浅草の魅力は低減したのではないだろうか。つまり、文化的価値のある信仰文化及び浅草寺と庶民の文化や流行が生み出されていた遊芸文化の両方が存在していたからこそ、浅草の文化的な魅力や価値が増幅されていたといえる。では、これらの信仰の地と遊芸の地が単に同じ場所に存在したことだけが浅草に人を惹きつけたのだろうか。

文学者の廣末保氏や都市史家の陣内秀信氏によると、江戸期の浅草の魅力の一つは、空間的な立地にあったという。神聖な浅草寺の裏に立地する「欲望の場所」である吉原や芝居街という「俗っぽい」遊芸空間がある空間構造の特徴から、そこには「奥への魔力」があると述べている。また、神を信仰する神聖な場所と江戸期に「悪場所」[3]とされた遊芸地区（遊廓吉原と芝居街）とが表と裏という形で立地している点に空間的な魅力があるという。それには、元来、隅田川が神聖なる川であったことから、浅草寺の奥は神秘性や秘密性のある空間だったと捉えられている。[4]

人はそうした神秘性あるいは秘密性のあるものは覗いてみたくなるものである。それが、憧れの対象となることにも繋がっているのだろう。したがって、江戸期の浅草の魅力の一つは、「真正性」の浅草寺と「俗世」の遊芸空間のコントラスト（ギャップ）が鮮明となっていたところにあったといえる。こうした背景から、これまで継承されている遊芸文化の花街や演芸の空間的な在り様や空間的な役割が、今後の創造的なまちづくりにおいても鍵になってくるといえるだろう。

(2) 憧れのまなざし――ポップカルチャー創造の場としての浅草寺裏

江戸当時の吉原や芝居街は「悪場所」としてローカルから忌避されていた一方で、憧憬の対象でもあったというように[5]、それほど魅力的な遊芸文化もしくは空間であったとも捉えられるだろう。実際に、ローカルもこれらを受容し、共に浅草の一部として発展してきたのである。そうであるならば、広範な人びとにとって、浅草遊芸文化地区への憧憬はより強いものだったであろうし、それが多くの人を惹きつけていた要因と捉えられるだろう。

そして、その背景には、大衆（庶民）が苦しい生活の中で楽しめる、もしくは不満を発散できる、大衆のための文化、すなわち当時のポップカルチャー（大衆文化）が生まれていたからではないだろうか。次項でも述べるように、遊芸文化のコンテンツに所縁のある人や建物を含めた風景、地域が醸成した雰囲気、そして、そこでの共感・共鳴などを体験したい欲求があり、そこに人が訪れるようになるのである。

実際に、江戸期に繁栄した江戸文化は「民衆による対抗の文化[6]」であったという。歌舞伎の演目や風刺画なども、対抗精神を描いたものに人気が集まり、山東京伝や北斎、国芳の作品は民衆に絶大な支持を受けていたという[7]。それゆえ、幕府は江戸周縁部であった浅草に吉原や芝居街を移設したのである。また、江戸期の浅草に立地していた吉原や芝居街、そして花街（芸者）からは、ファッションなどの文化的流行も生み出され、発信されていたことも、先述の通りである[8]。

こうしたメジャーなもの（江戸期は幕府など）に対してのカウンター・カルチャーや大衆のためのカルチャー（ポップ・カルチャー）は、蔵前の部でも述べた通り、メジャーな場所や大通りではなく、奥まった場所や界隈性のある場所で生まれることが挙げられる[9]。江戸期にこの場所に移転してきたのは幕府の命令によるもので、偶然ではあったが、それが浅草寺裏または奥という江戸市中から少し離れた地理的な条件が、そうした文化をさらにアップデートする条件に合致したのではないだろうか。そのため、ここでの活動のエネルギーも大きくなったのだろう。昭和初期まで隆盛していた花街も、同様なことがいえるだろう。

(3) コンテンツツーリズム論から見た遊芸文化の聖地としての機能

では、遊芸文化の聖地として、人を惹きつけるどのような実質的な機能があったのだろうか。浅草の遊芸地区という空間形成の歴史的な過程から、特に隆盛していた江戸期から昭和初期までの遊芸地区は他にはない特異なエリアだったといえる。そして、それが人びとを浅草に惹きつけたのは間違いないだろう。

特に、リピーターとなっているような人たちは、歴史的建造物や観光地を見物するためだけに来訪している訳ではなく、遊芸文化活動を通じて人との交流や対話、遊芸文化や食文化を体験するために再訪している。江戸期の人も現代の人も変わらずに、浅草寺での参拝やその道中での食文化、寄席や歌舞伎などを鑑賞したりすることで、地元の人や友人との対話を楽しんでいた。また、歌舞伎役者や歌舞伎の演目の役、そして芸者から流行が発信されていたということは、そこでの何らかの体験や交流から流行が生まれていたといえる。

実際に、現代のある特定のコンテンツファンなどの人たちはその聖地となっている場所を何度も訪れる訳だが、再訪回数が多い人ほど、聖地を訪れることだけではなく、人に会いにいくことが再訪に影響を及ぼす要因となっている分析結果もある。より再訪回数が多いほど、そうした傾向が見られる。この場合の人に会いに行くというのは、その地域の知り合いに会いにいくということだけではなく、地元の人の優しさに触れることや、ちょっとした会話などを交わすような交流、同じ趣味の人たちとの出会いなどの意味も含まれ、広義である。こうした様々な形態の交流や対話を通じて、地域自体が好きになり、再訪するのである[10]。

会いに行けるアイドルとしてＡＫＢ48や乃木坂46など人気を博していることからも、秋葉原という場所や乃木坂という場所に、人は人に会いに行き、アイドルに対してだけではなく、ファン同士の交流や対話という文化体験に魅力を感じているといえる。人びとの交流の場があり、そこが彼らの活動場所となるのである。その結果として、こうした文化的な創造活動が行われている場所は賑わいを創出しているといえるのではないだろうか。

実際に、浅草の社会経済が低迷していた時期には、文化的な交流や創造的な活動が低迷・停滞していた。つまり、創造的な文化活動や交流が活発でない時期は経済も低迷するといえる。そうであるならば、文化活動や文化交流や対話の場があり、それがインフォーマルなところで機能していることが、社会経済的な発展に重要であるといえるだろう。

そして、それが重要であるのは、固有の遊芸やそのコンテンツ（俳優や芸者などの演者も含む）、すなわち地域固有の文化を通じて、人、モノ、情報が特定の地域に集まり、そこには何かしらの交流や横の繋がりが生まれ、文化がアップデートされ、継承されるためである。それは、現代のコンテンツツーリズムと変わりがないといえるだろう。ファン同士が交流することで、コンテンツの人気や認識度が維持され、その地に赴かせるのは、こうした人と人の交流や繋がりの中でこそ生まれているといえる。

そうしたある地域の固有の文化やコンテンツを通じた交流や対話から、様々な繋がりが生まれ、少しずつではあるが、歴史的な文化を基盤としつつも、固有の文化がアップデートされているのであろう。多種多様な人びとが集まり、交流することによって、文化は機微にアップデートされ、その場が文化の継承・創造の場となり得るのである。

したがって、こうした形態の遊興行動や観光行動は時代を経ても変わらず、最終的には広義の人に会いに行くことや人と交流すること、その中で文化的な体験をすることが最も惹きつける要因になっているのである。そして、そこにいる人やモノなどが交わることによって文化的な空間を形成すると同時に、人びとの文化的な生活の質の向上にも貢献することに繋がるのである。そのため、その場所や空間となる文化サロン的な役割を果たす交流の場が、経済的な発展にも文化的な発展にも重要な役割を果たしていたといえるのである。

3 奥浅草の文化装置としての潜在的可能性

では、現在の奥浅草はどうであろうか。現在の文化装置は浅草寺であることは来訪目的のアンケート調査でも明らかである。しかしながら、それは、浅草寺も聖なる民衆信仰の空間というより、歴史的な観光文化として、仲見世や演芸場などを含めた浅草寺界隈が人びとを魅了している。換言すると、浅草寺自体は本来の宗教活動や信仰文化は継承され、機能しているが、来訪者側の目的は信仰というよりかは観光目的が多いだろう。また、現在の浅草に花街は存在しているが、奥浅草が江戸期のような異空間というイメージでもない。では、江戸期のような、奥性といった魅力というものは薄れているのだろうか。

近年の奥浅草は、個性のある店舗が立地するようになり、観光客があまり立ち寄らない、地元の人びとが訪れる、隠れたスポットとしても近年注目されるようになり、雑誌などでも特集されているものを見かけるようになっている。それは、このエリアに路地裏があり、そこには花街という歴史的な文化基盤があるからではないだろうか。

奥浅草には、花街が今も継承されていることや昔から遊芸地区だったという歴史的な背景という文化基盤がある。そして、立地が浅草寺裏手であるという、「裏手」であるとか「路地（裏）」に潜む地元の人や知る人しか訪れない秘密性の雰囲気を醸し出す要素となっているといえる。これらが相互作用することで、現代における奥性や秘密性といった魅力を創出する潜在的可能性があるだろう。

奥浅草が地元の人たちや浅草界隈に関係する人たちの社交の場となり、そのことが裏路地に新たな専門店を呼び、活性化し始めている。つまり、江戸などの時とは異なる意味での秘密性または（地元の人しか知らないという意味での）地域性という異空間やその雰囲気を創り始めているともいえるだろう。このことは、地域的な文化のアップデートとも捉えられる。

実際に、浅草の芸者である乃り江（鹿島菊乃）さんが奥浅草の隠れた場所に会員制のバー「お茶屋さろんKaSHiMA」を2015年に開業している。奥浅草をよく知らない人がここへ行こうとすると迷うような場所にある、まさに隠れた空間である。

ここをオープンした経緯には、当時、浅草・観音裏は意外と遅くまで開いている店が少なく、浅草から人が流れていくことが多いことと、芸者衆が経営している店がなかったことから、昔から念願だった店を開く決意に至ったという。また、気軽に芸者に会えるお店にしたいということだった。

開業にあたっては、資金繰りに苦労し、最終的には第一勧業信用金庫から無事融資を受けることが出来たという。信用金庫の特性は地域密着型の銀行であり、地元企業への融資や地元の一員として地域づくりの重要なプレーヤーでもある。そうした役割を担う第一勧業信用金庫は、現在、芸者ローンなど様々な地域業者へのローン事業を展開し、多くの浅草の事業者を支える地域には欠かせない存在であり、浅草地域の賑わいや活性化を担う重要なコミュニティを形成する一員である。そして、なにより地元の人びとと行員との信頼関係が構築されている。

そうした地域企業の支援のもと、居心地の良い店を創り上げた。特にこだわったのは、椅子とカウンターだそうで、お客さんはもちろんのこと、着物姿の芸者衆でも座りやすいようにクッションは固めにすることで長時間座っていても楽なように配慮された作りとなっているという。

オープンして以来「お茶屋さろんKaSHiMA」はお客さんとの絆の強め、コロナ渦の中でも「いつから再開するのか」といった声が外出自粛要請の直後から多く寄せられていたということだ。

こうした浅草芸者の新たな試みは、花街自体の活性化にも繋がるであろうし、お座敷遊びとは違った普段の空間での街の社交場となる。加えて、浅草裏手という歴史的、文化的な背景を持つ雰囲気を継承することにも繋がるであろう。

実際に、諸説あるが、戦前のお好み焼は、芸者衆同志や芸者と客との、座敷以外での社交場でもあったという。『お好み焼きの物語』によると、花街と戦前のお好み焼き屋は関連が深く、戦前の東京のお好み焼き屋の主な顧客が、芸者衆や芸者見習いであった。また、『コムギ粉の食文化史』によると、お好み焼きは、芸者衆とその客たちが好きなものを焼いて食べるという遊び（遊戯）になっていったという。食事などの場所も、当時から多様な人が集う、社交の場の一つとして発展してきたのである。

現在の奥浅草は、先述のように、個性のある店舗が立地し始め、変容しつつある。奥浅草の路地には、お昼はカフェなども点在するようになり、夜は秘密性のある異空間・花街やバーなど様々なお酒を飲める社交場が増えている。昼夜では様相が少し異なるのも、奥浅草の魅力になるだろう。また、前章でも述べたように、最終的に人は人に会いに来るのであれば、そうした社交場が増えることは、街の活性化にもつながると同時に、楽しい体験やそこでの交流が再び浅草を魅了する要素の一つとなる。

同時に、奥浅草の文化基盤である吉原や芝居街などの歴史的背景を語り継ぐ、または感じられるような活動が行われ、花街がさらに活性化されれば、奥浅草の文化的な魅力を高めていくことにつながるだろう。そのためには、芸者や芸人、地元の団体、銀行などの地元企業などを含めた地元の人びとが連携していくことが重要な役割を担っている。それは、浅草が民衆文化を基盤として、これまで繁栄してきたことにも繋がることである。今日は明日の過去になる、その蓄積であり、地域の貴重な文化資源となるのである。

4　奥浅草の歴史と遊芸文化の継承・振興に向けて――花街の取り組みを中心に

先述のように、奥浅草の秘めた、隠れた雰囲気は花街やそれまでの歴史的背景の記憶が基盤となっているとするならば、現存し継承する花街（花柳界）が活気を取り戻すことが必要であろう。同時に、吉原や芝居街という特異な歴史的背景を持つことは浅草の特徴の一つでもあり、現存はしていないが、語り継いで、継承していくことも必要である。それによって、浅草寺とのコントラストや現代の奥浅草自体の文化的な魅力を創出するような創造的なまちづくりが必要とされているのである。

そうした中で、現役の芸者衆も、伝統文化継承のために、時代に応じて様々な取り組みを行っている。例えば、先ほどの乃り江さんであるが、アメリカからの帰国子女で、台湾大学への留学経験もあり語学が堪能であることから、コロナ以前には外国人観光客に向けて、英語や中国語で

「お座敷おどり」の演目を説明・紹介するイベントを催し、無料で芸者遊びの体験を提供していた。

　また、コロナ禍中は平常時と異なり、芸者衆の活躍の場が少なくなった一方で、伝統文化を次世代へ継承していかなければならない。そこで、東京浅草組合がクラウドファンディングでイベント開催費の支援を募った。その結果は、目標金額の100万円を上回る約535万円の支援金が181人の支援者から集まったという。これらの返礼品はリストバンドやエコバックといった商品から芸者衆と直接触れあえる女子会ランチや芸妓体験、記念行事への出張対応など魅力的な品がラインナップされていた。

　このクラウドファンディングの活用は、財政的な支援という側面もあるが、これまで芸者衆と関わることが無かった人たちに知ってもらい、ファンになってもらう好機にもなる可能性が大きく、今後につながる布石にもなる。こうした取り組みはまさにコロナ禍中でないと考えつかない発想といえる。時代の変化に対応しつつ、伝統文化を継承し、花柳界の文化をアップデートしていく必要があるだろう。

　乃り江さんも「コロナ危機をチャンスに変える」ような発想の転換が必要だと考えているそうだ。たとえば、コロナ禍中のため、お座敷が出来ない中で、芸者衆はさらに芸を磨きつつ、地域の歴史や産業についても勉強するいい機会であると捉えていた。そして、コロナ禍収束後に、その知識を活かし、芸者衆自らが「街の語り部」として浅草の街を案内し、お座敷に導くといったような体験コースもやってみたいということだった。芸者衆は夜に活動するイメージが強いため、昼間にも先述の体験コースなど提供し、これまで関心のなかった人たちにも花柳界や浅草に関心を持ってもらう取り組みをしていきたいというのが乃り江さんの思いである。

こうした活動は、先述の遊廓や花街、芝居街を中心とした奥浅草の歴史を多様な人たちに語り、紡ぐことで、空間的だけではなく、時間軸の奥行きも感じられるのではないだろうか。そのことが、先述のように、奥浅草はもとより浅草全体の魅力を向上させるだろう。

したがって、浅草固有の現存しない歴史文化を含めた伝統文化をまちづくりに活用することで、歴史文化が継承され、それが地域経済へも還元されることになるのである。そして、それにはローカルの人びとや浅草の花柳界、地元の企業がイニシアティブを取り、多様な人びとを巻き込みつつ、歴史のある浅草に新たな風を吹き込むことは、花柳界はもとより浅草文化の振興や精神の継承だけではなく、浅草全体の創造的なまちづくりや地域創生にも繋がっていくだろう。

同時に、こうした地元の人びとによって地域の歴史や文化が継承されることは、私たちが長く続いている歴史の中で生きており、それらに触れる機会や様々な想像力を膨らませるきっかけを与えてくれるものである。そして、それが浅草の最大の魅力になるのである。その鍵となるのが、浅草寺や三社祭はもとより、奥浅草の記憶（歴史継承）と現存している花街や演芸の伝統文化の継承にあろう。こうした創造的なまちづくりが求められているのである。

註

（1）台東区史編集委員会（2002）『台東区史　通史編Ⅲ下巻』東京都台東区 p.615
（2）理由については、『芸者と遊び』を参照されたい。
（3）廣末保（2002）『悪場所の発想』ちくま学芸文庫
（4）陣内秀信（2020）『水都　東京』ちくま新書 p.31
（5）前掲『悪場所の発想』
（6）西山松之助・郡司正勝・南博・神保五彌・南和男・竹内誠・宮田登・吉原健一郎編（1994）『江戸学辞典』弘文社 p.6
（7）同書
（8）勿論、蔵前や他の花街からも流行は生み出されていたが、浅草のように、江戸期には周縁部に位置しながら、遊芸文化が集積し、文化や流行を発信していた地域はないだろう。
（9）増淵敏之（2012）『裏路地が文化を生む』青弓社
（10）清水麻帆（2005）「都市の再生とサステイナビリティにおける文化産業の成長と文化政策――サンフランシスコ市・マルチメディア産業の事例から」『文化経済学会』第4巻第3号 p.65-75

終章　文化を基盤とした創造的なまちづくり

1　社会経済の活性化と文化のアップデート——北千住・蔵前・浅草の比較検討より

本書では、北千住、蔵前、浅草の街の変容を文化から考察してきた。そうした中で、共通していたことは、街が社会経済的に繁栄していた時には、文化の発展や文化活動も繁栄し、文化的魅力や文化的な交流・活動が社会や経済に活力を生み出していたことであろう。一方で、街の機能が経済（市場）空間の手段となっていた時期には、一時的に経済力を維持することができたが、その後、これら都市の社会や経済は、外部要因の影響もあるが、低迷していったといえる。

勿論、本書でも取り上げていたように、文化や芸術には、資本や財政的支援が必要であるため、経済的繁栄が文化的繁栄に繋がることは中世ヨーロッパや江戸期の社会におけるパトロンの役割からも、歴史的に明らかである。しかしながら、これら三都市もそうだったように、それだけで文化が繁栄したりすることはない。そこには、文化的交流の場としてのサロンという場所やそこで生まれる水平的（自由）なつながり、それらを介した交流や文化的な活動がそこにはあり、それによって、文化が継承・振興されていた。では、なぜそうした場所では、文化が花開き、街に活気があったのだろうか。これまで本書で取り上げた三都市を整理しつつ、論じていこう。

これら三都市は、隅田川沿いの下町であり、それぞれの社会経済的な背景の下で盛衰してきた街であった。江戸期において、北千住は物流と人流の拠点、蔵前は金融センター、浅草は行楽地や参拝地、そして遊芸地区といった文化観光の地として発展してきた。そうした流れは、近代の工業化により、大きく街の社会経済構造や様相を変容させた。さらに、その後は、経済のグローバル化によって日本の製造業は空洞化し、衰退していくことになる。三都市もそのあおりを大きく受けた地域であった。同時に、政治経済の中心はもとより、文化的中心も東京西部の都心部である渋谷や原宿、銀座や青山などに移り、これら三都市の社会経済は低迷した時期を迎えた。

そうした中で、近年、これらの東京東部の下町が若者の集まる街へと変容しつつあった。その背景には、この三都市の共通点でもある、人びとが交流する文化的なサロンが路地裏に出来始めたことが挙げられる。そこでは、自由に、性別や年齢、社会関係性など関係がない自由な交流が生まれていた。勿論、その交流は時と場合によって、消費者と供給者もしくは生産者との交流であるかもしれないし、供給者と生産者、供給者や生産者同士、消費者同士や地域の人同士など様々なシーンの交流があるだろう。そうした交流がある場所には、昔からそうであるが、自然に人、情報、モノ、資本などがインフォーマルに集まり始め、その結果として街の賑わいや経済の活性化に繋がるのである。

また、これら三都市は、少なくとも歴史的な文化基盤が暗黙知のように継承されていた。北千住であれば、江戸期から域外の人たちを受け入れて発展してきた文化的背景を持ち、そうした気質が北千住を発展させていた。近代化の際の教育発展においてもそれが見ることができたように、よそ者が北千住ローカルになり、さらに新たなよそ者を受け入れて社会経済の基層を構築する循環が自然と生み出されていた。

それが現在でも垣間見られ、人に温かく、新しい物好きのローカルが、新たな人を受け入れて、街の様相がアップデートされ、その気質も新たな人たちに継承されていた。そうした街が多くの魅力ある専門店を集積させ、新旧入り混じる街が若い人びとを魅了していたのである。勿論、安全環境面や歴史的建造物を保存・継承していくために、ローカルの一員である自治体も施策を講じている。こうしたことが今の北千住の賑わいのある様相に結びついているのだろう。

蔵前も、江戸期にはビジネスと文化的流行の地であったが、先述の通り、近代化する過程においては、文化的活動が低迷していった。そうした状況下でも、江戸から近代にかけて蓄積された「ものづくり文化」を基盤として復活した街といえる。北千住と同様に、そこにも、新しいよそ者が地元のモノづくり企業と共に、モノづくり文化をアップデートすることで、経済的な活力だけではなく、街に賑わいも齎していた。モノづくり文化を介したゆるいネットワークは、ものづくり関連企業だけではなく、街全体にも影響を及ぼしていた。

都市経済学者のA・サクセニアンによると、マルチメディア産業の地域比較から、ボストンのルート128とサンフランシスコのシリコンバレーでは、後者の方が発展しており、その要因は開放的な風土や水平的なネットワーク（繋がり）などの外部性要因であると言及している[1]。その背景には、自由な企業間移動、インフォーマルなネットワークを通じた学習やアイデアの発見、自由なコミュニケーションを促進し、それが新たな財・サービスを生み出す要因が挙げられていた。

こうした環境がクリエーターやモノづくり関連企業を蔵前に惹きつけ、根付かせていた。それによってアップデートされたものづくり文化が醸成された街となり、それが、さらに、こだわりを持つ他業種の専門店を惹きつけていた。その結果として、若者が散策する洗練された街として注目され、巷で「東京のブルックリン」などと称されるようになったのである。そうした蔵前を目的地とする来訪者のニーズは、モノづくり文化の雰囲気やそれを醸成している街の文化に触れ、体験することや、それを形成している専門店を訪問することにあるといえる。そうであるならば、来訪者自体も、その土地の文化的香りや雰囲気を継承することに貢献しているといえるだろう。

そして、それが街の賑わいを保持することに繋がっているのである。実際に、マンション建設は見られるが、全国チェーン店は他の地域と比べても進出していない。つまり、文化を基盤とすることで、自然と街のブランドが構築されているのである。

私たちの社会は資本主義経済下にあるため、ある特定の都市や地域が注目を浴び始めると、そこには、全国チェーン店やマンション開発やホテル開発が進み、それまでの文化的景観や文化的な雰囲気が崩れたり、消滅したりする場所もある。そうなると、街が単なる経済（市場）空間の手段となり、低迷していく道を辿るのであろう。そのため、ローカルである住民や自治体が協力・連携し合うことが求められる。これが重要であるのは、都市や地域の文化を形成・蓄積しつつ、大衆やローカルのための新しい文化のシーンを生み出し、地域固有の文化を醸成していくことが、結果として、賑わいを創出していくことに繋がるためである。

同様に浅草も、戦後一時期、危険で汚いといったイメージがあり、観光地としても低迷していた時期があったが、それを復活させたのが、地元のおかみさんたちや青年部、旦那衆であった。こうした人たちは、蔵前のケースとは少し異なり、元々の繋がりが強く、浅草文化を復活させる際には大きな原動力となっていた。実際に、浅草に関係なさそうなサンバや2階建てバスを導入し、成功させていた。前者は、今ではすっかり浅草サンバカーニバルとして、違和感なく浅草に定着している。

こうした新しいものを浅草文化として取り入れ、定着させることは、今に始まった訳ではなく、日本が近代化する際にも、西洋オペラを日本風にアレンジした浅草オペラが人気を博し、遊芸地区として行楽地として、浅草に人びとを惹きつけていた。また、江戸期の遊芸地区も、元々江戸市中から移転してきた吉原や芝居三座を芝居街ごと受け入れて、浅草は発展してきた。忘れてならないのは、それよりも以前から、浅草寺は、全国の民衆が身分関係なく参拝できた寺社であり、多くの人を受け入れて、浅草が発展していたことは先述の通りである。

浅草の発展や再生において、浅草ローカルの横のつながりと、他者や他の文化、新しいものを受け入れる寛容性は、今日まで続く浅草っ子の柔軟性とプライドを感じさせる。それは、西洋や海外のものを浅草のものにアレンジし、浅草のものとして定着させることができる点にも示されているだろう。そして、それを可能にしているのは、浅草文化の基盤の厚さとそれを継承する横（水平的）のつながりであろう。なぜなら、もしそうでなければ、新たに取り入れた文化やものに取り込まれると、浅草文化が消滅してしまう可能性もあるからだ。そうした意味においても、浅草ローカルの気質やそれに伴う動向（取り組み）と、現存する浅草寺や遊芸地区という真正性と歴史的価値のある文化資源または文化資本の存在は、浅草の主柱でもあり、文化基盤として維持可能な発展に重要なのである。それが新旧入り混じった街を形成し、浅草の一つの魅力にもなっている。

このように、三都市の共通点は、隅田川沿いという地形から都市として発展し、その過程で形成された文化を基盤として発展してきた地域といえる。それは、他者を受け入れ、その人びとが地域内で元々のローカルの人びととつながり、その街に愛着を持つことで、街の経済力や賑わいを生み出していた。それが若者を呼び寄せ、多様性のある街へと変容させていた。そして、それは、それぞれの文化を基盤とした、もしくは、それを介した繋がりから生まれていたため、それぞれ地域固有の街の様相を形成していたといえる。加えて、特筆すべきは、今日の都市や地域の文化を担うのは、ローカルの人だけではなく、域外からの新たな新参者・移住者や訪問者も重要な担い手となっていたということだろう。

先述のように、地域社会や経済の再生や発展には、地域固有の文化を基盤として、ローカルはもとより、大衆や民衆のための文化を創造しているからこそ、固有の文化となり、それを目的に来訪し、人が集まる。そして、それには、使用価値があるからこそ、生きた文化としてアップデートされ、継承されることにも繋がるのである。そうした、繋がりなどのネットワークを含めた文化基盤がある場所に、モノや情報が集まり、賑わいを増す。同時に、地域住民にとっても、そこに関わる人たちにとっても、シビックプライドや愛着、コミュニティ文化の醸成や育成にもつながる。こうしたアクションが、長期的な視野から見れば、維持可能な発展につながるといえるのである。

2　文化のアップデートがなぜ重要なのか——経済学の視点から

地域文化のアップデートや継承が都市や地域の発展には重要であることを論じてきた。本書における文化のアップデートとは、上書きして、塗り替えてしまうという意味ではなく、先述のように、歴史的に構築してきた基層や基盤になっているものを継承しつつ、現代社会に適応させられるものは柔軟にそうすることである。

その背景の一つには、文化などの土着もしくは土地由来のものは地域固有の歴史や記憶に基づくものであるため、他には真似ができないし、他の土地や家のように、交換ができないことが挙げられる。つまり、それが地域の固有性（個性）となり、街の魅力となるため、生きた文化として継承することが重要なのである。たとえば、スケールが大きくなるが、イタリアのフィレンツェやボローニャなども生きた文化といえる。イタリア建築史研究家の陣内秀信氏によると、これらのイタリアの都市は、街全体で歴史的建造物が残されており、こうした場所はイタリアの他にはないといわれている。

これはまさに生きた文化として市民が利用、継承している文化である。街全体が歴史的外観（建造物）の街に現代の人たちが現実社会での生活を営んでいる。これは、外観や街全体は歴史的な文化（歴史的建造物）を継承しつつも、街を形成しているコンテンツ（中身）は現代の生活文化に適応したかたちでアップデートされており、おそらくそこには、その地域やある集団の習慣、信念や価値も共有され、継承されているだろう。また、特筆すべきは、地場産業も文化基盤として継承されていることだ。職人産業は継承しつつも、新たなデザインの製品が生み出され、域外から来た人たちもその産業を担っているのである。

こうした文化のアップデートによって、生きた文化として継承されていくのである。まち裏文化と本書のタイトルにあるが、それは、メインストリームではない、都市や地域の基盤及び基層となっている大衆やローカルのための生活文化や精神文化を含めた主柱となる文化なのである。単なる消費されるだけの文化でもなく、形としてあるものだけでもなく、そこには、ある集団の美意識や美徳の継承や共感、あるいは技術や歴史（ストーリー）の継承がなされる文化のことである。それを共通の価値観として、ある地域や特定の集団の中でゆるいつながりが作られる。そうしたプロセスの中で生まれた繋がりは、課題を解決していく活力や新たなものを生み出すエネルギーに変えることができるのである。

経済学者で内発的発展論を1970年代初頭に既に提唱していた宮本憲一氏も、固有の文化資源とは、そこに行かなければ触れられない、体験できないものであると述べている。それは、オペラの劇場も同様で、イタリアには地域ごとに劇場があるが、その風格が地域によって異なっているのは、都市の特性をそれぞれのオペラが有しているためだという。その地域ごとの違い、すなわち特性や固有性は、その土地の民衆と共にオペラが発展し、存在していたことが基盤となり、文化として醸成している。それが地域固有の魅力となっているのである。そうであるならば、ローカルやそこに関わる人たちがいかに地域固有性のある文化をアップデートし、醸成していくかが鍵になる。

また、宮本氏は、そこには使用価値も存在していると指摘している。経済地理学者のE・ジンマーマン氏も、資源とは「物事または物資に当てはまるのではなく、事物または物質の果たしうる機能、あるいはそれが貢献しうる働きに当てはまる(3)」と定義している。つまり、文化の場合であれば、人や社会に有用であると評価されて資源化され、文化資源となるのである。そうした文化は、後世にも利活用され、生きた文化となる可能性が高い。その場合、有形も無形の文化も、真正性というものを貫き残していきつつも、現代社会や人びとにおいても有用なものであることが重要であろう。特に、産業化される場合や経済的手段になり得る場合はそうである。

それは、文化的財（cultural goods）が経済的価値と文化的価値の両方を持つためである。従来の経済学における中心的な概念は経済的価値（市場価格）であるが、文化的財とは、次のような文化活動によって生まれる新たな価値である文化的価値を持つ財・サービスであり、経済的価値と文化的価値を有している。そのことから、文化的価値を持つものは、経済的財でもあるが文化的財でもある[4]。そのため、文化が単なる経済的手段にならないようなアップデートが求められるのである。

ここでいう文化的価値とは、文化経済学者のD・スロスビー氏によると、「美的価値（美しさの価値）、歴史的価値（過去との連帯感、歴史との繋がりを示す価値）、社会的価値（他者との連帯感、地域とのつながり、社会の本質を教える価値）、真正的価値（本物であることの価値）、象徴的価値（文化的意味を伝える媒体としての価値[5]）」で構成されているものである。さらに、経済学者の山田浩之氏は、「文脈的価値（ものや場所などが関係する歴史や物語から生ずる価値）、学術的価値（学術研究によって得られる価値）、愛着価値（何らかの社会集団によってその存在意義が愛着をもたれていることから生ずる価値）、教育的価値（なんらかの活動やその産物が教育的効果をもつことの価値[6]」を加えたものを文化的価値としている。

固有の文化は、先述のような性質を持つため、それ自体が人びとを惹きつける一つの魅力となるが、一方で、それは資源化され、文化資本としての役割や機能を持つことになる。先述のイタリア各地のオペラの劇場も観光客で賑わう場所になっているし、ボローニャやフィレンツェは街全体が観光地になっている。観光文化という文化資本として、文化的価値を持つ財・サービスを提供する文化的財となり、経済的価値と文化的価値を生み出すのである。

換言すると、文化資本は、文化資源を活かすことで様々な効果を生み出す。スロスビー氏によると、文化資本とは、有形・無形の2種類が存在し、「文化的価値を具体化し、蓄積し、供給する資産[7]」としている。有形の文化資本は、建物や芸術品、工芸品などのことであり、無形は、「集団によって共有される概念や習慣、信念や価値といった形式をとる知的資本として成立している[8]」そして、「知的資本のストックは、放置されることで価値を減少させるし、新しく利用されることで価値を増大させもする。それはまた、継続的にサービスのフローを生み出しもする[9]」と述べている。山田氏も、文化資本として礼祭を定性的に分析した結果、直接的な経済効果だけではなく波及効果も見られ、有名な祭などは地域のブランドにもなるという。加えて、文化の保全や継承にも大きく貢献していると指摘している[10]。

つまり、都市や地域の文化が、文化資本化されるプロセスで、ローカルやそれに関連する人びとがどのように利活用し、その文化的価値を十分に理解しつつ、文化のアップデートを行うかが重要になるのである。固有の文化がそこでしか体験できないことだからこそ、観光客が訪れるという循環がある。固有の文化とそれが内包する文化的価値をローカルと共に社会にとって有用なかたちで継承・アップデートしていくことが社会的にも経済的にも維持可能な発展（や維持可能な観光）に繋がるといえるだろう。

したがって、先述の通り、ローカルやそれに関連する人びとが文化が内包する文化的価値を十分に理解した文化のアップデートのあり方が重要なのである。本書で定性的に観察してきた文化基盤の一部でもある各地域の気質や習慣、ある地域や集団で共有される美意識や価値観は蓄積された文化であり、それが暗黙知として継承されることによって、様々なプロセスにおいて効果を齎す。北千住、蔵前、浅草のそれぞれの地域でも、都市文化という広義ではあるが、そのダイナミズムが垣間見られた。その重要なプロセスの一つが、文化を保全・継承していくための、文化のアップデートである。そして、そのアップデートには、こうした他に、つながり（ネットワーク）やサロンの機能を持つ路地裏といった空間や場所などを含む文化基盤が重要となる。

3　グローバル化における固有文化の継承とアップデート——多様性ある担い手の受容

一方で、近年、日本の地方都市では、本来、文化のアップデートを担うべき地元の若者の流出が顕著で、衰退している地域や都市が多いため、ローカルだけでは文化をアップデートしたり、継承したりすることが難しくなってきている。そうした地域や都市では、先述のように、域外からの人たちを迎え入れ、関係人口ともいえる半ローカルまたは移住者としてローカルになってもらうことが重要になる。そうした際に、ローカルは、こうした新しい人たちとの文化的交流や繋がりを持ち、彼らに固有の文化的価値を理解してもらった上で、アップデートしていくことが必要である。

極端にいえば、日本や地域における伝統文化を担う人がいない場合、国外の人びとが日本の伝統文化を継承してもいい訳である。むしろ、日本人よりも、日本古来の伝統文化や価値について理解し、学ぼうとする姿勢や継承していく意志があるかもしれない。重要な点は、そうした継承者が日本の文化や美的価値、歴史的価値や古来の固有の美意識といった文化的価値を理解・共有し、継承することが重要なのである。

つまり、グローバル化が急速に進む昨今、地域や都市は外部からの交流が活発化したり、影響を受けたりすることは避けられないのが現状である。そうした中で、特に、農村や過疎地域などでは、こうした域外の担い手は貴重な継承者である。したがって、人種や性別、国籍や戸籍などの社会的及び制度的な規定はあまり重要ではないといえるだろう。[11] こうした点は、多様性のある都市の方が、多かれ少なかれ、それに対する問題や課題を抱えながらも、それを受け入れて発展していることは、周知の事実となっている。地域経済学者のR・フロリダ氏も、1990年代から2000年前半頃のサンフランシスコが全米で最もクリエイティブな都市であり、多様性、寛容さ、開放性（オープンな文化）がある地域であったと言及している。[12]

本書で取り上げた三都市にも、先述の地域経済学者のA・サクセニアン氏が導き出していた地域経済が発展する条件である、水平的なつながりや開放性、寛容性といった文化的風土を確認することができたといえる。これは１９９０年代の事例を分析したものであったが、現代にも通用する本質的な条件であるといえよう。加えて、本書を通じて、そうした他者を受け入れる開放性や寛容性、つながり（ネットワーク）などを含む文化基盤が多様性を生みだし、それが文化をアップデートしていた。そのことが都市の文化を醸成させ、社会経済的な活力を生み出していたことを示した。

そして、そこには新たなものを作り出し、都市の文化を醸成させるのに重要な役割を果たす、つながりやサロンなどの空間や場所などがあった。都市や地域の文化を基盤として発展する際に、そうした環境が必要なのである。それによって、こうした都市空間では、多様なアクターが相互作用しつつ、新たなアイデアや交流が生まれ、文化的な価値を継承したり、生み出したりするのである。

換言すると、それぞれの都市が継承してきた文化をアップデートすることで、土地特有の文化を醸成させると同時に、都市の社会経済にダイナミズムを作り出す。実際に、そうした都市は新旧入り混じる情緒ある風景や多様性のある街となり、文化的魅力を生み出し、人びとを惹きつけ、経済力を生み出す原動力にもなっているのである。

4 路地裏から始まる新たな文化シーン――なぜ路地裏でアップデートされるのか

これに重要な役割を果たす都市や地域の文化のアップデートや継承は、多様なアクター間のつながりやそこでの文化的交流から生まれていた。その場合の文化的交流は、文化活動を交えることだけではなく、専門店や職人・デザイナーと客との会話や商品やサービスの提供による交流も含まれた広義のものである。そうした文化的交流の場所としてのサロンがある。本書で述べてきた3都市においても、路地裏にそうした人の集まる場所やサロンが点在していた。それは、ほとんどが路地裏にある、メインストリートから奥に入った所であった。つまり、メジャーもしくはメインストリームではない場所でアップデートされていたといえよう。

実際に、文化地理学者の増淵敏之氏は、音楽産業の事例を通じて、路地は文化装置となり、路地裏から新たな音楽シーンが生まれると述べている。本書で考察してきた下町の路地裏も文字通り、各地域の文化を発信する文化装置となり、人の移動や回遊性を齎していた。特に、北千住は、路地を含めた歴史的な文化ストック（建物）が一部ではあるが息吹いており、それが北千住の魅力を深みのあるものにしていたし、蔵前も現在のモノづくり文化が息吹く街へと変容していた。そして、その過程には、サロン（交流場所）という点が面となることで、蔵前文化として醸成されていたことが示されていた。このように、路地裏のサロンが重層的に存在し、面となることで、街の文化として醸成されているのである。そして、それは先述の通り、各都市や地域の文化を基盤としていた。

　では、なぜ路地裏が文化装置として、また、サロンの機能を持ち合わせた場所になり得るのか。路地裏は、増淵氏も述べているように、歴史的に形成された道であるにもかかわらず、近代化によって、古く効率の悪いものとして追いやられ、日の当らない場所になっていた場所である。一方で、本書を通じていえることは、そうした場所はインフォーマルで人目につきにくいがゆえに、自由な表現や発想、会話が可能な場所となり、そのことが、新たな文化シーンを生み出す環境として適していたといえる。実際に、江戸期にも、そうした環境の場所で、ファッションなどの文化的流行から社会に対するカウンターカルチャーまで生まれていた。また、現代においても、メジャーではない場所や空間のため、自由に好きなことや実験的なことに挑戦しやすい環境があった。

　つまり、そうした場所には、何かしらのチャンスや機会があり、社会的な地位や年齢、性別なども関係ない。そのため、地域外の若者が新たなことや好きなことを実験的に始めることが相対的に容易であったのである。加えて、特筆すべきは、その地域や都市の文化（に対する共感）を通じて、人びとがゆるく繋がることができる環境があり、交流する場となり得たのである。同時に、これまで述べてきたように、ローカルが異質なものや域外の人やモノといった新しいものを受け入れる寛容性などの文化基盤がある場所である。そうした環境下で、ローカルを含む大衆のために存在する固有の文化がアップデートされ、新たな文化シーンが生み出されていたのである。

そして、そこで生まれる新たな文化シーンはメインストリームではなく、ローカルや大衆が無意識のうちに必要としている生活文化やそれを豊かにする美的価値などの文化的価値を創造する場所に依拠する。そのため、交流やつながりのあるサロンは、文化をアップデートする重要な機能を果たしていた場所であったといえるだろう。

それは本書で取り上げてきたような実在の場所であるかもしれないし、近年では仮想空間という場もあり、デジタルの世界にある場所かもしれない。そうした場所で、メインストリームでは思いつかないようなモノが生まれているのだ。それは、時に経済効率を全く無視したものであるかもしれない。それがブラッシュアップされて、社会に活力を与えるエネルギーになり、そこから経済的価値を持つ商品に化ける場合もあるだろう。そうした実験的で新しいものが生まれるサロン的な場所や空間があることが、社会や経済の再生や活性化の可能性があるといえる[13]。

加えて、そうした場所が点から面と広がることで、街の魅力が増し、正の外部性が生み出される。そして、そこには、さらにそうした文化基盤に共感した人やモノが惹きつけられ、賑わいや経済効果を生み出すことに繋がる。実際に、蔵前の変容過程の後発で立地していた専門店は、正の外部性が生み出されたことによる効果でもあったと同時に、それらは正の外部性の恩恵を受けていた。

繰り返し述べているように、北千住は多様な人びとが交差する気取らない街、蔵前はモノづくり文化を基盤とした洗練された街、浅草は歴史文化を基盤とした街であったように、これらの都市はそれぞれの方向性で再生してきたといえる。その背景には、文化基盤がそれぞれの方向性に影響を及ぼしていたということが挙げられよう。

つまり、本書では、三都市の盛衰を通して、それらの変容や再生を考察し、都市や地域の再生や活性化には、文化基盤が重要な役割を果たすことを論じてきた。そこには、暗黙知としてローカルに継承される気質や風土や有形・無形の文化、これらに加えて、文化自体やその文化的価値を継承・アップデートするためのつながり（ネットワーク）や自由な空間（場所）が存在していた。今回取り上げていないが、そこには文化支援などを通じた繋がりや制度的支援も含まれることになるだろう[14]。

したがって、創造的なまちづくりを考えた際に、どこの街にも創造的なまちづくりが可能であることを示唆している。それは、それぞれの都市や地域を形成する過程で蓄積された都市や地域の固有文化を基盤とするからである。それをローカルや域外からの交流のある新たな人びとと共にアップデートすることで可能になるといえる。そして、その交流場所が、今回取り上げた都市の路地裏であった。

5　創造的なまちづくりにおける重要な文化基盤とは——アートは経済を再生させるのか

近年、よく巷（ちまた）で最近注目されるアート（芸術作品）、そしてそれらのショーケースとなる文化施設を活用した地域の活性化が注目されている。これまで本書で論じてきた通りであるならば、アーティストやクリエーター、文化施設や展示場が都市や地域に多く存在しているからといって、それらの都市や地域が再生する訳でないだろう。

勿論、地方都市においては、文化施設や劇場を中心とした再開発や現代アートなどの芸術祭などによって、一時的に賑わいを創出して経済的な恩恵を齎しているところは実際にある。一方で、それを地域の文化として根付かせ、効果を持続可能にするためには、大衆やローカルのための地域固有の（有用な）文化を活用することと同時に、ローカルと共にアップデートすることや地域文化として醸成していくことが必要なのではないだろうか。浅草六区でかつて西洋オペラではない、浅草オペラが根付いたように、ローカルによって、大衆のための新たな浅草文化が生まれていたことも同様な動きとして捉えられる。

また、東京のような元来人口密度も高く、資本も潤沢で、多種多様なモノ・場所・情報にアクセスでき、チャンスも他の都市よりも相対的に多くあるような場所にアーティストや美術館が多いことはごく自然であろう。同時に、そうした自由な発想を持ったアーティストが何かを表現し創作活動を活発に行える街は、それが少なからず地域文化にも反映され、魅力的な街になるといえる。

実際に、１９９０年代から２０００年前半にかけてのサンフランシスコに関する研究でも、アメリカ東部からサンフランシスコに移住する無名で新進気鋭の現代アートなどのアーティストが存在したのは、サンフランシスコには、経済的自立が相対的にしやすかったと同時に、創作活動の場所や発表の機会もあり、彼らにとってはチャンスのある都市の一つであったことが挙げられる[15]。

こうした環境がアーティストを惹きつけ、彼らが自由な発想の下で作品づくりをし、市民と交流しつつ、レビューを行う場所や機会が設けられ、市民と共にアート作品や人材を輩出していた都市であった。こうしたことが、サンフランシスコに、その当時活気があった一つの要因でもあろう。換言すると、市民がローカル固有の文化をアップデートしている場所としてのサロンが点在し、それが面となり、ダイナミズムを生んでいたのである。

つまり、特定の職業の人が集積しているから都市は発展するのではなく、すべての人が創造的なまちづくりの担い手になれる、そして都市や地域が活気を生み出すことができる可能性を持っている。それは商業の場所かもしれないし、趣味的なプライベートな場所かもしれない。もしくは、コミュニティの何かしらの場所かもしれない。様々なケースが面となって広がり、それが重層的になることで、時間はかかるかもしれないが、都市の活気やダイナミズムが生まれるのである。

では、そのきっかけは何であろうか。それは、先述の芸術祭かもしれないし、文化施設などの再開発事業や伝統的なお祭りの復活、デジタルミュージアムのような仮想空間、または、何気ない友人同士との会話の中からきっかけが生まれてくるかもしれない。特筆すべきは、それを単なる消費や集客の手段とするのか、地域文化を継承し、アップデートしていくためのきっかけの場所や機会とするのかは、その地域に委ねられている。それが、維持可能な発展の分かれ道になるのだろう。

したがって、アートや文化施設が存在したからといって、必ずしもそこに賑わいや活気をもたらすものでもないし、開発研究従事者や弁護士、情報テクノロジーやアートやデザイン関連の人たちだけが都市経済や地域経済を担い、クリエイティブなものを生み出しているのではない。上述の通り、彼らを含めた、そこに存在するローカルやそこに関連する人びとが自由に交流している際に、新たなアイデアから様々な財やサービスが生まれるのである。同時に、経済的価値はないが文化的価値のある地域や都市固有の文化がアップデートされ、継承される。それらを可能とするのが、先述の通り、多様な機会と様々なフェイズでの多彩な交流なのである。

そうした場所や機会が点として存在し、それがやがて面となり、その中には繋がりを持つアクターが存在し、都市の再生や創造へのダイナミズムになるのである。そして、それが、自由な会話のできる空間であり、本書においては、路地裏（場所・建物も含む）がサロンとして機能してきた交流する場所になっていたのである。こうした文化を基盤とした創造的なまちづくりが今後も各地で求められていくことだろう。

註

（1）Saxenian, AnnaLee（１９９４）*Regional advantage: culture and competition in Silicon Valley and Rout 128*, Harvard Press. 大前研一監訳（１９９５）『現代の二都物語』講談社。１９８０年代から90年代前半の状況のことである。
（2）近年では若者の訪問者も増えている。
（3）*Zimmermann, Erichi W and Hunker, Henry L.* (1964) *Erichi W. Zimmermann's introduction to world resources*, Harper & Row.（＝エリック・ウォルター・ジンマーマン／ヘンリー・Ｌ・ハンカー（1985）『資源サイエンスー人間・自然・文化の複合』石光亨訳　三嶺書房）
（4）山田浩之編（2016）『礼祭とソーシャルキャピタル』ミネルヴァ書房 p11-12
（5）同書 p.12：Throsby, David. (2001) *Economics and Culture*, Cambridge University Press.（＝『文化経済学入門』中谷武・後藤和子監訳（2002）日本経済新聞社 p.56-57）
（6）前掲『礼祭とソーシャルキャピタル』p.12
（7）前掲 *Economics and Culture*（＝『文化経済学入門』p.81）
（8）同書 p.81-82
（9）同書 p.81-82
（10）前掲『礼祭とソーシャルキャピタル』p.16-18
（11）伝統文化の種類によっては、性別などが関係している場合もある。
（12）フロリダのクリエイティブクラス論に関にしては、すでに批評され、フロリダ自身もその後、その主張を修正している。
（13）本書では今回詳しく取り上げていないが、ビジネス環境に特化していえば、コワーキングスペースのような場所もそうしたビジネスのためのサロンであり、サンフランシスコなどではスタートアップ企業同士が交流し、そこで生まれたアイデアで世界的企業が生まれている（清水麻帆（２０１７）「マルチメディア産業の維持可能な発展と都市政策」『松山大学論集』第29巻第４号 p.312-328）。
（14）以下の文献を参考にされたい。清水麻帆（２００４）「都市再生事業による文化インキュベーターシステムの役割――サンフランシスコ市 Yerba Buena Center プロジェクトの事例研究から――」『地域経済学会』第14号 p.81-106
(15) 清水麻帆(2005)「都市の再生とサステイナビリティにおける文化産業の成長と文化政策――サンフランシスコ市・マルチメディア産業の事例から」『文化経済学会』第4巻第3号 p65-75

【参考文献】

朝日新聞社編(1998)『東京百景』朝日新聞社
足立区(1972)『足立の歴史』巧文社
足立区(1979)『足立の今昔』今石印刷
足立区(1987)「特集 千住の酒合戦と江戸の文人展」『足立区郷土博物館紀要』第3号
足立区(1955)『足立区勢要覧 昭和30年度版』足立区
足立区(2021)『数字で見る足立区令和3年』足立区
足立区(2018)『大千住 美の系譜―酒井抱一から岡倉天心まで―』足立区
足立区(2020)『名家のかがやき―近郊郷士の美と文芸―』足立区
足立区(2021)『谷文晁の末裔―二世文一と谷派の絵師たち―』足立区
足立区立郷土博物館・足立風土記編さん委員会(2002)『ブックレット足立風土記①千住地区 足立の交通史』足立区教育委員会
足立区立郷土博物館(2012)『千住生活史調査報告書』
飯野亮一(2014)『居酒屋の誕生 江戸の呑みだおれ文化』ちくま学芸文庫
石津三次郎(1958)『浅草 蔵前史』蔵前史刊行会
池享・桜井良樹・陣内秀信・西木浩一・吉田伸之編(2018)『みる・よむ・あるく 東京の歴史5 地帯編2 中

央区・台東区・墨田区・江東区』吉川弘文館
池享・桜井良樹・陣内秀信・西木浩一・吉田伸之編（2020）『みる・よむ・あるく　東京の歴史8　地帯編5　足立区・葛飾区・荒川区・江戸川区』吉川弘文館
江戸遺跡研究編（1992）『江戸の食文化』吉川弘文館
大西巧「初期工業学校における蔵前の役割」（2012）『太成学院大学紀要』14巻 p.169-180
岡田哲（1993）『コムギ粉の食文化史』朝倉書店
加藤政洋（2005）『花街』朝日新聞社
川崎房五郎（1984）『文明開化東京』光風社出版
川本三郎（1993）『私の東京街歩き』筑摩書房 1993年
北原進（2014）『100万都市 江戸の経済』角川ソフィア
近代食文化研究会（2019）『お好み焼きの物語』新紀元社
越澤明（2001）『東京都市計画物語』ちくま学芸文庫
小林ふみ子（2014）『大田南畝 江戸に狂歌の花咲す』岩波書店
佐々木雅幸（2012）『創造都市への挑戦』岩波現代文庫
塩見鮮一郎（2008）『弾左衛門の謎』河出書房新社
清水麻帆（2004）「都市再生事業による文化インキュベーターシステムの役割－サンフランシスコ市 Yerba Buena Center プロジェクトの事例研究から－」『地域経済学会』第14号 p.81-106 文化経済学会
清水麻帆(2005)「都市の再生とサステイナビリティにおける文化産業の成長と文化政策―サンフランシスコ市・マルチメディア産業の事例から―」『文化経済学会』第4巻第3号 p.65 －75 文化経済学会
清水麻帆（2017）「マルチメディア産業の維持可能な発展と都市政策」『松山大学論集』第29巻第4号 p.312-328 松山大学
清水麻帆（2018）「コンテンツツーリズムにおける再訪要因に関する計量学的分析 - 鳥取県岩美町「Free!」の事例研究より - 」『コンテンツツーリズム学会論文集』vol.5 p.47-57　コンテンツツーリズム学会

清水麻帆（2021）「みんな大好き「かつサンド」「お好み焼き」初期ブームを作ったのは花街の芸者だった！」アーバンライフメトロ（https://urbanlife.tokyo/post/writer/）
清水麻帆（2021）「新進気鋭のクリエイターたちが隅田川沿いの下町『蔵前』を目指す理由」アーバンライフメトロ（https://urbanlife.tokyo/post/writer/）
陣内秀信（2020）『水都　東京』ちくま新書
陣内秀信（1992）『東京の空間人類学』ちくま学芸文庫
鈴木裕子編・足立女性史研究会（1989）『葦笛のうた』ドメス出版
高井尚之（2014）『カフェと日本人』講談社
竹内誠編（1993）『日本の近世14文化の大衆化』中央公論社
竹内誠・古泉弘・池上裕子・加藤貴・藤野敦（1997）『東京都の歴史』山川出版社
田中優子（1992）『江戸の想像力』ちくま学芸文庫
田中優子（2008）『江戸はネットワーク』平凡社
田中優子（2016）『芸者と遊び』角川ソフィア文庫
田中優子・松岡正剛（2021）『江戸問答』岩波書店
台東区観光課（2009）『平成20年　台東区観光統計・マーケティング調査報告書』台東区
台東区観光課（2019）『平成30年度　台東区観光統計・マーケティング調査報告書』台東区
台東区観光課（2021）『台東区観光統計分析令和２年度』台東区
台東区史編集委員会（2002）『台東区史　通史編Ⅰ上巻』東京都台東区
台東区史編集委員会（2002）『台東区史　通史編Ⅰ下巻』東京都台東区
台東区史編集委員会（2002）『台東区史　通史編Ⅱ上巻』東京都台東区
台東区史編集委員会（2002）『台東区史　通史編Ⅱ下巻』東京都台東区
台東区史編集委員会（2002）『台東区史　通史編Ⅲ上巻』東京都台東区
台東区史編集委員会（2002）『台東区史　通史編Ⅲ下巻』東京都台東区

台東区文化産業観光部産業振興課（2017）『台東区産業振興計画２０１７（平成29）年度～２０２１（平成33）年度』
東京玩具人形協同組合・トイジャーナル編集委員（2017）『東京玩具人形協同組合創立１３０周年記念誌　輝ける玩具組合とおもちゃ業界の１３０年』東京玩具人形協同組合
東京商工会議所台東支部産業政策委員会（2019）『浅草花街いろは』東京商工会議所台東支部
東京都（1953）『江戸から東京への展開』東京都
東京都（2008）『平成19年度東京都観光客数等実態調査概要』東京都
東京都（2009）『平成20年度東京都観光客数等実態調査概要』東京都
東京都（2014）『平成25年度国別外国人行動特性調査』東京都
東京都（2019）『平成30年度国別外国人行動特性調査』東京都
東京都足立区教育委員会編（1980）『足立区教育百年のあゆみ』東京都足立区
東京都足立区役所『足立区史 上巻』（1967）文祥堂
東京都足立区役所『足立区史 下巻』（1967）文祥堂
土肥鑑高（1980）『米と江戸時代』雄山閣 BOOKS2
土肥鑑高（1981）『〈江戸〉選書７　江戸の米屋』吉川弘文館
中島隆博・吉見俊哉・佐藤麻貴（2020）『社寺会堂を探る 江戸東京の精神文化』勁草書房
西山松之助・郡司正勝・南博・神保五彌・南和男・竹内誠・宮田登・吉原健一郎編（1994）『江戸学辞典』弘文社
農林水産省・大臣官房統計部（2019）『令和２年度 食料・農林水産業・農山漁村に関する意識・意向調査』「緑茶の引用に関する意識・意向調査結果」農林水産統計
林哲夫（2020）『喫茶店の時代』ちくま文庫
半村良（2017）『小説浅草案内』ちくま文庫
日比谷孟俊（2018）『江戸吉原の経営学』笠間書院
廣末保（2002）『悪場所の発想』ちくま学芸文庫

姫野和映（2007）『お化け煙突物語』新風社
藤森照信（2004）『明治の東京計画』岩波現代文庫
増淵敏之（2012）『裏路地が文化を生む』青弓社
三谷一馬（2001）『江戸職人図聚』中公文庫
南和男（1969）『江戸の社会構造』塙書房
宮本憲一（1995）『都市をどう生きるか―アメニティへの招待―』小学館
森田新太郎（1997）『浅草繁栄の道』浅草観光連盟
柳田國男（1993）『明治大正史』講談社学術文庫
山田太一（2000）『土地の記憶 浅草』岩波書店
山田登世子（2006）『ブランドの条件』岩波書店
山田浩之編（2016）『礼祭とソーシャルキャピタル』ミネルヴァ書房
唯物論研究会編（2020）『〈復興と祝祭〉の資本主義』大月書店
吉見俊哉（2020）『東京裏返し』集英社新書
吉住史彦（2016）『浅草はなぜ日本一の繁華街なのか』晶文社
鷲田清一（2018）『大正＝歴史の踊り場とは何か』講談社選書メチエ
和田博文（2011）『資生堂という文化装置』岩波書店
Florida, Richard. (2002) *The rise of Creative Class*, Basic books 11『クリエイティブ資本論』井口典夫訳（2008）ダイヤモンド社）
Florida, Richard. (2012) *The rise of Creative Class*, Revised, Basic books. 11『新クリエイティブ資本論』井口典夫訳（2014）ダイヤモンド社）
Harvey, David. (2001) *Space of Capital: towards a critical geography*, New York.
Jacobs, Jane. (1961) *The death and life of great American cities*, New York. Random House.
Latour, Bruno. (2005) *Reassembling the social; An introduction to Actor –Network-Theory*, Oxford.（＝『社会的なものを組

み直す—アクターネットワーク理論入門』伊藤嘉高訳（2019）法政大学出版）
Munford. Lewis. (1970) *The Culture of Cities'* Mariner Books（=『都市の文化』生田勉訳（1974）鹿島出版会）
Throsby. David. (2001) *Economics and Culture,* Cambridge University Press.（=『文化経済学入門』中谷武・後藤和子監訳（2002）日本経済新聞社）
Throsby, David. (2010) *Economics of Cultural Policy,* Cambridge University Press.（=『文化政策の経済学』後藤和子・坂本崇監訳（2014）ミネルヴァ書房）
Saxenian, AnnaLee. (1994) *Regional advantage: culture and competition in Silicon Valley and Rout 128*, Harvard Press.（=『現代の二都物語』大前研一監訳（1995）講談社）
Zimmermann, Erichi W and Hunker, Henry L. (1964) *Erichi W. Zimmermann's introduction to world resources,* Harper & Row.（=『資源のサイエンス』石光亨訳（1985）三嶺書房）
Zukin, Sharon. (2001) *Loft Living: Culture and Capital in Urban Change*, Johns Hopskins University Press.
Zukin, Sharon. (1995) *The Culture of Cities,* Blackwell Publishing.
浅草演芸ホールホームページ（https://www.asakusaengei.com）2022年3月15日参照
浅草見番（http://asakusakenban.com）2022年4月28日参照
ソトコトホームページ（https://sotokoto-online.jp/people/1167）2021年11月5日参照
東洋館ホームページ（https://www.asakusatoyokan.com）2022年3月15日参照
一般社団法人グリーンビルディングジャパン（https://japanclimate.org/member/green-　building-japan/）2022年8月1日参照
エイチワン（https://www.h1-co.jp/corporate/history.html）2021年12月20日参照
アウバ ジャコネッリ（https://au-ba.com）2022年8月6日参照
国立博物館所蔵品統合検索システム（https://colbase.nich.go.jp) 2022年8月8日参照
全国小劇場ネットワーク「劇場の声⑤」（https://readyfor.jp/projects/shogekijo-network/announcements/136153）2021年11月5日参照

台東区デジタルアーカイブ（https://trc-adeac.trc.co.jp/WJ11C0/WJJS02U/1310615100）2022年8月3日参照
仲町の家（https://aaa-senju.com/p/10011）2021年9月30日参照
名倉医院（https://nagura-iin.com/honin/）2021年12月20日参照
ブイ（BUoY）（https://buoy.or.jp）2021年9月30日参照
文化庁（https://bunka.nii.ac.jp/heritages/detail/197799）2022年3月1日参照
リソ・アート・スタジオ（https://risoart.onten.jp）2022年6月30日参照

【インタビューリスト】

浅草見番　乃り江（鹿島菊乃）
足立区立郷土博物館　多田文夫
アッシュコンセプト　名児耶秀美
アノニマ・スタジオ　下屋敷佳子
井泉　石坂桃子
板垣家当主　板垣稔
エムピウ（m+）村上雄一郎
カキモリ（株式会社ほたか）広瀬琢磨
株式会社タカラ湯　松本康一
株式会社ビルmo　吉田賀織
株式会社明珠（カフェ・わかば堂など）川島和己
蕪木　蕪木祐介
carmine design factory（カーマイン・デザイン・ファクトリー）中村美香
GRNARYA COFFEE STAND（グライナリーズ・コーヒー・スタンド）伊能大樹
COFFEECOUNTER NISHIYA（コーヒーカウンター・ニシヤ）西谷恭兵

コーヒーワークショップ・シャンティ　宮本順一
さかづきブルーイング　金山尚子
酒呑倶楽部アタルなど　當山鯉一
SyuRo（シュロ）宇南山加子
Juice Bar Rocket（ジュース バー ロケット）高橋浩二（VIKIN）
SOL'S COFFEE 荒井利枝子
Tama Coffee Roaster（たまコーヒーロースター）金井玉恵
TENJIN WORKS（天神ワークス）高木英登
ダンデライオン・チョコレート（Dandelion Chocolate Japan）株式会社　堀淵清治
NAKAMURA TEA LIFE STORE（ナカムラ・ティー・ライフ・ストア）西形圭吾
Frobergue（フローベルグ）中村啓太
Maito Design Works（マイト）小室真以人
Readin' Writin' BOOKSTORE（リーディン・ライティンブックストア）落合博
REN（レン）柳本大
和食板垣（株式会社メキコン）近藤温思

あとがきにかえて

今回、本書では下町を取り上げた。著者は四国の生まれで、長らく関西にも住んでいたし、海外にも住んだことがあったが、東京には縁がなく住んだことがなかった。そのため、東京という場所は、友人たちが住んでおり、銀座や新宿などの東京の象徴的な都市に遊びに訪れるところであった。それが、縁あって住むことになり、東部の下町に興味を抱くようになった。それは、下町の人たちが人懐っこく、人情味があるという点で、関西の気質に似ている気がしていたためである。また、下町には、煌びやかな銀座や渋谷というような大都会・東京としては注目されていないかもしれないが、住んでいる人びとには活気があると感じていた。

著者は、地域経済学や文化経済学、都市政策論といった領域を専門としているため、下町の賑わいや活気の背景にあるものが気になったのである。浅草などは歴史や文学などの学問領域からや、近年では観光地としても研究されているだろうが、蔵前や北千住の地域再生や活性化といった面においては、ほとんど取り上げられていなかった。そこで、これまで研究してきたテーマ「文化を基盤とした都市の再生とサステイナブルな発展」の視点から見聞きしていくことにしたのが本書を執筆するきっかけである。また、コロナ渦中で、どこの地域も厳しい状況が続く中、魅力ある下町について、少しでも関心を持つきっかけとなってくれればという思いもあった。

今回は、取り上げた地域の課題点などにはほとんど触れてはいないが、今後、サステイナブルな発展を考える上では、それぞれの地域で取り組むべき課題は勿論残されている。それについては、今後も引き続き研究活動や地域活動を通じて継続していきたいと思っている。足立区に関しては、すでに地域の方々にご協力いただきながら、学生と共に活性化のための活動を行なっている。そうした際にも、地域の人びとは協力的で寛容であった。そして、それは、インタビューや資料をご提供頂いた際の浅草や蔵前も同様であった。そうした人との繋がりや関係性が地域を元気にすることに繋がっていると実感している今日この頃である。

最後に謝辞を述べておきたい。本書が完成するまでには、多くの方々にお世話になった。コロナ渦中で大変な時期にもかかわらず、インタビューを快く受けて頂いた蔵前や浅草、北千住の地域の方々や資料をご提供頂いた自治体や関係各位のご協力には心より感謝申し上げたい。

また、彩流社の河野和憲社長には、まだまだ研究者として未熟であろう私にこうして執筆の企画を与えて頂き、なかなか執筆活動が進まない中、辛抱強くお見守り頂き、温かいお言葉を頂いた。この場で厚く御礼申し上げたい。

２０２２年８月４日

清水麻帆

【著者】

清水麻帆

…しみず・まほ…

1973年香川県生まれ。文教大学国際学部准教授。立命館大学大学院博士課程修了(政策科学博士)。専門は文化経済学、地域経済学、都市政策論。立命館大学助手、大阪市立大学特別研究員(日本学術振興会PD)、大正大学助教を経て現職。2013年に日本都市学会の論文賞受賞。主な著書に「文化を基盤としたレジリエンス——奄美の維持可能な発展への挑戦」『創造社会の都市と農村』(水曜社、2019年)「『刀剣』を巡る旅——文化装置としての刀剣乱舞」『物語で地域に10倍人を呼ぶ』(生産性出版、2021年)等がある。

「まち裏(うら)」文化(ぶんか)めぐり [東京下町編(とうきょうしたまちへん)]

二〇二二年十二月三十日　初版第一刷

著者——清水麻帆
発行者——河野和憲
発行所——株式会社 彩流社
〒101-0051
東京都千代田区神田神保町3-10大行ビル6階
電話：03-3234-5931
ファックス：03-3234-5932
E-mail：sairyusha@sairyusha.co.jp
印刷——明和印刷(株)
製本——(株)村上製本所
装丁——中山銀士+金子暁仁

ISBN978-4-7791-2862-2 C0036

http://www.sairyusha.co.jp

フィギュール彩

〔既刊〕

㊾憐憫の孤独

ジャン・ジオノ◉著／山本省◉訳

定価（本体 1800 円＋税）

自然の力、友情、人間関係の温かさなどが語られ、生きることの詫びしさや孤独がテーマとされた小説集。「コロナ禍」の現代だからこそ「ジオノ文学」が秘める可能性は大きい。

㊷マグノリアの花

ゾラ・ニール・ハーストン◉著／松本昇他◉訳

定価（本体 1800 円＋税）

「リアリティ」と「民話」が共存する空間。ハーストンが直視したアフリカ系女性の歴史や民族内部に巣くう問題、民族の誇りといえるフォークロアは彼女が描いた物語の中にある。

⑨おとなのグリム童話

金成陽一◉著

定価（本体 1800 円＋税）

メルヘンはますますこれからも人びとに好まれていくだろう。「現実」が厳しければ厳しいほどファンタジーが花咲く場処はメルヘンの世界以外には残されていないのだから。